Ce que les gens disent à propos de *Bouillon de poulet pour l'âme des Professeurs…*

« À une époque où le stress lié à l'enseignement — élèves en difficulté, réformes des programmes scolaires, pression pour de meilleurs résultats aux examens — menace d'atteindre un point de rupture, ces histoires réconfortent, rassurent et confirment que, jour après jour, les enseignants œuvrent avec passion et engagement. Par le fait même, ils touchent la vie et le cœur des jeunes qui leur sont confiés. »

Jane Bluestein, Ph.D.
Auteure, *Mentors, Masters and Mrs. MacGregor: Stories of Teachers Making a Difference* et *Creating Emotionally Safe Schools*

« J'ai enseigné l'anglais au secondaire et, à titre de professeur et de consultant, j'ai côtoyé des enseignants, des parents et des élèves durant toute ma carrière. Je dois avouer que *Bouillon de poulet pour l'âme des professeurs* est le livre le plus inspirant et le plus convaincant que je connaisse sur l'éducation. Ces histoires vont au cœur même de ce que comporte l'enseignement au quotidien. Elles font ressortir le lien enseignant-élève, ainsi que la capacité incroyable qu'ont les enseignants d'aider les enfants à découvrir leurs propres talents et à croire en eux-mêmes. Chaque histoire de ce livre est porteuse d'espoir et donne du courage. »

Hanoch McCarty, Ed.D.
Professeur   te
                                                         y

                                                         n,
                                                         n

« *Bouillon de poulet pour l'âme des professeurs* est un hommage émouvant à l'influence et à l'inspiration que les enseignants transmettent à leurs élèves chaque jour. »

Jason Dorsey
Conférencier et auteur
Graduate to Your Perfect Job

« Trop souvent confinés entre les quatre murs de nos classes, nous, les enseignants, ne recevons pas toujours la rétroaction positive que nous souhaiterions. C'est pourquoi je me suis créé un dossier rempli de notes, de lettres et de dessins d'adultes et d'enfants que je consulte lorsque je ressens le besoin de me remémorer les raisons qui m'ont poussée vers ce métier. Ce *Bouillon de poulet pour l'âme des professeurs* peut jouer le même rôle pour les éducateurs de partout. Merci d'avoir créé ce merveilleux livre! »

Camie Worsham-Kelly
Enseignante, Vieja Valley School
Santa Barbara, Californie

« Ces magnifiques témoignages basés sur des expériences réelles nous révèlent les joies de l'enseignement et nous aident à comprendre pourquoi tant de gens choisissent cette carrière malgré les difficultés et le manque de reconnaissance. C'est un hommage à tous ceux et celles qui enseignent, qu'ils soient parents, mentors ou professionnels. Ces histoires montrent l'impact incroyable que nous pouvons avoir sur la vie des jeunes et prouvent l'adage voulant que l'on enseigne ce que l'on est. Ce livre réchauffera le cœur et inspirera tous ceux qui le liront. »

Robert W. Reasoner
Directeur, auteur, présentateur et président
International Council for Self-Esteem

« Un grand merci aux auteurs de *Bouillon de poulet pour l'âme* d'avoir écrit ce livre tant attendu qui célèbre la profession capable d'avoir un impact réel et profond sur notre avenir : l'enseignement ! Chacune de ces histoires est un trésor qui vous fera rire et pleurer. Plus important encore, ces histoires réaffirment l'influence illimitée que nos enseignants peuvent exercer sur le cœur et l'esprit de nos enfants. C'est un véritable témoignage de l'incroyable responsabilité qui incombe aux enseignants et du mérite qui leur est dû. »

Michele Borba
Auteure, *Building Moral Intelligence :*
The Seven Essential Virtues That Teach Kids
to Do The Right Thing et *Esteem Builders*

« Si vous êtes un enseignant, si vous en connaissez un, si vous en aimez un, ou s'il y en a un qui est cher à votre cœur, ce *Bouillon de poulet pour l'âme des professeurs* est tout indiqué ! Aujourd'hui, les enseignants sont probablement confrontés à des défis toujours plus exigeants, par exemple répondre aux besoins des élèves en difficulté toujours plus nombreux, ou des enfants négligés, abandonnés et abusés. Ils paient parfois de leur poche du matériel pédagogique et travaillent sans compter les heures. Ce bol de *Bouillon de poulet* rappelle avec acuité les raisons qui les incitent à exercer cette profession et pourquoi ils continuent de l'aimer. »

Kathy Megyeri
Professeure d'anglais au secondaire
Kensington, Maryland

« *Bouillon de poulet pour l'âme des professeurs* est un incontournable pour tous. Les enfants représentent 25 % de la population et 100 % de notre avenir. Maintenant, grâce aux histoires de ce livre, des millions de lecteurs seront en mesure de mieux comprendre la responsabilité incroyable qui revient aux enseignants et leur rôle dans l'édification de notre monde. Ce livre est un merveilleux "classique". »

Sissy Grapes
Enseignante et spécialiste en stratégie
Performance Dynamics, Inc.
Carencro, Louisiane

« Je préconise fortement l'utilisation dans ma classe des *Bouillon de poulet pour l'âme* comme outils pédagogiques. Depuis que j'utilise ces livres, les habiletés en écriture de mes élèves se sont considérablement améliorées, de même que leur attitude à l'égard de l'écriture. *Bouillon de poulet pour l'âme des professeurs* est un ajout attendu qui permettra aux enseignants et aux élèves de partager ensemble ces histoires motivantes. J'ai toujours affirmé qu'il n'y a pas de meilleur moyen de commencer une journée à l'école qu'avec un bon *Bouillon de poulet pour l'âme*! »

Barbara Robinson
Enseignante, Denn John Middle School,
Kissimmee, Floride

« Dès mon plus jeune âge, je savais que je voulais être enseignante. Maintenant que j'ai réalisé ce rêve et décroché mon premier poste d'enseignante, les histoires de ce *Bouillon de poulet pour l'âme des professeurs* me confirment que j'ai fait le bon choix de carrière. Je déborde d'inspiration et d'enthousiasme pour faire tout ce que je peux afin d'apporter des changements positifs dans la vie de mes élèves tout en ayant un impact sur leur avenir. »

Laura Bacon
Enseignante de première année
Garden Grove, Californie

JACK CANFIELD ET MARK VICTOR HANSEN

Bouillon de Poulet pour l'âme des Professeurs

Des histoires pour réchauffer
le cœur et remonter le moral
des femmes et des hommes
qui enseignent

Traduit par Annie Desbiens et Miville Boudreault

BÉLIVEAU
★
é d i t e u r

Montréal, Canada

L'édition originale de cet ouvrage a été publiée sous le titre
CHICKEN SOUP FOR THE TEACHER'S SOUL
©2002 Jack Canfield et Mark Victor Hansen
Health Communications, Inc., Deerfield Beach, Floride (É.-U.)
ISBN 1-55874-978-0

Réalisation de la couverture: Morin Communication • Design

Tous droits réservés pour l'édition française
©2005, *Éditions Sciences et Culture Inc.*

Dépôt légal: 3e trimestre 2007
Bibliothèque et Archives nationales du Québec
Bibliothèque nationale du Canada

ISBN 978-2-89092-388-1

BÉLIVEAU   5090, rue de Bellechasse
★   Montréal (Québec) Canada H1T 2A2
é d i t e u r   **514-253-0403** Télécopieur: 514-256-5078

www.beliveauediteur.com
admin@beliveauediteur.com

Nous reconnaissons l'aide financière du gouvernement du Canada par
l'entremise du Programme d'aide au développement de l'industrie de
l'édition (PADIÉ) pour nos activités d'édition.

IMPRIMÉ AU CANADA

Nous dédions ce livre à tous les enseignants
qui consacrent leur vie à éduquer, à encourager
et à aider les élèves à travers le monde.

✎ ✎

Je dédie également ce livre aux professeurs suivants:
Douglas Haywood, qui m'a enseigné la discipline et
le respect de soi; Katherine Metzner, qui m'a mis au
défi de croire en mon intelligence; David Judy, qui a
cru en mon talent pour l'écriture et l'a nourri; Gerald
Weinstein et Sid Simon, qui m'ont enseigné la science
du soi; Martha Crampton, Marti Glenn et Armand
Bytton, qui m'ont amené à explorer mon jardin inté-
rieur; Jack Gibb, qui m'a enseigné la confiance;
Robert Resnick, qui m'a enseigné à assumer l'entière
responsabilité de ma vie; Bob Reasoner, qui m'a
inculqué une vision globale de l'estime de soi; Dan
Sullivan, qui m'a enseigné la pensée stratégique; et
Lacy Hall, Jim Nugent et Billy Sharp, qui m'ont fait
comprendre que tout était possible.

Jack

Je dédie ce livre aux personnes suivantes: John
Rhinehart, un de mes professeurs d'anglais, qui m'a
enseigné l'amour de la lecture; Dr Buckminster
Fuller, qui m'a montré à penser de manière globale
et à travailler à l'amélioration de ce monde pour
toute l'humanité; Jack Canfield, qui m'a appris à
garder le cap pour réussir à tout accomplir et à
apprécier une industrie du livre toujours en expan-
sion; et Robert G. Allen, qui m'a exposé son plan
pour créer un million de millionnaires et transformer
l'histoire économique du monde.

Mark

« On sait que vous êtes là, madame Soucy.
On vous voit. Ouvrez la porte. »

Table des matières

4. À la croisée des chemins

5. Laisser sa trace

6. Les classiques

10. Leçons et devoirs

11. Mille mercis

Les citations
Pour chacune des citations contenues dans cet ouvrage, nous avons fait une traduction libre de l'anglais au français. Nous pensons avoir réussi à rendre le plus précisément possible l'idée d'origine de chacun des auteurs cités.

Remerciements

C'est avec beaucoup de joie et d'amour que nous avons produit ce *Bouillon de poulet pour l'âme des professeurs*. Sans le soutien affectueux de nos familles, de nos amis et de notre éditeur, ce livre n'aurait jamais vu le jour. Nous aimerions exprimer notre reconnaissance envers tous ceux et celles qui nous comblent de leur amour et de leur appui, et qui nous accordent la marge de manœuvre nécessaire pour créer des livres si merveilleux.

À nos familles qui ont été des bouillons de poulet pour nos âmes!

À Inga, Travis, Riley, Christopher, Oran et Kyle, qui nous ont prodigué amour et soutien.

À Patty, Elisabeth et Melanie Hansen, qui nous ont offert leur soutien affectueux tout au long de la création de ce livre.

À Patty Aubery, qui a veillé au bon fonctionnement quotidien de notre entreprise, Chicken Soup for the Soul Entreprises.

À notre éditeur, Peter Vegso, qui a donné son amitié, son appui, sa vision et son engagement à tous les artisans de la série *Bouillon de poulet pour l'âme*. Peter ne cesse de nous émerveiller sur tous les plans. À tous les employés de Health Communications, plus particulièrement Terry Burke, Susan Tobias, Lisa Drucker, Christine Belleris, Allison Janse et Kathy Grant, qui ont soutenu sans réserve ce projet. À Larissa Hise Henoch, Lisa Camp, Dawn Grove et Anthony Clausi, un gros merci. Vous n'avez ménagé aucun effort pour ce projet. Mille mercis.

À Heather McNamara et D'ette Corona, qui ont produit un manuscrit final avec aisance, finesse et soin.

À Leslie Riskin, qui a fait preuve de doigté et de détermination pour obtenir les autorisations requises et pour veiller à ce que tout soit prêt malgré des échéances extrêmement serrées.

À Nancy Mitchell-Autio et LeAnn Thieman, qui nous ont alimentés en histoires et en caricatures merveilleuses et qui nous ont aidés à compléter ce livre.

À Maria Nickless, pour son soutien enthousiaste en marketing et en relations publiques, et son brillant sens de l'administration.

À Patty Hansen, qui a fait preuve de perspicacité et de compétence dans le traitement des aspects légaux et commerciaux de la série *Bouillon de poulet pour l'âme*. Patty, tu as su relever ce défi avec brio!

À Laurie Hartman, qui a su protéger la marque de commerce *Chicken Soup*.

À Veronica Romero, Robin Yerian, Teresa Esparza, Vince Wong, Cindy Holland, Stephanie Thatcher, Kathy Brennan-Thompson, Dana Drobny, Michelle Adams, Dave Coleman, Irene Dunlap, Jody Emme, Dee Dee Romanello, Gina Romanello, Brittany Shaw, Shanna Vieyra et Lisa Williams, qui ont veillé avec constance, dévouement et professionnalisme au bon fonctionnement des bureaux de Jack et de Mark.

À tout le personnel de *Chicken Soup for the Soul* et de *HCI* dont les noms ont déjà été mentionnés et qui font preuve d'un soutien sans cesse renouvelé envers chaque nouveau projet.

À tous les coauteurs de *Bouillon de poulet pour l'âme,* qui rendent si agréable l'appartenance à cette grande famille: Raymond Aaron, Patty et Jeff Aubery, Nancy Mitchell-Autio, Marty Becker, John Boal, Cynthia Brian, Cindy Buck, Ron Camacho, Barbara Russell Chesser, Dan Clark, Tim Clauss, Barbara De Angelis, Mark et Chrissy Donnelly, Irene Dunlap, Bud Gardner, Patty Hansen, Jennifer Read Hawthorne, Kimberly Kirberger, Tom et Laura Lagana, Hanoch et Meladee McCarty, Heather McNamara, Paul J. Meyer, Arline Oberst, Marion Owen, Maida Rogerson, Martin Rutte, Amy Seeger, Barry Spilchuk, Pat Stone, Carol Sturgulewski, Jim Tunney et Diana von Welanetz Wentworth.

À notre glorieuse équipe de lecteurs qui ont participé à la sélection finale des histoires et qui ont fait de précieuses suggestions pour améliorer ce livre: Willanne Ackerman, Becky L. Alexander-Conrad, Fred Angelis, Paige Beak, Cheri Briggs, Sharon Castiglione, Heather Cook, Tara Coombo, Christine Dahl, Catherine Davis, Teri Detwiler, M. Dobbin, Tracy Donavan, Jamie Hickey, Kitty Howe, Melanie Johnson, Heidi Keller, Renee King, June Kolf, Ed Kostro, Terry LePine, Barbara LoMonaco, Susan Mason, Linda Mitchell, Swannee Rivers, Crystal Ruzicka, Shari Shields, Andrea Spears, Donna Thompson, Carla Thurber, Denene VanHecker, Sue Wade, Bill Welty et

Charolette Willenborg. Vos commentaires ont été un vrai cadeau!

Et, par-dessus tout, merci à tous ceux qui nous ont proposé leurs histoires venues du cœur, poèmes, citations et caricatures pour les inclure possiblement dans ce livre. Même s'il nous a été impossible d'utiliser tout le matériel reçu, nous savons que chaque mot témoigne d'un moment magique dans votre vie.

Compte tenu de l'ampleur de ce projet, il se peut que nous ayons omis les noms de certaines personnes y ayant participé. Si tel est le cas, nous nous en excusons. Sachez que nous avons grandement apprécié votre contribution.

Nous vous sommes sincèrement reconnaissants et nous vous aimons tous!

Introduction

Nous qui avons été les élèves de plusieurs enseignants formidables, qui avons enseigné dans des écoles publiques et qui avons consacré plus de vingt années à la formation d'enseignants, c'est avec bonheur et satisfaction que nous vous offrons le plus récent volume de la série *Bouillon de poulet pour l'âme*.

Chaque jour, comme des millions d'autres parents, c'est à vous, les enseignants, que nous confions nos enfants. Ce livre est notre façon à nous de vous dire que nous sommes conscients de vos sacrifices, que nous reconnaissons les défis auxquels vous êtes confrontés et que nous apprécions tout ce que vous apportez à nos enfants. Malgré des classes souvent surpeuplées, des budgets toujours plus serrés et des attentes sans cesse grandissantes à votre endroit, vous continuez néanmoins à exercer votre magie bien particulière sur vos élèves. Vous instruisez nos enfants, vous les formez, vous les guidez, vous les conseillez et vous les inspirez afin qu'ils atteignent leur plein potentiel. Vous leur enseignez le savoir-vivre aussi bien que les sciences humaines, l'estime de soi comme l'orthographe, le civisme comme les sciences, la tolérance comme la calligraphie, l'enthousiasme d'apprendre comme la maîtrise du contenu.

Vous devez jouer le rôle de conseillers, de mentors, d'amis et de parents-substituts. En plus de bien maîtriser vos matières, vous devez être des experts en discipline, en dynamique de groupe, en résolutions de difficultés d'apprentissage, en motivation, en culture et en sport. Vous devez faire preuve de créativité et de dynamisme pour communiquer votre matière et capter l'attention d'un grand nombre de jeunes. Enfin, vous devez personnaliser votre enseignement pour l'adapter aux nombreuses manières d'apprendre des étudiants ainsi qu'à leurs différents problèmes d'apprentissage.

La profession que vous avez choisie est à la fois parmi les plus difficiles et les plus gratifiantes qui soient ou seront jamais. Les salaires sont modestes, mais les récompenses psychologiques et affectives sont immenses: l'éclat dans le regard d'un enfant qui a trouvé sa motivation; le sourire sur un visage lorsqu'une notion apparemment insondable est finalement saisie; le rire enjoué d'un élève solitaire qui a enfin trouvé sa place au sein du groupe; la joie de voir un élève en difficulté décrocher son diplôme; les sourires élogieux, les étreintes et les mercis d'un parent reconnaissant; la carte de remerciement d'un décrocheur potentiel qui décide de rester à l'école et de continuer afin de réussir; la satisfaction intérieure de savoir que vous avez eu un impact positif, que vous avez posé un geste important et que vous avez laissé une marque indélébile sur l'avenir.

Encore une fois, considérez ce livre comme une gigantesque carte de remerciement pour tout ce que vous avez fait pour tant de gens depuis si longtemps.

1

UNE JOURNÉE
À L'ÉCOLE

*Les gens peuvent être aussi merveilleux
que des couchers de soleil
si je leur en laisse la chance.
Je n'essaie pas de contrôler
un coucher de soleil.
Je le regarde avec admiration se déployer,
et je suis fier lorsque je ressens
la même admiration
devant une vie qui se déploie.*

Carl R. Rogers

Il était une fois…

*Les enfants dans notre classe sont infiniment
plus importants que la matière que nous leur
enseignons.*

Meladee McCarty

Certains parents refusent tout simplement d'entendre de mauvaises nouvelles à propos de leur enfant. M. Reardon semblait être un de ceux-là. Même si j'avais besoin de son aide, je ne parvenais pas à obtenir sa collaboration. J'avais consacré la totalité de mon heure de dîner à essayer de le convaincre que sa fillette de 10 ans se trouvait dans un grave état de détresse psychologique, mais sans succès. J'avais l'impression de parler à un mur.

Après douze ans d'enseignement, je me considérais comme une « pro ». Mais là, je doutais de moi, me demandant si les accusations de ce père étaient fondées. Étais-je responsable des problèmes de Rachel? Mes attentes étaient-elles irréalistes envers une enfant « hypersensible » selon le dire de son père? Étais-je plus exigeante à son endroit que ses anciennes enseignantes? En toute honnêteté, je ne le croyais pas.

En début d'année, Rachel, une fillette maigrichonne aux yeux bleus, était une des meilleures élèves de ma classe. Elle saisissait rapidement les idées, répondait avec facilité aux problèmes de mathématiques et aux travaux en sciences humaines, et avait une passion pour l'écriture. Malgré sa timidité, elle aimait rire et bavarder avec moi et avec ses camarades de classe.

Toutefois, vers le milieu de l'année, j'ai commencé à observer des changements préoccupants. Rachel apparaissait souvent distraite et manifestait de la frustration, même pour les tâches les plus simples. Certains jours, elle était incapable d'écrire son nom ou la date sur une feuille sans pleurer ou éclater de rage. Elle croisait les bras, serrait les lèvres et restait assise sans bouger pendant une heure ou plus. Sauf lorsque je lui demandais d'écrire une histoire, ses travaux étaient rarement terminés à la fin de la journée de classe.

C'est surtout son comportement asocial qui m'a décidée à contacter ses parents. Pendant la récréation, elle se tenait à l'écart tandis que ses camarades jouaient au ballon ou au Frisbee. À la cafétéria, elle s'assoyait à la table du surveillant, souvent sans dîner ou sans argent pour en acheter un. Même en classe, lorsque j'encourageais les élèves à se trouver des partenaires pour un travail en équipe, Rachel demeurait seule, fixant la fenêtre ou dessinant dans son cahier des paysages imaginaires.

Comment expliquer la réaction très négative du père de Rachel à mon coup de fil? Pourquoi semblait-il si peu inquiet face aux changements dans le comportement de sa fille? De toute évidence, quelque chose troublait Rachel. Qu'en était-il de sa mère? Aurait-elle vu les choses différemment si c'était elle qui avait répondu au téléphone? Peut-être un nouveau bébé était-il en route? Ou un déménagement? J'étais convaincue que l'anxiété de Rachel découlait de ce qui se passait chez elle, mais c'était un territoire inaccessible pour moi. Son père avait été très clair à ce sujet: je devais me préoccuper uniquement de l'environnement scolaire de Rachel.

Un matin, quelques jours après ce coup de fil, Rachel est arrivée à l'école vêtue d'une robe sale et fripée. Ses cheveux étaient également sales et ébouriffés; ses yeux étaient à demi fermés et son teint, pâle. Après s'être affalée sur sa chaise, elle a placé un livre sur son pupitre en guise d'oreiller et s'est endormie en quelques minutes.

Trois heures plus tard, lorsque les élèves sont sortis pour la pause du midi, je l'ai réveillée doucement, bien décidée à savoir ce qui se passait. « Parfois, je reste éveillée toute la nuit pour ne pas avoir de cauchemars », a-t-elle dit doucement en se frottant les yeux.

« Tu veux de la salade de fruits ? » lui ai-je demandé en ouvrant mon casse-croûte.

Elle a détourné le regard. « Ma mère m'en préparait avant », a-t-elle murmuré de manière presque révérencieuse.

« Avant? » Je savais que j'entrais en territoire interdit, mais pour la première fois depuis des mois, Rachel faisait mention de sa mère.

Tortillant sa ceinture d'une main et essayant de masquer le tremblement de son menton de l'autre, elle a répondu: « Ma mère ne peut plus rien faire maintenant. Elle est… elle est… »

« Partie? Malade, peut-être? » ai-je hasardé.

« Oui. Je veux dire non! » a-t-elle balbutié en sanglotant. « J'aimerais vous le dire, mais je ne peux pas.

Papa m'a fait promettre de ne jamais en parler à personne à l'école. Je ne peux pas briser ma promesse, n'est-ce pas ? » Ses yeux m'imploraient de lui dire *oui*.

Tout en m'efforçant de garder mon calme, j'ai tendu un mouchoir à Rachel, puis j'ai pris une cuillère pour verser des fruits dans une assiette en carton. Je cherchais un moyen de l'aider à alléger son lourd fardeau d'anxiété et d'isolement.

Je me suis penchée vers elle en la regardant droit dans les yeux, puis, comme je le fais souvent pour aider les élèves à commencer à écrire, j'ai commencé une phrase : « Il était une fois une promesse… »

Instantanément, Rachel a redressé le dos. Elle m'a lancé un regard entendu. « Il était une fois une promesse… », a-t-elle répété en se précipitant sur son crayon.

Moins d'une demi-heure plus tard, j'avais la composition de Rachel entre les mains.

Il était une fois une promesse, au Royaume de la Misère, une jeune princesse qui vivait seule avec son père-le-roi. Même si leur palais était magnifique et qu'ils avaient beaucoup de richesses, le roi et la princesse étaient tristes. Ils étaient tristes parce qu'ils s'ennuyaient (beaucoup, beaucoup) de la reine qui ne pouvait pas vivre avec eux. Voyez-vous, elle était très malade et le médecin de la cour l'avait envoyée dans un hôpital pour un repos royal. Mais c'était dans la tête de la reine qu'était sa maladie. Le repos ne l'avait pas rendue mieux.

Un jour, le médecin lui a permis de faire une visite au palais. Il pensait que de voir sa fille et son mari lui ferait du bien. Mais cela n'a fait qu'empirer les choses, car lorsque la reine était à la maison, elle a avalé trop de pilules (exprès) et a presque failli mourir!!!

La reine est retournée à l'hôpital (bien entendu), et le roi était plus triste que jamais. Il était si triste qu'il a cessé de s'occuper de la princesse qui avait maintenant PEUR DE TOUT (elle avait même peur d'être enfermée dans le donjon si elle parlait de la maladie de sa mère à d'autres).

Plus que tout, la princesse avait peur parce qu'elle savait qu'elle ne vivrait jamais heureuse pour toujours.
LA FIN!!!

L'histoire de Rachel ne m'a pas étonnée outre mesure. J'étais néanmoins surprise de constater avec quelle facilité elle s'était débarrassée de son fardeau après avoir compris qu'elle le pouvait. Bien sûr, il me restait à vérifier les faits, mais j'étais convaincue d'avoir trouvé la clé du donjon qui hantait l'univers de Rachel. La maladie mentale de sa mère et sa tentative de suicide constituaient des menaces suffisamment sérieuses à la sécurité et à la quiétude d'esprit de Rachel. Toutefois, l'incapacité de son père de lui offrir un soutien affectif et son insistance pour qu'elle garde secrète toute sa souffrance avaient eu des effets encore plus dévastateurs.

À contrecœur, le père de Rachel a accepté de me rencontrer en compagnie du psychologue de l'école. Lorsque je lui ai tendu la feuille jaune lignée remplie de l'écriture de sa fille, il s'est tendu. Il a lu le texte de sa fille tout en hochant de la tête, les yeux brouillés de larmes.

Il ne pouvait plus nier l'effet de la situation familiale sur le comportement de Rachel à l'école. Il ne pouvait plus rejeter le blâme sur moi, ou sur quiconque, pour les difficultés scolaires et comportementales de sa fille. Il prenait enfin conscience que les problèmes de sa fille n'étaient autre chose qu'un appel à l'aide.

La mère de Rachel est restée hospitalisée avec peu d'espoir de guérison. Cependant, le père reconnaissait maintenant que Rachel n'avait pas à porter seule ce fardeau.

Je me pose parfois la question suivante : si, après ma rencontre avec son père, Rachel avait eu à écrire un autre conte de fées, quelle en aurait été l'introduction ? Peut-être celle-ci : « Il était une fois une promesse, au Royaume de l'Espoir… »

Joan Gozzi Campbell

Faire d'une pierre deux coups

Cette histoire a eu lieu dans une école rurale de l'Arkansas où la majorité des élèves sont des enfants d'origine afro-américaine, pauvres et sous-performants. Grâce à une subvention de la Fondation Rockefeller, les élèves de première année pouvaient participer à un nouveau programme de lecture. Créé par le Dr Marie Carbo, ce programme était fondé sur la prémisse qu'en matière d'apprentissage de la lecture, le quotient intellectuel d'un élève importe moins que le type d'intelligence qu'il possède.

Après avoir terminé avec succès la lecture d'un livre, les élèves recevaient en guise de récompense la permission d'apporter des livres, des cassettes et un baladeur à la maison pour le week-end.

Ce programme visait à offrir un incitatif additionnel à l'apprentissage. C'est ainsi qu'un vendredi une élève prénommée Nicole a pu apporter à la maison des livres, des cassettes et un baladeur. Il était convenu qu'elle rapportait le tout le lundi suivant.

Le lundi, Nicole n'a toutefois rien rapporté. Chaque jour, elle prétendait avoir oublié ou n'offrait carrément aucune excuse. L'enseignante savait que cela ne ressemblait pas du tout à Nicole. Quelque chose clochait.

Trois semaines ont passé. Toujours pas de livres ni de cassettes rapportés!

Puis, un jour, la mère de Nicole, étonnamment jeune, vêtue de l'uniforme d'une chaîne de restauration rapide, est venue à l'école. Elle a annoncé à la secrétaire qu'elle souhaitait parler dehors avec l'enseignante de soutien en lecture!

Avec une appréhension compréhensible, l'enseignante est sortie pour aller à sa rencontre. La mère de Nicole, qui tenait les livres, les cassettes et le baladeur entre ses mains, a déclaré vouloir expliquer pourquoi Nicole avait omis de les rapporter comme prévu. Nicole n'était pas à blâmer; c'était elle la responsable.

Toutefois, l'enseignante s'est rapidement rendu compte que la mère de Nicole n'arrivait pas à expliquer clairement pourquoi elle avait tant tardé à rendre le matériel de lecture.

Un silence embarrassant et interminable a suivi.

Lorsque la mère de Nicole a recommencé à parler, son ton était plutôt hésitant. Puis, soudainement, elle a retrouvé son aplomb et s'est mise à raconter une histoire étonnante:

Lorsque Nicole est revenue à la maison et qu'elle m'a dit qu'elle apprenait à lire, j'avais de la difficulté à la croire. Personne ne sait lire dans ma famille. Mon père et ma mère ne savent pas lire. Mes frères et mes sœurs ne savent pas lire. Et je ne sais pas lire!

J'étais en sixième année lorsque je suis devenue enceinte de Nicole. J'ai dû abandonner l'école et renoncer à tout espoir d'apprendre à lire un jour.

Lorsque Nicole a rapporté ce livre à la maison et s'est mise à me faire la lecture, je lui ai demandé: Où as-tu appris à faire ça? Nicole a répondu: C'est facile, m'man. J'écoute la cassette et je suis les mots dans le livre pendant que l'enseignante lit. Je peux continuer à écouter et à lire en même temps que l'enseignante jusqu'à ce que je sois capable de lire toute seule. Toi aussi m'man, tu peux le faire!

Je ne croyais pas Nicole. Mais je savais que je devais essayer... Si Nicole n'a pas rapporté son matériel de lecture à l'école, c'est parce que je ne pouvais tout simplement pas me résoudre à le remettre! Je devais savoir si je pouvais apprendre à lire tout comme ma fille!

Après une courte pause, elle m'a alors demandé: « Est-ce que je peux vous lire quelque chose? »

Et là, sur les marches de l'école de sa fille, cette très jeune mère, une enfant qui avait eu elle-même un enfant, a commencé à lire le livre à l'enseignante. Des larmes coulaient sur ses joues. Le moment était intense; l'enseignante s'est mise également à pleurer. Quiconque aurait aperçu ces deux femmes aurait immédiatement conclu qu'une tragédie venait de se produire. Qui aurait pu deviner que ces larmes célébraient l'éclosion d'un potentiel que Dieu accorde à tous, mais qui n'avait jamais pu se réaliser?

La mère de Nicole a expliqué que, grâce à ce livre — qu'elle tenait maintenant précieusement contre sa poitrine — *elle* avait appris à lire!

Proclamer des alléluias était inutile. Ils abondaient dans chaque mot prononcé par cette mère. Ils étaient exprimés dans la transformation de son attitude venue d'une confiance nouvellement acquise.

Pour l'enseignante de Nicole, ce moment était sacré; aucun mot ne pouvait le décrire. Émerveillée, elle découvrait un résultat bien involontaire et imprévu du programme de lecture. Cela confirmait ce qu'on lui avait appris sur l'enseignement, c'est-à-dire que beaucoup de résultats merveilleux semblent se produire par accident. Elle ne pouvait s'empêcher de penser que, ironiquement, tous les bienfaits dont profitait cette jeune mère ne faisaient pas partie de son plan de cours. Le miracle qui venait de se produire relevait-il d'un heureux hasard aux conséquences imprévues? Ou avait-il plutôt à voir avec un cadeau du ciel qu'elle ne pourrait jamais comprendre, expliquer ou contrôler?

La tirant de ses réflexions, la mère, la tête maintenant bien haute, a alors annoncé — elle qui en était venue à accepter, au-delà de tout doute, qu'elle était trop stupide pour apprendre à lire — qu'elle avait en fait réussi l'impossible:

Elle avait fait la lecture à sa mère!
Un passage de la Bible!
Le matin de Noël!

James Elwood Conner, Ed.D

Bénie soit l'influence sincère et aimante
d'une âme sur une autre.

George Eliot

Une superstar en devenir!

David était un élève de 5e année au comportement si agressif qu'on l'avait placé dans une classe spéciale. Dès le premier jour, il s'était présenté dans un état d'agitation et de colère. En classe, il avait poussé tout le monde en criant: « Tassez-vous de mon chemin! » Puis, même s'il me voyait pour la première fois, il avait tourné sa fureur contre moi en me crachant un rapide *Je te déteste*. Il s'était ensuite laissé choir sur sa chaise et avait commencé à déranger les autres élèves en jurant et en faisant du tapage. Ce comportement s'était répété pendant toute la première semaine.

Au début, j'ai pensé qu'il réagissait à son placement en classe spéciale. En effet, la plupart des enfants préfèrent être le « clown » ou le « tyran » de la classe plutôt que d'être étiqueté de « cancre ». Toutefois, après l'avoir observé attentivement, j'ai eu l'impression qu'il y avait anguille sous roche. Chacun des anciens enseignants de David m'avait prévenue que ce jeune me donnerait du fil à retordre. « C'est une bonne chose que tu n'aies pas l'odorat sensible parce que David empeste littéralement! Les autres enfants assis à côté de lui se plaignent tellement qu'on l'a placé dans un coin à part. Presque tous les élèves l'appelent *David-qui-pue* », m'avait-on raconté.

Sachant que la première expérience de la journée est la plus déterminante, j'ai décidé d'observer ce que David vivait à son arrivée à l'école le matin. Lorsque l'autobus s'est pointé, j'ai entendu le chauffeur crier après David avant qu'il ne descende de l'autobus. Puis, les deux professeurs assignés aux autobus ont crié: « Doucement, David. Marche, jeune homme! »

Ensuite, David s'est précipité vers la cafétéria pour son déjeuner « gratuit ». Pendant qu'il avançait dans la file d'attente, il avalait tout ce qui lui tombait sous la main. Les employés de la cafétéria lui criaient: « Arrête de t'empiffrer comme un cochon; attends d'être assis. » David avait toutefois terminé son déjeuner avant même d'être assis à table, puis il commençait à quémander les restes des autres enfants.

Avant d'entrer finalement dans ma classe, David avait déjà eu trois contacts désagréables de plus avec le personnel de l'école et des professeurs. Quant aux autres enfants, ils se moquaient de lui, comme s'ils réagissaient à un signal. « Attention! C'est David-qui-pue. » « Ça sent pas bon, c'est David-qui-pue qui arrive. »

À partir de toutes mes observations, j'ai conclu que la colère de David était une façon de réagir à la suite du traitement dont il était victime chaque jour à l'école. Selon le cours *Psychologie 101 à l'université*, un enfant affamé, qui sent mauvais ou qui est victime de harcèlement est incapable d'apprendre. Bien entendu, j'avais l'impression que les parents de David n'étaient pas étrangers à ses problèmes scolaires. Si seulement ils le nourrissaient et veillaient à son hygiène, David ne serait plus tourmenté. Poussant ma réflexion plus loin, je me suis dit que je devais immédiatement éclairer ces parents qui semblaient de toute évidence peu soucieux du bien-être de leur enfant.

À la salle des professeurs, j'ai confié mes inquiétudes à d'autres enseignants en leur demandant comment je pourrais entrer en contact avec les parents de David. « Bonne chance. Ils n'ont jamais mis les pieds à l'école, même si leurs huit enfants sont venus ici. Nous leur avons envoyé mot après mot, mais ils ne sont pas venus. » Ma seule option semblait être une visite « à domicile ». « Es-tu devenue folle? » se sont exclamés les autres enseignants. « Tu ne peux pas faire ça. Laisse les travailleurs sociaux s'occuper de ce problème. » Rien ne pouvait me dissuader de faire cette visite. David avait besoin d'aide et ses parents semblaient être la source du problème.

En classe, j'ai informé David que je passerais voir sa famille en après-midi. Comme ils n'avaient pas le téléphone, je lui ai demandé de prévenir son père de mon arrivée. David a répondu: « Mme Mulvaney, si vous venez chez nous, nos chiens vont dévorer vos jambes de poulet. »

« S'il te plaît, dis à ton papa que je serai là, et que je vais apporter mes jambes de poulet avec moi », ai-je rétorqué.

David vivait à l'extérieur de la ville, dans un coin très rural. Après plusieurs mauvais virages, on m'a finalement précisé de rouler jusqu'à ce que j'entende des chiens aboyer. Lorsque j'ai aperçu la maison de David, je suis restée bouche bée. On aurait juré qu'elle était sur le point de s'effondrer. J'avais même entendu dire qu'il n'y avait ni eau courante ni toilette. David ainsi que tous ses frères et sœurs se trouvaient debout sur le perron, en rang, calmes et bien élevés. Une femme aux allures de grand-mère se trouvait dans l'embrasure de la porte, tandis que le père de David m'attendait, debout, au pied de l'escalier.

Instantanément, un sentiment d'humilité m'a envahie. J'étais venue livrer bataille à la famille de David, mais j'avais maintenant l'impression que cet homme essayait de faire de son mieux. J'ai immédiatement changé d'attitude et je lui ai demandé la permission de fouler le sol de sa propriété avec mes jambes de poulet. Le discours que j'avais préparé à son intention ne tenait plus la route. Changeant rapidement la teneur de mes paroles, j'ai balbutié: « Monsieur, j'aimerais vous parler de votre fils David. Je pense qu'il est un des élèves les plus exceptionnels que j'ai jamais eus. » Ce n'était pas une blague: il était exceptionnel. J'ai ajouté: « Je suis persuadée que votre fils est très intelligent, mais notre école ne semble pas répondre suffisamment à ses besoins. J'aimerais faire quelque chose pour lui si vous me le permettez. »

« Mme Mulvaney, faites comme bon vous semble pour aider mon David », a répondu le père. « Les autres enseignants ne sont jamais venus ici pour offrir de l'aide. Ils m'ont envoyé ces papiers, mais je ne lis pas bien. Je fais du mieux que je peux. Y a personne qui m'aide à l'exception de ma mère, et elle ne réussit pas très bien non plus. »

« Monsieur, je sais que vous n'avez pas l'eau courante. Nous l'avons à l'école. Accepteriez-vous que je permette à David de prendre sa douche chaque jour? »

« D'accord, m'dame. »

« Il y a une laveuse automatique à l'école. Accepteriez-vous que je laisse David laver ses vêtements chaque jour? »

« Pas de problème, m'dame. Vous pouvez faire tout ce que vous voulez avec mon David. »

« Monsieur, je suis fière et honorée que vous ayez pris quelques minutes de votre horaire chargé pour me parler aujourd'hui. J'espère que je ne vous ai pas trop dérangé dans votre travail. Je ferai tout mon possible pour aider votre enfant. »

« C'est la première fois que quelqu'un est aussi gentil. Mon fils David est tout un garçon. Avec votre aide, je sais qu'il peut devenir une superstar! »

Cette rencontre a transformé ma vie. Un homme qui n'avait pas dépassé la troisième année semblait avoir compris quelque chose qui nous avait échappé à tous, des enseignants supposément instruits. David fréquentait notre école depuis cinq ans, mais personne n'avait cherché à en savoir plus long à son sujet. Il avait été ballotté d'un enseignant à l'autre et d'une classe à l'autre comme une patate chaude. Personne, à l'exception de son père, ne s'était approché suffisamment pour voir la superstar qui se cachait sous la saleté. Et moi qui pensais idiotement que cet homme s'en fichait éperdument.

Le lendemain, David a évité les enseignants à sa sortie de l'autobus. Il a même ignoré le petit déjeuner gratuit qu'il appréciait tant et les railleries des autres élèves. Il est entré en courant dans ma classe en criant: « Faites bien attention ou Mme Mulvaney ira chez vous! Elle trouvera votre maison et dira à votre père que vous êtes une superstar. Je ne sens plus mauvais. Je suis une superstar! »

À partir de ce moment, David a été un enfant différent et je suis devenue une enseignante différente. Je lui ai appris à prendre une douche, à laver ses vêtements et à surveiller son hygiène personnelle. J'ai ensuite amené le personnel de l'école à voir la superstar en David. Je suis allée voir les employés de la cafétéria pour leur demander d'expédier les surplus de nourriture à la famille de David. Je leur ai également demandé de changer leur façon de s'adresser à lui et aux autres élèves de ma classe. « Dorénavant, quand mes élèves arrivent à la cafétéria, j'aimerais que vous disiez: *Voici les superstars*. » Ils ont accepté.

Lors d'une rencontre du personnel enseignant, j'ai demandé à mes collègues de m'aider à renforcer l'estime de soi de mes élèves en les traitant en superstars pendant un mois complet. Ils ont commencé par regimber, mais je leur ai promis que, s'ils m'aidaient, le comportement de mes élèves changerait du tout au tout pour le mieux. Comme ils avaient remarqué le changement chez David, ils ont accepté de m'aider.

Le père de David m'a enseigné à voir aussi tous les parents comme des superstars. Il faisait de son mieux avec les outils et les habiletés dont il disposait. Lorsque j'ai cessé de les blâmer et que j'ai commencé à travailler en collaboration pour trouver des solutions, tous y ont gagné: les enfants, les parents et les professeurs.

Maureen G. Mulvaney (M.G.M.)

« *Vous devez être le père de Timmy.*
Je suis le professeur de Timmy. »

Un pas à la fois

La marque d'un grand pédagogue est sa capa-
cité de faire découvrir aux élèves de nouveaux
territoires où lui-même n'est jamais allé.

Thomas Groome

C'était mon tout premier poste d'enseignante et j'étais désireuse de faire une excellente première impression. J'avais été embauchée pour m'occuper d'un groupe de grouillants bambins de 4 ans. Tandis que les parents faisaient entrer leur progéniture dans la classe, j'essayais de consoler les enfants en pleurs, les mamans aux yeux brouillés de larmes et les pères anxieux. Finalement, je suis parvenue à faire asseoir tous les enfants sur un matelas, prêts à entonner notre « période de chansons matinales ».

Nous étions au beau milieu d'une interprétation enjouée de *Frère Jacques* lorsque la porte s'est ouverte et qu'une femme mystérieuse est entrée dans la classe. Elle est restée debout à côté de la porte à nous observer en silence, moi et les enfants. Même si ma voix et mon sourire n'ont jamais faibli, j'étais franchement très nerveuse. *Qui est cette femme? Pourquoi est-elle ici? Qu'observe-t-elle exactement?* Lorsque j'ai jeté de nouveau un regard vers la porte, elle était partie.

La journée s'est relativement bien déroulée, mais au moment où le dernier enfant est parti, j'étais physiquement et psychologiquement épuisée. J'avais seulement envie d'un café au lait, d'un peu de Chopin et d'un bain moussant. Mon directeur est alors entré pour me demander de passer le voir avant de partir.

Mon cœur a bondi dans ma poitrine. *Est-ce en lien avec cette femme qui est venue observer ma classe? Ai-je choisi les mauvaises chansons? La période des chansons a-t-elle été trop longue? Trop courte?* Une fois arrivée à son bureau, j'étais dans tous mes états. Je me suis assise sur le bord de ma chaise, attendant le couperet. Mon directeur m'a informée que la femme venue visiter ma classe était un parent qui songeait à inscrire sa fille à notre école et elle se demandait comment elle fonctionnerait dans une classe régulière. Sa fille était née avec une anomalie congénitale qui l'obligeait à porter des orthèses aux jambes, des pieds jusqu'aux genoux. La fillette pouvait se déplacer seule, mais elle marchait très lentement et avec une démarche déséquilibrée. Elle aurait besoin d'être portée pour sortir dans la cour et revenir en classe. Son sens de l'équilibre était faible et elle avait tendance à faire des chutes si on la bousculait, même légèrement. Nous aurions à rappeler aux autres enfants de faire très attention lorsqu'ils marcheraient près d'elle afin de ne pas provoquer une chute accidentelle.

Le directeur m'a demandé si j'accepterais qu'elle se joigne à mon groupe. J'étais sans voix. Déjà que j'ignorais si je pourrais survivre pendant toute une année scolaire avec quinze des enfants de 4 ans les plus débordants d'énergie en Amérique du Nord, et voilà qu'on me proposait de prendre une enfant avec des besoins particuliers. J'ai répondu que j'étais disposée à faire un essai.

Cette nuit-là, j'ai été incapable de trouver le sommeil, me retournant dans mon lit jusqu'au petit matin. Je me suis ensuite rendue au travail en conduisant l'estomac noué. Nous étions tous regroupés sur le matelas pour notre chanson matinale lorsque la porte s'est ouverte et que cette femme est entrée dans la classe en portant sa fille. Elle s'est présentée comme la maman de Kelly, puis elle a assis doucement sa fille sur le bord du matelas. La plupart des enfants avaient déjà rencontré Kelly à la synagogue et ils l'ont accueillie avec chaleur en la serrant affectueusement dans leurs bras. J'ai regardé Kelly et elle m'a regardée. « Bienvenue dans notre classe, Kelly. Nous sommes très contents que tu te joignes à notre groupe. »

Le premier jour s'est vraiment bien passé : Kelly est tombée seulement deux fois. Après l'avoir portée pendant plusieurs jours pour aller dans la cour et revenir en classe, je me suis dit : *Pourquoi ne pas l'encourager à marcher un peu par elle-même dans le corridor ?* J'ai demandé à Kelly si elle voulait essayer et elle est devenue très excitée. Le lendemain, j'ai envoyé les enfants dans la cour en compagnie de mes deux assistantes et Kelly a fait sa première promenade dans le corridor. Elle a marché jusqu'à la classe suivante, une distance d'environ trois mètres. Nous étions toutes les deux ravies. Toutefois, le fait que j'encourage cette pauvre enfant à marcher déconcertait mes assistantes. Elles m'ont suppliée de la porter dans la cour et de l'asseoir sur un banc pour qu'elle puisse regarder les autres enfants jouer et courir. « Ce serait beaucoup plus facile », murmuraient-elles. Mais Kelly était déterminée et désireuse de faire de son mieux.

C'est ainsi que nous avons commencé la tâche épuisante de faire une promenade quotidienne dans le corridor. Mon visage se crispait lorsque Kelly vacillait précairement trop vers la droite, mais elle se contentait d'éclater de rire et me disait de ne pas m'inquiéter, que tout allait bien. J'ai alors commencé à apprécier nos moments tranquilles, seules dans le corridor, mes bras tendus pour l'aider à retrouver son équilibre. Kelly était toujours souriante et elle m'assurait que jamais elle ne s'était sentie aussi bien.

Chaque jour, Kelly et moi faisions notre lente marche dans le corridor. Pour noter ses progrès, je traçais des petites marques au crayon sur le mur. Petit à petit, au fil des jours, les marques de crayon se sont espacées. Les camarades de Kelly ont commencé à s'intéresser à ses laborieuses promenades et à l'encourager. Au bout de plusieurs semaines, Kelly était capable de se rendre seule jusqu'à la cour! Elle rayonnait pendant que les autres élèves la félicitaient à coups de petites tapes dans le dos et de câlins chaleureux. Mes assistantes, qui n'en croyaient pas leurs yeux, ont préparé un goûter spécial en l'honneur du spectaculaire accomplissement de Kelly.

Les semaines ont passé et, chaque jour, Kelly marchait jusqu'à la cour. Elle avait rarement besoin d'être transportée, car elle devenait de plus en plus autonome.

Au milieu de décembre, Kelly a été absente pendant plusieurs jours. Lorsque j'ai appelé chez elle, j'ai appris qu'elle était à Manhattan pour son examen annuel. Le lundi suivant, lorsque sa mère l'a ramenée en classe, elle m'a demandé si j'avais fait quelque chose de différent avec Kelly. Je me demandais ce qu'elle voulait dire. Elle m'a alors posé la question que je redoutais tant: « L'avez-vous forcée à marcher? »

J'étais abasourdie. Peut-être n'aurais-je pas dû encourager Kelly à marcher jusqu'à la cour tous les jours. Peut-être avais-je provoqué des dommages permanents à ses faibles jambes. Peut-être Kelly serait-elle confinée à un fauteuil roulant pour le reste de ses jours.

J'ai répondu très doucement à la mère: oui, j'avais encouragé Kelly à marcher seule jusque dans la cour. Je lui ai expliqué que Kelly semblait prendre plaisir à marcher sans aide. La mère de Kelly a alors doucement soulevé la robe de sa fille pour me montrer que les orthèses qui montaient jusqu'aux genoux avaient été remplacées par des orthèses aux chevilles.

« Ses jambes ont fait plus d'exercice au cours des derniers mois qu'au cours des quatre dernières années de sa vie. » Elle m'a regardée avec les larmes aux yeux. « Je ne sais pas comment vous remercier pour tout ce que vous avez fait pour ma fille. »

Je l'ai serrée dans mes bras. « Avoir Kelly dans mon groupe a été un honneur. »

Dix-sept ans plus tard, je me rappelle encore la première fois où Kelly a réussi à franchir tout le long corridor. Lorsque j'ai une mauvaise journée dans l'enseignement ou que je me sens dépassée par les événements, je pense à Kelly et à son sourire exubérant lorsqu'elle arpentait assidûment ce corridor. Elle m'a enseigné qu'aucun obstacle dans la vie n'est infranchissable. Il suffit de persévérer et d'y aller un pas à la fois.

Seema Renee Gersten

Où il est ?

Elle m'avait suivie toute la semaine, soit physiquement, soit avec ses yeux. Mélissa était une des enfants les plus brillantes de ma classe de première année. Elle était toujours très attentive lorsque j'enseignais. Mais cette fois-ci, c'était différent. J'avais l'impression qu'elle essayait de me surprendre à faire quelque chose de secret.

J'avais suffisamment de problèmes à régler sans m'inquiéter du comportement atypique de Mélissa. L'après-midi venait à peine de débuter et déjà je me sentais vraiment fatiguée. Le bas de mon dos me faisait souffrir. *J'imagine que c'est normal*, me disais-je. *Après tout, je suis enceinte de sept mois.*

À mon grand étonnement, aucun de mes élèves ne m'avait posé de questions sur ma grossesse. Nous étions rendus en mai et la plupart des enfants avaient atteint l'âge de six ans. À cet âge, beaucoup d'enfants reconnaissent les signes d'une grossesse. Une élève dans la classe de première année d'une collègue avait même demandé au corpulent directeur de l'école « s'il était enceinte ». Le pauvre homme en avait été si bouleversé qu'il s'était mis au régime! Pourtant, personne ne m'avait posé cette question.

La cloche a sonné. Enfin la récréation. J'avais quelques minutes pour surélever mes pieds et prendre un peu de repos. Mais que fabriquait Mélissa? Au lieu de sortir avec les autres, elle s'était dirigée vers le « placard de la classe », un endroit très sacré. Tous les enfants savaient qu'il était interdit d'ouvrir la porte de ce placard sans mon autorisation. Ils pouvaient en entrevoir le contenu seulement lorsque je demandais à un des élèves d'aller chercher des ciseaux ou des crayons.

Mais maintenant, Mélissa était en train de fouiller dans mon placard. Elle avait ouvert la porte sans ma permission et elle déplaçait, bien que méticuleusement, des objets pour voir s'il y avait quelque chose de caché derrière. Je n'en croyais pas mes yeux! Pas cette enfant. Cette élève qui n'avait jamais transgressé la moindre règle! Qu'est-ce qui pouvait motiver un comportement si étrange?

« Mélissa, lui ai-je demandé, que cherches-tu dans le placard? »

Mélissa s'est retournée et m'a regardée. Des larmes ont commencé à couler sur ses joues.

Des larmes de culpabilité, ai-je d'abord pensé. Mais j'étais dans l'erreur. Aucune excuse n'est sortie de la bouche de la fillette. J'ai plutôt entendu une toute petite voix pleine de frustration.

« Mme Peppler, où le cachez-vous? J'ai entendu ma mère dire à mon père que vous portiez un bébé. Je vous observe tout le temps et je ne vous vois jamais le porter. Je me suis dit que vous le cachiez peut-être dans le placard. »

Je suis restée là, ahurie, me demandant si j'allais être la personne qui répondrait à la première question de cette enfant sur les cygognes et les bébés? Mélissa est venue me rejoindre, a placé ses bras autour de mon gros ventre et m'a regardée.

« Dites-moi où il est, madame Peppler? Où est le bébé? Est-ce que je brûle? »

Alice Stolper Peppler

*On ne peut pas toujours
préparer l'avenir pour nos jeunes,
mais on peut préparer nos jeunes
pour l'avenir.*

Franklin D. Roosevelt

*Un enseignant
Prend la main,
Ouvre l'esprit,
Touche le cœur,
Façonne l'avenir.*

Source inconnue

La fille dans
la cinquième rangée

J'en suis venue à l'effrayante conclusion que je suis l'élément clé dans ma classe. C'est mon approche personnelle qui crée le climat. C'est mon humeur quotidienne qui dicte l'atmosphère. En tant qu'enseignante, j'ai l'énorme pouvoir de rendre la vie d'une autre personne misérable ou joyeuse. Je peux me transformer en instrument de torture ou en source d'inspiration. Je peux humilier ou amuser, blesser ou guérir. Peu importe la situation, c'est ma réaction qui détermine si une crise ira en s'intensifiant ou se résorbera, et si une personne en sortira humanisée ou déshumanisée.

Haim Ginott

Lors de ma première journée comme professeur adjoint en sciences de l'éducation à l'Université Southern California, je suis entré dans la classe avec beaucoup d'appréhension. Les nombreux étudiants présents ont répondu à mon sourire un peu gauche et à mes brèves salutations par un silence. Pendant quelques instants, j'ai fouillé dans mes notes. Puis j'ai commencé mon cours en balbutiant; personne ne semblait prêter attention. Au bord de la panique, j'ai remarqué dans la cinquième rangée une jolie jeune femme à l'allure posée, vêtue d'une robe d'été. Sa peau était bronzée, ses yeux étaient bruns, clairs et vifs, et ses cheveux, dorés. Son expression enjouée et son sourire chaleureux m'invitaient à poursuivre. Lorsque je disais quelque chose, elle hochait la tête ou lançait un *« Oh, bien sûr »* en prenant des notes. De sa personne émanait le sentiment réconfortant qu'elle s'intéressait à ce que j'essayais tant bien que mal de dire.

J'ai commencé à parler comme si je m'adressais uniquement à elle, et ma confiance et mon enthousiasme sont revenus. Puis, peu à peu, j'ai pris le risque d'élargir mon champ de vision. Les autres élèves semblaient maintenant plus attentifs et prenaient des notes. Cette étonnante jeune femme venait de me sortir du pétrin.

Après le cours, j'ai examiné la liste des étudiants pour trouver son nom: Liani. Ses travaux, que j'ai été en mesure de lire au cours des semaines subséquentes, étaient rédigés avec créativité, sensibilité et un délicat sens de l'humour.

J'avais demandé à tous mes étudiants de passer à mon bureau pendant le semestre et j'attendais la visite de Liani avec un intérêt particulier: je voulais la remercier de m'avoir sauvé lors de mon premier cours, et l'encourager à mettre en valeur sa sensibilité et son attention envers les autres.

Liani n'est jamais venue. Environ cinq semaines après le début du semestre, elle a cessé de venir à mon cours. Deux semaines plus tard, j'ai demandé aux étudiants assis à côté d'elle s'ils en connaissaient la raison. J'ai été choqué de constater que personne ne savait son nom. La citation poignante d'Albert Schweitzer m'est alors venue à l'esprit: « Nous vivons tous ensemble et pourtant nous mourons tous de solitude. »

Je suis allé voir la doyenne. Dès que j'ai mentionné le nom de Liani, son visage s'est crispé. « Leo, je suis désolée, a-t-elle dit, je croyais qu'on t'avait prévenu... »

Liani s'était rendue en automobile à Pacific Palisades, une jolie banlieue située près du centre-ville de Los Angeles où des falaises abruptes longent la mer. Puis, devant des témoins horrifiés, elle avait sauté dans le vide.

Liani n'avait que 22 ans! Sa personnalité unique donnée par Dieu était perdue à jamais.

J'ai appelé ses parents. À en juger par la tendresse avec laquelle sa mère en parlait, je savais que Liani avait été une personne aimée. Et pourtant, il me semblait tout aussi évident qu'elle ne s'était pas sentie aimée.

« Que faisons-nous? » ai-je demandé à un collègue. « Nous sommes si absorbés à enseigner toutes sortes de choses. Que vaut de lui avoir appris à lire, à écrire, à compter, si nous ne lui avons rien appris de ce qu'elle avait réellement besoin de savoir: comment vivre heureuse, comment acquérir une estime de soi et une dignité? »

J'ai décidé de faire quelque chose pour aider ceux et celles qui avaient besoin de se sentir aimés. Je donnerais un cours sur l'amour.

J'ai passé des mois à la bibliothèque à faire des recherches, mais en vain. La presque totalité des livres sur l'amour parlaient de sexe ou d'amour romantique. Il n'y avait pratiquement rien sur l'amour en général. Peut-être que, si j'offrais mes services comme animateur, nous pourrions, les étudiants et moi, nous enseigner mutuellement et apprendre les uns des autres. J'intitulerais ce cours « Amour 101 ».

Une seule annonce a été nécessaire pour remplir ce cours qui ne donnait droit à aucun crédit. J'ai distribué aux élèves une liste de livres à lire, mais il n'y avait aucune lecture obligatoire, aucune obligation d'assister aux cours, aucun examen. Nous partagerions nos lectures, nos idées et nos expériences.

Ma prémisse était que l'amour est une chose qui s'apprend. Nos « enseignants » sont les personnes aimantes qui croisent notre route. Si nous ne trouvons aucun modèle d'amour, nous grandissons en manque d'amour et incapables d'aimer. Heureusement, disais-je à mes étudiants, l'amour est une chose qui peut s'apprendre à tout moment de notre vie si nous acceptons d'y accorder temps, énergie et pratique.

Peu d'étudiants ont raté ne serait-ce qu'un seul cours d'Amour 101. J'ai même demandé que l'on fasse de la place pour accueillir les mères, les pères, les sœurs, les frères, les maris, les épouses et même les grands-parents. Chaque cours débutait à 19 heures pour se terminer à 22 heures, mais souvent le cours s'étirait bien après minuit.

Une des premières choses sur lesquelles j'insistais était l'importance du toucher. « Au cours de la dernière semaine, combien d'entre vous ont pris dans leurs bras une personne autre qu'une petite amie, un petit ami, ou un conjoint? » Peu de mains se sont levées. Une étudiante a dit: « J'ai toujours peur qu'on se méprenne sur mes intentions. » À en juger par les rires embarrassés, j'en ai conclu que plusieurs ressentaient la même chose.

« L'amour doit s'exprimer physiquement », ai-je répondu. « J'ai eu la chance de grandir dans une famille italienne passionnée où les contacts affectueux étaient fréquents. J'associe l'accolade à une forme d'amour plus universelle.

« Si vous craignez d'être mal interprétés, verbalisez vos sentiments à la personne à qui vous donnez l'accolade. Et pour les gens qui sont vraiment mal à l'aise avec les accolades, une poignée de main chaleureuse avec les deux mains comblera le besoin d'être touché. »

Après chaque cours, nous avons commencé à nous prendre dans nos bras les uns les autres. Peu à peu, les accolades sont devenues monnaie courante parmi les membres du groupe sur le campus.

Nous ne terminions jamais un cours d'Amour 101 sans formuler un projet de partage d'amour. Une fois, par exemple, nous avons convenu de remercier nos parents. Ce projet a provoqué des réactions inoubliables.

Un de mes étudiants, membre de l'équipe de football, semblait particulièrement mal à l'aise avec ce projet. Il ressentait un fort sentiment d'amour, mais avait de la difficulté à l'exprimer. Il lui a fallu une forte dose de courage et de détermination pour entrer dans le salon, demander à son père de se lever et le prendre affectueusement dans ses bras. « Je t'aime, papa », avait-il dit en l'embrassant. Les yeux embués de larmes, le père avait murmuré: « Je sais. Je t'aime aussi, mon fils. » Le lendemain, ce père m'avait appelé pour me confier que ce moment avait été parmi les plus heureux de sa vie.

À une autre occasion, nous avons décidé de partager quelque chose de nous-mêmes sans rien attendre en retour. Certains étudiants ont aidé des enfants handicapés. D'autres ont porté secours à des clochards. Beaucoup ont travaillé bénévolement pour un service d'écoute téléphonique de prévention du suicide, espérant aider d'autres Liani avant qu'il ne soit trop tard.

En compagnie d'un de mes étudiants, Joël, nous sommes allés faire une visite dans un centre d'accueil situé à proximité de l'université. Plusieurs personnes âgées étaient couchées dans leur lit, vêtues de pyjamas de coton défraîchis, les yeux rivés au plafond. Joël a fait le tour de la pièce du regard et a dit: « Qu'est-ce que je peux faire? » J'ai répondu: « Tu vois cette dame là-bas? Va lui dire bonjour! »

Joël s'est approché et a lancé un « Heu… Bonjour! »

La femme l'a regardé d'un air méfiant pendant une minute. « Êtes-vous parent avec moi? »

« Non. »

« Parfait! Asseyez-vous, jeune homme. »

Ah! Toutes les choses qu'elle lui a dites. Cette femme en savait long sur l'amour, la douleur et la souffrance. Elle était à la recherche d'une certaine sérénité face à la mort qui approchait. Personne, à part Joël, ne s'était donné la peine de l'écouter. Il a commencé à lui rendre visite une fois par semaine. Rapidement, ce jour est devenu « la journée de Joël ». Dès son arrivée, toutes les personnes âgées se rassemblaient et venaient le voir.

Une fois, la vieille femme a demandé à sa fille de la vêtir d'une étincelante robe de soirée. Lorsque Joël est arrivé, il l'a trouvée assise dans son lit, vêtue d'une magnifique robe de satin et coiffée avec élégance. C'était la première fois depuis des lunes qu'elle se coiffait. Pourquoi se donner cette peine si personne ne vous voit vraiment? Petit à petit, d'autres malades ont commencé à s'habiller pour Joël.

Les années qui ont suivi la création du cours Amour 101 ont été les plus excitantes de ma vie. Tout en essayant d'ouvrir les portes de l'amour à d'autres, j'ai découvert que ces portes s'ouvraient également pour moi.

Récemment de passage en Arizona, je me suis arrêté dans un casse-croûte. Lorsque j'ai commandé des côtelettes de porc, quelqu'un a lancé: « Êtes-vous fou? Personne ne mange des côtelettes de porc dans un endroit comme ici. » Pourtant, les côtelettes étaient délicieuses.

« J'aimerais rencontrer le chef », ai-je demandé à la serveuse.

Nous sommes allés dans la cuisine pour y trouver un homme corpulent couvert de sueur. « Que me voulez-vous? » a-t-il demandé.

« Rien. Ces côtelettes de porc étaient délicieuses. »

Il m'a regardé comme si j'avais perdu la boule. De toute évidence, il était difficile pour lui de recevoir un compliment. Il a ensuite dit avec chaleur: « Aimeriez-vous en avoir une autre? »

N'est-ce pas merveilleux? Si je n'avais pas appris à faire preuve d'amour, j'aurais eu une opinion favorable sur les côtelettes de porc du chef, mais je n'aurais probablement pas osé la lui exprimer, tout comme je n'avais pas osé dire à Liani à quel point elle m'avait aidé lors de ce premier jour de classe. L'amour, c'est entre autres partager sa joie avec l'autre.

La quête de l'amour a fait des merveilles dans ma vie. Mais quelle aurait été mon existence si je n'avais pas connu Liani? Aurais-je continué à débiter ma matière à mes étudiants, année après année, sans me soucier des êtres humains vulnérables derrière les masques? Qui sait? Liani m'a lancé un défi que j'ai relevé.

Cela a fait toute la différence.

J'aimerais que Liani soit encore parmi nous aujourd'hui. Je la prendrais dans mes bras et lui dirais: « Beaucoup de gens m'ont appris à propos de l'amour, mais c'est toi qui m'as donné l'élan initial. Merci. Je t'aime. » Je suis persuadé que, par quelque moyen mystérieux, mon amour pour Liani s'est déjà rendu jusqu'à elle.

Leo Buscaglia

Une leçon inoubliable

Une femme demanda un jour à Gandhi d'aider son fils à cesser de manger du sucre. Gandhi demanda à l'enfant de revenir le voir dans deux semaines. Deux semaines plus tard, la mère emmena l'enfant auprès de Gandhi. Il dit au garçon: « Cesse de manger du sucre. » Intriguée, la femme répondit: « Merci, mais puis-je vous demander pourquoi vous ne lui avez rien dit la première fois? » À cela Ghandi affirma: « Il y a deux semaines, je mangeais encore du sucre. »

Source inconnue

Lorsqu'on a annoncé qu'un professeur était recherché pour enseigner à des enfants de six et sept ans, je me suis enfoncée dans mon banc d'église, feignant d'être absorbée par la lecture de mon bulletin paroissial. J'avais déjà enseigné la catéchèse à des enfants, mais c'était il y a plusieurs années et cette époque était pour moi révolue. J'adorais le monde d'adultes dans lequel je vivais. J'anticipais d'ailleurs avec impatience les rencontres dominicales d'étude de la Bible auxquelles nous participions, mon mari, Gene, et moi. *Mon Dieu, je t'en prie, ne me demande pas d'enseigner à ces enfants.*

La semaine suivante, on a de nouveau demandé s'il y avait quelqu'un d'intéressé et, encore une fois, je suis restée les yeux rivés sur ma bible en priant: *Mon Dieu, s'il te plaît, trouve quelqu'un d'autre.*

Les autres messages se perdaient dans le brouhaha. Tout ce que j'entendais au fond de mon cœur, c'était: *Marion, tu es cette personne.* J'essayais d'ignorer cette voix douce et silencieuse, mais au plus profond de mon cœur, je savais que c'était Dieu.

Le lundi matin, j'ai appelé au presbytère, espérant apprendre qu'une personne plus jeune et plus enthousiaste s'était déjà proposée. À l'annonce de cette bonne nouvelle, j'avais même prévu pousser un « Ooooon » de déception. Toutefois, lorsque j'ai posé la question à la secrétaire de l'église, qui était débordée de travail, elle a répondu sèchement: « Non, personne ».

« J'aimerais proposer mes services alors », me suis-je entendue dire.

Le dimanche suivant, je suis entrée dans la petite roulotte installée derrière l'église et qui faisait office de salle de classe, les bras chargés du matériel pédagogique qu'on m'avait fourni. Coincée entre une chaise d'enfant et une table minuscule, je me sentais comme Alice au pays des Merveilles — trop grande, balourde, gauche, inconfortable. J'ai échappé une boîte de craies colorées ainsi que mes lunettes. Les quatre enfants présents ne m'ont même pas jeté un regard. J'avais envie de leur dire: « Je ne mourais pas d'envie de vous enseigner, mais me voici. Je me suis donné beaucoup de mal pour venir ici, alors vous allez m'écouter. »

Bien entendu, je n'ai rien dit de tel. Tant bien que mal, j'ai essayé de donner ma leçon pendant que les enfants bavardaient entre eux et bougeaient sans cesse. Ils me regardaient à peine. Nous étions terriblement mal assortis.

Cette semaine-là, alors que je me préparais pour le dimanche suivant, j'ai pris conscience que je n'avais pas demandé l'aide de Dieu. J'ai fait une pause et j'ai prié: « Seigneur, j'ai réellement besoin de savoir si j'ai bien compris ta demande. Peux-tu me donner un signe? N'importe quel? »

Le samedi venu, j'ai reçu par la poste une carte postale. L'adresse avait été écrite par un adulte, mais le message était écrit d'une main mal assurée, en grosses lettres qui inclinaient vers le bas: « Mme Marion, Dieu va vous aider. Amitié. Ava Claire. »

Même l'atterrissage dans ma cour d'un ange de quatre mètres parlant un langage éthéré ne m'aurait pas autant rassurée que ce message. Merci, Seigneur! Merci, Avie.

Tout en priant pour la leçon du lendemain, je me suis rappelé un recueil de nouvelles que j'avais écrit dans les années 1970, et qui racontait les aventures ou les mésaventures de mes fils, des jumeaux hyperactifs, Jon et Jérémie. C'était en quelque sorte une version moderne de l'histoire des frères siamois où Dieu apparaît juste à temps dans des situations de la vie quotidienne.

Le dimanche suivant, j'ai débuté la leçon avec la matière prévue au programme. Pendant que je parlais, personne ne me regardait ni ne m'écoutait, à l'exception d'Avie qui m'a esquissé un bref sourire, comme pour me montrer qu'elle était désolée. J'ai alors rangé le livre à la couverture cartonnée. Tentant de cacher mon désarroi, j'ai proposé: « Aimeriez-vous que je vous raconte les vraies aventures de mes terribles jumeaux lorsqu'ils avaient environ votre âge? »

Soudainement, je venais de capter leur attention. À la fois surprise et enchantée, j'ai commencé à lire une nouvelle intitulée « Une deuxième chance », qui raconte comment mes fils avaient mis le feu à du papier d'emballage sous mon lit. Heureusement, ma fille avait dénoncé juste à temps ses pyromanes de frères, ce qui m'avait permis d'éteindre le début d'incendie. Malgré la punition que je leur avais infligée, mes fils avaient continué d'arborer un petit air narquois. Je les avais donc livrés au chef des pompiers (que j'avais pris soin de prévenir).

On aurait pu entendre une mouche voler dans la minuscule classe. Lorsque j'ai terminé l'histoire, les questions et les commentaires ont fusé de toutes parts. « Ont-ils allumé un autre incendie? » « Qui a pleuré en premier? » « Ont-ils réellement cru que le chef des pompiers allait les mettre en prison? » « Comment savez-vous que Dieu vous a dit de les livrer aux pompiers? » « Allez-vous nous lire une autre histoire, s'il vous plaîîîîît! »

Après ce premier succès, les rencontres subséquentes se sont plutôt bien déroulées même si nous passions rapidement la matière au programme. Cela faisait quatre mois que j'enseignais lorsque Avie est venue me voir un jour, l'air vraiment troublée. Au moment des prières, elle m'a dit: « Est-ce que je peux dire la mienne dans votre oreille? »

« Bien sûr », ai-je répondu en souriant.

Paraissant de plus en plus préoccupée, elle s'est approchée de moi, a placé son bras autour de mon cou et a chuchoté avec un charmant zézaiement causé par la perte récente de ses deux incisives. « Vous vous rappelez au début, quand vous avez commencé les leçons? Nous avions parlé de nos mauvaises actions et de demander pardon. »

J'ai acquiescé.

« J'ai raconté à tout le monde que j'avais dessiné sur le mur chez ma grand-mère, j'ai été obligée de le lui dire et de lui demander pardon. »

J'ai encore une fois acquiescé.

« Puis vous avez raconté qu'il y a sept ans, vous aviez cassé accidentellement une assiette de porcelaine antique qui appartenait à votre mari et qui venait de sa famille. Vous n'avez rien dit parce qu'il aimait beaucoup cette vaisselle et qu'il aurait été très fâché. »

J'ai hoché de nouveau la tête. Tous les regards étaient tournés vers nous.

« J'ai prié pour vous et je sais que Dieu veut que vous vous confessiez à monsieur Gene et lui demandiez pardon. Vous le ferez, dites? »

Avie est retournée s'asseoir, l'air grave *et* les yeux rivés sur ses mains jointes.

« Oh, Avie », ai-je dit à voix haute. « Merci de te soucier ainsi de moi. Oui, j'ai fait une erreur. Mais je ne peux pas le dire à mon mari, car il… »

« Quoi? Quoi? » se sont exclamés les autres.

J'ai dû expliquer cette horrible histoire. J'avais voulu trouver un expert capable de recoller l'assiette, mais je n'en avais trouvé aucun et j'avais fini par oublier le tout pendant des années. Puis, tant de temps avait passé. Maintenant, j'avais honte de tout avouer à Gene et...

« Oh, madame Marion, vous devez le dire à votre mari. Demandez-lui pardon », a répété doucement Bethany, les yeux écarquillés.

Cette semaine-là, j'ai reçu une autre carte postale d'Avie. « S'il vous plaît, madame Marion, vous devez le lui dire. S'il vous plaît. Je vais prier fort. Je vous aime. Avie. »

Bethany m'a appelée et a murmuré au téléphone qu'elle priait, elle aussi. Puis Emory et Aaron se sont joints à elles. « Est-ce que vous le lui avez dit? »

« D'accord, d'accord, je vais le faire. Promis. Je vais demander à monsieur Gene de venir ici dimanche prochain. Je vais apporter l'assiette cassée pour la lui montrer et lui demander pardon. »

Spontanément, les élèves ont applaudi.

Tôt le dimanche suivant, j'ai enveloppé dans du papier l'assiette brisée en deux moitiés presque égales et je l'ai mise dans un sac. Gene ne se doutait de rien puisque j'apportais toujours quelque chose dans un sac à mes leçons de catéchèse. En entrant dans le stationnement de l'église, j'ai dit: « Pourrais-tu venir me rejoindre dans ma classe un peu avant la fin de la leçon? »

« Avec plaisir », a-t-il répondu en souriant. J'ai essayé, dans mon esprit, de me raccrocher à son sourire.

Dès mon arrivée en classe, j'ai annoncé: « Mon mari va venir ici un peu avant la fin de la classe et je m'occuperai alors de notre petite affaire. » Des cris enthousiastes se sont fait entendre pendant que je sentais mon cœur s'alourdir davantage.

Bethany m'a demandé avec douceur, presque révérencieusement: « Pouvons-nous voir l'assiette maintenant? » J'ai déballé les deux moitiés et les ai déposées avec précaution sur la table. Les quatre enfants ont regardé attentivement et en silence pendant un long moment.

« Et s'il refusait de vous pardonner? » a lancé avec fracas Emory.

« Il le fera! » ont crié à l'unisson Avie et Bethany, à la manière de meneuses de claque bien entraînées.

Nous venions tout juste de terminer une discussion sur une autre histoire de mon recueil de nouvelles lorsque Gene est entré et a finalement réussi tant bien que mal à s'asseoir sur une des petites chaises. En me penchant pour prendre les morceaux d'assiette sous la table, j'ai aperçu Avie qui récitait presque imperceptiblement une prière fervente.

« Gene, je dois te demander pardon. Il y a sept ans, j'ai… j'ai... ». La bouche sèche, j'ai raconté l'histoire en déposant les deux moitiés de l'assiette de porcelaine sur la table. Gene regardait fixement, l'air horrifié. « Pourras-tu me pardonner un jour? Je suis tellement désolée. »

Dans le silence qui a suivi, j'ai aperçu Avie et Bethany se prendre la main. Avie mâchouillait sa lèvre inférieure. Je pense avoir fait de même, moi aussi.

Le regard de Gene a croisé le mien et les mots n'étaient pas vraiment nécessaires, mais il les a dits: « Bien sûr que je te pardonne. » Puis il est sorti.

« Peut-être que vous pourrez trouver une autre assiette comme celle-là », a suggéré Avie pendant que je remballais les deux moitiés.

« J'ai peur que non, ma chérie. J'en cherche une depuis des années. »

Aucunement démontée, elle a rétorqué, rayonnante: « Je vais quand même demander à Dieu de vous en montrer une. »

Trois jours plus tard, alors que je flânais dans une boutique d'antiquités, j'ai aperçu dans un vieux vaisselier, eh oui, une assiette en tous points identique à l'assiette cassée.

Une trouvaille extraordinaire, certes, mais pas aussi extraordinaire que ma rencontre avec ces merveilleux et inoubliables enfants à qui Dieu m'avait permis d'enseigner.

Et qui m'avaient tant appris en retour.

Marion Bond West

Le cadeau de Danny

J'enseignais dans la même petite ville où j'ai grandi et dans la même classe de quatrième année où j'ai déjà été élève. Le premier jour de classe ne réservait habituellement aucune surprise aux enseignants. Nous connaissions chaque élève, ainsi que leurs parents et leurs grands-parents.

Mais cette année-là était différente. Danny venait d'arriver du Kentucky. Il était l'aîné d'une famille de cinq enfants. Son père était un camionneur souvent absent de la maison; sa mère faisait des menus travaux pour aider à boucler les fins de mois. En octobre, j'avais placé le nom de Danny sur la liste des tuques et des mitaines (un programme qui fournit ces vêtements aux enfants défavorisés). Danny était vraiment fier de la tuque et des mitaines qu'il avait reçues. Il les portait à la récréation et, dès son retour en classe, il les rangeait avec soin dans son pupitre. Un jour, en replaçant les pupitres après la classe, une mitaine est tombée de celui de Danny. J'ai ouvert le pupitre, l'autre mitaine et sa nouvelle tuque s'y trouvaient. Lorsque je l'ai questionné, il m'a expliqué que les choses s'égaraient facilement à la maison et qu'il ne voulait pas perdre ses nouvelles acquisitions.

Danny n'avait pas grand-chose dont il pouvait être fier. Il n'était pas un élève très doué, mais il travaillait très fort. Et il excellait en arts plastiques. Chaque fois qu'il me demandait du papier ou des marqueurs, je n'hésitais jamais à lui en fournir, car je savais qu'il n'avait accès à aucune fourniture à la maison. Comme il était vraiment un artiste remarquable, j'avais incorporé quelques-unes de ses créations dans son portfolio pour renforcer son estime de soi.

Le moment était venu d'échanger des présents pour Noël et je savais que j'allais devoir aider Danny pour son cadeau, comme je l'avais déjà fait avec d'autres élèves. Je lui ai montré divers objets que j'avais achetés en prévision de cet échange. Il en a choisi un et il était tout excité lorsque je lui ai donné du papier d'emballage.

Cette année-là, quelques mères avaient pris l'initiative de demander 25 cents à chaque élève qui pouvait se le permettre pour m'offrir un présent. Je n'étais pas censée le savoir, mais il est difficile de cacher quoi que ce soit à une enseignante dans sa propre classe, surtout lorsqu'un enfant sort 25 cents de sa poche en pouffant de rire pendant la pause du midi. Comme Danny avait droit au dîner gratuit, je savais qu'il ne pourrait pas contribuer au cadeau. Heureusement, la beauté de ce genre de présent, c'est que j'ignorais qui avait participé ou non. La carte mentionnerait seulement que c'était de la part de toute la classe.

L'excitation était à son comble le jour de la fête. L'après-midi, nous avons regardé un film de Noël. Danny m'a alors demandé si je pouvais lui prêter du papier et des marqueurs. Malgré mon étonnement, je n'ai pas hésité. Quand il est revenu me demander du ruban adhésif, je lui en ai donné avec plaisir. Nous avons procédé à l'échange de cadeaux, puis les élèves m'ont offert le présent acheté avec leurs pièces de 25 cents. Malheureusement, je ne me rappelle plus très bien ce qu'ils m'ont donné, car, en rangeant mon bureau après leur départ, j'ai trouvé une feuille de papier construction rouge pliée en deux. Je l'ai ouverte et je l'ai lue. Je n'ai pu en terminer la lecture parce que j'avais les yeux pleins d'eau. « À mon professeur préféré. Vous m'avez toujours aidé et je l'apprécie beaucoup. Je n'avais pas d'argent pour vous acheter quelque chose, alors je vous donne tout ce que j'ai. Joyeux Noël. Je vous aime, Danny. »

Collée à l'intérieur se trouvait une pièce de dix cents. C'était tout ce qu'il avait.

Karen Wasmer

Une façon formidable
de gagner sa vie

Parfois, notre flamme s'éteint, mais un autre être humain la rallume. Nous devons lui être profondément reconnaissant d'avoir ravivé cette flamme.

Albert Schweitzer

« Ça suffit! J'en ai assez! Il doit bien y avoir d'autres moyens de gagner sa vie », ai-je lancé à Ben, l'adjoint du directeur, pendant que nous nous rendions à ma voiture. Ce jour-là, j'avais dû séparer deux élèves qui se bagarraient et, pour couronner le tout, je devais être de retour à cette école secondaire à dix-sept heures pour rencontrer des parents.

« Cette année a été difficile, a répondu Ben, mais que vas-tu faire si tu n'enseignes plus? »

J'ai pris une profonde inspiration. « Peux-tu demander à Brett s'il veut encore m'embaucher? »

Brett, le frère de Ben, possédait un commerce de voitures usagées. Il m'avait déjà proposé de vendre des voitures, prédisant même que mon revenu doublerait si je travaillais pour lui.

Ben a soupiré: « Je vais l'appeler cet après-midi, mais les élèves ont davantage besoin de toi que Brett. Tu devrais prier. »

« On se revoit à dix-sept heures. » J'ai démarré ma vieille et bruyante Dodge Omni. Je devais aller chercher mes pilules contre l'hypertension avant mes rendez-vous du soir.

J'avais toujours rêvé d'être le meilleur enseignant de toute l'histoire de l'humanité. Pour terminer mes études universitaires, j'avais travaillé le jour et suivi des cours le soir. J'enseignais l'anglais à des élèves de tous les niveaux et j'en tirais beaucoup de satisfaction personnelle. Enfin, jusqu'à tout récemment.

Après vingt ans de carrière dans l'éducation, en effet, mon degré de frustration avait augmenté. Les problèmes disciplinaires et la politique me rendaient fou. Les élèves manifestaient la plus profonde indifférence; quant aux parents, ils étaient tout, sauf un soutien. Même l'approche pédagogique la plus originale se fracassait sur des regards éteints. Pourquoi alors me donner tant de mal pour une telle bande d'ingrats?

Ben avait raison. Il était temps de prier. « Père, depuis que je suis tout petit, je te demande de me guider pour mon travail dans la vie. Si je suis destiné à être un professeur d'anglais, donne-moi un signe. Sinon, je commencerai à vendre des voitures à partir du mois prochain. Amen. »

Je suis entré dans la pharmacie et me suis approché du comptoir. « Docteur Saye! » m'a crié le pharmacien, qui aime me taquiner parce que je ne suis pas le genre de docteur qui rédige des ordonnances.

Soudain, un visage arborant une moustache naissante a surgi de derrière une étagère dans la section des livres de poche. « Qui? » a-t-il demandé.

J'ai activé mes cellules grises pendant que le visage avançait en ma direction. En quelques secondes, le jeune homme était devant moi, la bouche ouverte. Sans me quitter des yeux, il a crié: « Marge, amène le bébé ici ! »

Une jolie femme de petite taille est apparue, tenant dans ses bras un bébé âgé d'à peine un mois. « C'est lui », a-t-il dit en me pointant du doigt.

Je me préparais à revivre quelque supplice dont j'avais été la cause.

« Qui lui? » a demandé Marge.

« Le prof d'anglais dont je t'ai parlé. Celui qui nous parlait d'Edgar Allen Poe et d'autres vieux types du genre! » Il m'a serré la main avec chaleur, le sourire fendu jusqu'aux oreilles. Des souvenirs remontaient à la surface. *Julian… Moon. Littérature anglaise… Quand? Il y a très longtemps.*

« Je ne lisais jamais avant de suivre votre cours », a raconté Julian. « Maintenant, j'ai un livre dans la salle de bain et un livre près de la télé pour lire pendant les pauses commerciales.

« Mais pas des livres d'école », a précisé Marge. « Sois honnête, chéri. Des westerns. Des livres sur les voitures. Des trucs sur l'espace. J'en ai même lu un ou deux. » Elle m'a lancé un sourire. « Et Julian fait la lecture de la Bible à ma mère, qui a une très mauvaise vue. Nous avons acheté une bible aussi. »

Julian a dit: « Bon sang, j'aurais lâché l'école en secondaire III... Hé! montre-lui le bébé. »

Marge m'a présenté Edgar Scott.

« Nommé en l'honneur d'Edgar Allan Poe et de F. Scott Fitzgerald », a expliqué Julian. « Comme ça, il

66

sait qu'il devra terminer son secondaire. Peut-être même aller à l'université. Que pensez-vous de ça? »

« Je pense que c'est formidable! » ai-je répondu avec une réelle sincérité.

Après avoir reçu mes médicaments, je suis resté sur le trottoir pour observer la petite famille monter à bord d'une camionnette crasseuse. C'est un Julian rayonnant qui m'a envoyé la main en sortant du stationnement. Marge m'a souri en tenant le minuscule poing d'Edgar Scott pour me saluer.

Je suis monté à bord de ma vieille guimbarde.

Julian Moon n'a pas terminé son secondaire V. J'avais même eu l'impression qu'il dormait pendant mes cours. Mais il en était resté quelque chose. Il plaçait un livre dans sa salle de bain et avait prénommé son fils en l'honneur de deux géants de la littérature.

Je suis retourné dans ma classe pour les rencontres du soir avec les parents. Seulement deux des six parents qui avaient pris rendez-vous se sont présentés. Ben est apparu dans l'embrasure de la porte. « Comment ça se passe? »

« Deux parents confus et désespérés, et quatre désistements », ai-je répondu.

« En passant, Brett aurait besoin de toi les samedis dès maintenant, puis à temps complet dès la fin du semestre. »

« Euh! Ben, j'ai bien réfléchi. Te souviens-tu d'un certain Julian Moon? » ai-je demandé.

Après avoir écouté mon histoire, Ben a sifflé. « Mon vieux, t'es né pour enseigner. »

J'avais reçu un signe. Je savais maintenant qu'en dépit de mes frustrations grandissantes, Dieu m'avait destiné à être enseignant. Abandonner serait injuste pour Lui ou pour moi… ou pour des gens comme Julian Moon.

Lee Saye

L'éducation que reçoit un homme l'oriente dans une direction qui détermine son avenir.

Platon

Vous ne me choisissiez jamais en dernier

« Madame la directrice Carr! Est-ce vous? Est-ce vraiment vous? »

Je me détourne du rayon de livres dans lequel je bouquinais pour mieux voir ce charmant jeune homme musclé, aux cheveux blond roux, qui me sourit du haut de son mètre quatre-vingt-dix-huit. « C'est moi, madame la directrice Carr! Gibby! »

« Gibby! Je n'en reviens pas. Tu es rendu tellement grand! »

En le regardant bien en face maintenant, je me rappelle ces yeux reconnaissables entre tous: des yeux bleus sérieux, intenses et pénétrants. Oui, c'est bien mon Gibby.

Il doit se pencher pour faire la bise à la directrice de son ancienne école primaire. Je me mets à repenser au petit garçon grassouillet et timide qu'était Gibby lorsqu'il est arrivé à mon école au début de sa cinquième année. Un garçon tranquille et renfermé.

Gibby avait eu de la difficulté à s'intégrer durant les premiers mois, comme bien des enfants nouvellement arrivés dans une école. Certains des garçons le taquinaient au sujet de ses piètres aptitudes athlétiques lorsqu'il essayait de s'intégrer aux jeux dans la cour de récréation. Gibby manquait de coordination et avait du mal à suivre. On aurait dit qu'il s'empêtrait toujours dans ses lacets. En fait, la plupart du temps, c'est ce qui se produisait. Je lui répétais: « Attache tes lacets plus serrés, mon gars. » Il répondait invariablement: « Oui, madame la directrice Carr ».

Souvent, j'observais les élèves jouer pendant la récréation. J'avais remarqué que, lorsque les enfants choisissaient des coéquipiers pour un jeu, le sérieux petit Gibby se retrouvait toujours tout seul, choisi en dernier. Plusieurs fois, j'étais allée dans la cour de récréation en m'exclamant: « Je n'ai jamais la chance de choisir une équipe, moi! Est-ce que je peux? » Les élèves riaient alors de leur directrice qui voulait jouer comme eux et s'exclamaient: « Ok, madame la directrice, c'est à votre tour! » J'appelais quelques noms, puis, au quatrième ou cinquième tour, je nommais Gibby et quelques autres rarement choisis par leurs pairs. Mon équipe n'était peut-être pas la meilleure, mais nous étions, de loin, les plus heureux et certainement les plus motivés, les plus déterminés et les plus loyaux.

Au printemps de cette année-là, j'ai organisé des séances d'exercice dans la cour d'école durant la récréation pour tous ceux et celles qui voulaient se remettre en forme après l'hiver. Beaucoup de filles se sont inscrites, ainsi que quelques garçons, dont Gibby.

Nous avons commencé par faire de la marche rapide autour de la grande cour d'école. Je menais le groupe tandis que Gibby fermait invariablement la marche, essoufflé, haletant, trébuchant sur ses lacets défaits. À mesure que le groupe avançait autour du terrain, Gibby finissait par se faire dépasser. Il continuait néanmoins avec acharnement, traînant loin derrière. Je l'encourageais: « Continue, Gibby. Ne lâche pas. Tu vas y arriver. Euh… attache tes lacets plus serrés, mon gars. »

« Oui, madame la directrice Carr », répondait-il en haletant et en essayant de me sourire.

Au bout d'un mois, Gibby avait perdu quelques kilos et n'était plus aussi essoufflé. Il trébuchait encore sur ses lacets, mais il suivait beaucoup plus facilement le groupe.

À la cinquième semaine, notre groupe comptait autant de garçons que de filles. Je ne crois pas que les garçons aient été soudainement intéressés par leur santé; leur participation était plutôt liée à cette période où les filles ont décidé de porter des shorts… Nous avons enrichi notre programme de quelques exercices au sol que nous faisions au gymnase. Gibby participait encore, dans la rangée du fond. Il s'étirait, se penchait, se redressait, poussait, toujours aussi intense. Il n'abandonnait jamais et ne se trouvait pas d'excuses. Ce petit homme n'était pas du genre à se laisser abattre. Il travaillait plus dur que les autres et j'admirais son cran. Plusieurs de ses camarades aussi. Peu à peu, Gibby a acquis de l'assurance, et a commencé à sourire et à parler plus souvent. Il n'était plus le petit nouveau; il commençait à se faire quelques bons amis.

Et voilà qu'après toutes ces années, nous nous retrouvons dans une librairie. Mon petit Gibby me dépasse de deux têtes.

« Que fais-tu ici, Gibby? J'avais entendu dire que tu avais déménagé en Géorgie. »

« Oui, je vis à Atlanta maintenant. Je travaille comme directeur régional d'une entreprise de logiciels informatiques. Je suis en visite chez ma mère pour la fin de semaine. »

« Eh bien, tu as fière allure, Gibby, et tu sembles heureux. »

« Je suis heureux, et je pense à vous souvent. Vous savez, ç'a été difficile pour moi de changer d'école et d'habiter une nouvelle ville à l'époque, mais vous avez été si gentille avec moi. »

« Mais voyons, merci, Gibby. »

« C'est vrai, vous étiez toujours de bonne humeur et venir à l'école était amusant avec vous. Je n'oublierai jamais vos séances d'exercices. Vous nous faisiez vraiment travailler. »

Un grand sourire illumine alors son visage. « Mais, madame la directrice Carr, vous savez ce que je me rappelle le plus à propos de vous? »

« Je n'en ai aucune idée. Qu'est-ce que c'est? »

« Eh bien », me répond-il en me fixant de ses yeux bleus, « chaque fois que vous aviez l'occasion de former les équipes à la récré, vous ne me choisissiez jamais en dernier. »

« Bien sûr que non, Gibby, tu étais un de mes joueurs les plus déterminés! »

Il m'étreint de nouveau et dit: « Je suis marié maintenant. Ma femme est vraiment gentille et elle rit toujours. À bien y penser, elle vous ressemble beaucoup. Et la plus belle chose avec elle, c'est que parmi tous ceux au monde qu'elle aurait pu marier, elle m'a choisi, moi. Elle m'a choisi en premier! »

Des larmes dévalent mes joues. Je baisse les yeux pour éviter son regard, le temps de prendre sur moi.

C'est alors que je remarque ses chaussures.

« Attache tes lacets plus serrés », lui dis-je en marmonnant, tout en essuyant mes larmes du revers de la main.

« Oui, madame la directrice Carr », réplique-t-il en exhibant ce sourire de petit garçon.

Tee Carr, Ed.D.

Dunagin's People

*« Yo man ! Avec un uniforme d'école,
on perdra notre individualité ! »*

2

SUIVRE
SA VOCATION

*L'enseignement est la profession
de premier choix, car toute personne,
quelle qu'elle soit, a appris à devenir
quelqu'un au contact d'un enseignant.*

Source inconnue

Pourquoi
choisir l'enseignement?

Je touche le futur. J'enseigne.

Christa McAuliffe

Ma famille était rassemblée pour un barbecue estival lorsque la discussion a porté sur une célébrité qui gagnait beaucoup d'argent. Je ne sais plus si on parlait d'une vedette de cinéma ou d'un athlète connu. Dans la société d'aujourd'hui, cela ne semble pas avoir d'importance. On dirait que le principal critère pour gagner des millions, c'est le montant que le public est prêt à payer pour regarder la prestation de la vedette en question.

Pourquoi, alors, choisir une carrière dans l'enseignement? J'écoutais à moitié leur conversation tout en réfléchissant à la réponse à cette question.

Je me suis rappelé mes trois enfants qui m'avaient vue passer tant de soirées et de fins de semaine à planifier mes classes. Je me suis rappelé comment ils avaient écouté avec attention mes frustrations au sujet du matériel, des méthodes et des innombrables responsabilités qui reposaient sans cesse sur les épaules des titulaires de classe. Je me suis rappelé comment ils attendaient avec impatience d'entendre des histoires à propos des enfants de ma classe: celles qui étaient drôles, celles qui parlaient de réussites, mais aussi celles où je partageais mes graves soucis concernant mes élèves.

Je me suis souvenue aussi du moment où chacun de mes enfants a dû choisir une profession. J'avais hâte de voir si l'un d'eux allait suivre mes traces. Malheureusement, leurs longues délibérations ne me donnaient jamais à penser que ce serait le cas. Je me rendais compte avec tristesse que l'enseignement n'était même pas une option pour eux. Sans l'exprimer en mots, ils semblaient dire: « Pourquoi donc choisirais-je l'enseignement? »

On servait le dessert et la discussion portait encore sur cette vedette qui gagnait des millions quand le téléphone a sonné. Mon mari a répondu et m'a tendu le combiné: « C'est à Bonnie Block qu'on veut parler. » Il est retourné aussitôt à son dessert préféré.

« Allô, Bonnie Block à l'appareil », ai-je répondu en me demandant si j'aurais dû accepter un appel téléphonique en plein·repas de famille.

« Êtes-vous la Bonnie Block qui enseignait à la maternelle? » s'est enquise la voix.

Je me suis sentie nerveuse tout à coup. Des souvenirs de cette époque maintenant lointaine se bousculaient dans mon esprit.

« Oui! » ai-je répondu avec une boule dans la gorge. Il m'a semblé se passer une éternité alors que j'attendais anxieusement d'entendre ce que la personne au bout du fil allait me dire.

« Je suis Danielle. Danielle Russ. J'ai été votre élève en maternelle. »

Des larmes de surprise et de joie se sont alors mises à rouler sur mes joues.

« Oui », ai-je murmuré en me rappelant très bien l'enfant charmante et merveilleuse qu'elle avait été.

« Eh bien, je vais terminer mes études secondaires cette année, et c'est pour cette raison que j'ai essayé de vous retrouver. Je voulais que vous sachiez que vous avez été une personne marquante dans ma vie. »

Elle m'a alors expliqué de quelle façon j'avais été importante. Non seulement, avais-je eu sur elle une influence en maternelle, disait-elle, mais j'étais restée une puissante force de motivation lorsqu'elle avait eu besoin d'aide pour affronter une difficulté. « Je vous imaginais alors en train de me féliciter et de m'encourager. »

Pourquoi choisir l'enseignement?

Parce que ça rapporte énormément!

Bonnie Block

Dans un autre univers.

Enfin professeur

L'enseignement n'est pas une profession;
c'est une passion

Source inconnue

Cet après-midi-là de janvier, j'ai enfilé mon manteau noir, je suis sorti dehors et je me suis arrêté un moment. *Voilà, cher magasin de plomberie, j'ai passé trente ans de ma vie à faire de toi un commerce prospère. Maintenant, il est temps pour moi de suivre mon cœur.* J'ai refermé la porte du magasin pour la dernière fois et j'ai accroché l'écriteau sur la porte: « Fermé pour toujours ».

J'avais 50 ans. Ce jour-là, en montant dans mon Explorer bourgogne 1991, tout mon être était tourné vers ce rêve que j'avais toujours caressé: devenir professeur. *Mon Dieu, tu m'as permis de me rendre là où je suis présentement,* ai-je imploré, *ne me laisse pas tomber maintenant, s'il te plaît.*

En route vers la maison, je me souviens d'avoir souhaité que M. Roy soit encore en vie pour que je puisse en parler avec lui. M. Roy avait été mon mentor, mon modèle. Il avait discuté avec moi, m'avait posé des questions. Comme si j'étais vraiment quelqu'un, pas juste un petit Noir maigrichon.

J'avais environ six ans lorsque j'ai fait la connaissance de M. Roy à Mayfield, en Caroline du Sud, où je suis né. Près de chez moi, il y avait un petit magasin général familial. Sur la devanture du magasin, le drapeau américain flottait à côté d'une enseigne de Coca-Cola, juste au-dessus de la porte moustiquaire. M. Roy et ses vieux amis s'y retrouvaient habituellement pour jouer aux échecs et se raconter des histoires, appuyés sur des barils de clous renversés, près du poêle à bois.

Chaque jour après l'école, je me glissais près de l'échiquier pour « aider » M. Roy à jouer sa partie. Et c'est là, coude à coude avec lui, que plusieurs de mes valeurs se sont ancrées en moi. Ce n'est pas que mes parents ne m'ont rien enseigné. Au contraire. Mais comme j'avais seize frères et sœurs à la maison, l'attention parentale individuelle était difficilement au rendez-vous.

« Eugène, m'a dit M. Roy un jour, que veux-tu faire quand tu seras grand? »

« Professeur », lui ai-je répondu tout d'un bloc.

Puis, sur un ton qui ne laissait aucune place au doute, M. Roy a rétorqué: « Alors, sois-le! »

M. Roy savait qu'il y aurait des embûches. « Eugène », a-t-il dit très sérieusement en plaçant son bras frêle autour de mes épaules toutes aussi frêles, « des fois, les autres te diront que tu ne peux pas faire telle ou telle chose. Que cela ne te freine pas; prouve-leur qu'ils ont tort. »

Au cours de ma quatrième année à l'école secondaire, ma mère est décédée. Mon père a eu besoin de moi pour l'aider à s'occuper de mes frères et sœurs plus jeunes. Comme il a fallu que j'abandonne mon rêve de faire des études universitaires et de devenir enseignant, j'ai choisi un autre métier: la plomberie.

Je me suis toujours rappelé cet autre conseil de M. Roy: « N'oublie pas, Eugène, peu importe ce que tu choisis de devenir, excavateur de fossé ou enseignant, sois le meilleur possible. C'est tout ce que le bon Dieu nous demande. »

Alors, je me suis dit *Si je ne peux pas être enseignant, alors je serai le meilleur plombier qui soit*. J'ai appris tout ce qu'il fallait sur le métier de plombier, et j'ai appliqué ma devise: fais-le bien la première fois, et tu n'auras pas à le refaire une deuxième fois. Un jour, j'ai eu mon propre commerce.

Pendant ce temps, Annette et moi nous sommes mariés et avons élevé deux beaux enfants. L'année où j'ai décidé de mettre la clé dans la porte de mon magasin de plomberie, notre fils Michael faisait son doctorat et notre fille Monique poursuivait ses études universitaires. Ma femme, elle, était devenue enseignante après un retour aux études plusieurs années auparavant.

Ce jour était donc arrivé où je ne pouvais plus ignorer mon rêve. Quatre jours après la fermeture de mon magasin, j'ai commencé à travailler à l'école primaire Hendrix Drive. Pas comme enseignant, remarquez, mais comme concierge. Eh oui, j'ai troqué mes outils de plombier contre des balais et des pinceaux, et une diminution de salaire de quarante pour cent. Je me disais que cet emploi de concierge me permettrait de vérifier mes ambitions — de voir si j'étais capable d'avoir un bon contact avec les jeunes.

Je me suis tout de suite bien entendu avec les élèves. Pendant que je nettoyais les planchers des corridors, je saluais les étudiants en les invitant à me taper

dans la main et chacun d'eux me répondait joyeusement de la même façon avec un grand sourire.

Souvent, je tombais sur un jeune qui poireautait à
la porte de sa classe parce qu'il avait été expulsé pour
s'être mal conduit. « Qu'est-ce qui se passe, mon
gars? » lui demandais-je, sincèrement préoccupé. Il me
racontait alors son petit délit et je lui rappelais l'importance de respecter les règlements, puis j'entrais dans la
classe pour plaider sa cause et sa réintégration auprès
du professeur.

Étonnamment, je faisais un très bon médiateur,
peut-être parce que j'arrivais à me mettre dans la peau
de ces enfants. Plusieurs d'entre eux venaient d'un foyer
éclaté — comme le jeune Jeffrey — et ils étaient élevés
par leur mère ou leur grand-mère dans une famille
monoparentale. Ces enfants avaient soif d'un modèle
masculin positif. Ils avaient besoin d'un homme qui
s'intéresserait réellement à eux et qui leur montrerait
qu'ils étaient aimés. Ils avaient désespérément besoin
d'un M. Roy dans leur vie. Et je voulais être celui-là.

D'autres fois, je devais me montrer strict. Il m'est
arrivé souvent d'apostropher dans un corridor un jeune
qui portait un immense pantalon sans ceinture, la taille
suspendue aux hanches, le sous-vêtement bien en vue.
En fait, c'est ainsi que j'ai rencontré Jeffrey.

« Attends-moi ici », lui ai-je dit le jour de notre
rencontre. Je suis allé fouiller dans mon local de concierge, puis j'en suis revenu avec un bout de corde d'un
store vénitien que j'ai inséré dans les ganses de son pantalon. Le lendemain, Jeffrey est venu à l'école en portant une ceinture. C'est ce qu'ont fait aussi les autres

garçons que j'ai apostrophés par la suite. Comportement non orthodoxe pour un concierge? Peut-être. Chose certaine, les enfants respectaient mon point de vue parce qu'ils savaient que je me souciais d'eux.

Je priais et pensais beaucoup pendant que je polissais les planchers de cette école. *J'ai un ministère ici même en tant que concierge,* rationalisais-je. *Je n'ai peut-être pas besoin de passer par le difficile programme d'études de l'université pour aider les élèves.*

Et tout ce temps, j'entendais M. Roy me dire: « Ne te contente jamais de la deuxième place, Eugène. Peu importe ce que tu deviens, sois le meilleur possible. »

Un soir, j'ai fait l'annonce à ma famille: « Je pense que je vais aller à l'université, après tout. »

Ils ont dit: « Vas-y! »

C'est ce que j'ai fait. À l'automne de cette année-là, je me suis inscrit à des cours du soir et de fin de semaine à l'école de Norcross qui est affiliée à l'université Brenau. J'étais très nerveux lorsque je me suis présenté à mes premiers cours. Serais-je le plus vieil étudiant? Étais-je trop vieux, trop fatigué pour apprendre toutes ces matières difficiles?

En plus de ces soucis, une autre difficulté s'ajoutait: travailler toute la journée, étudier jusqu'à deux heures du matin, puis me lever à l'aube pour recommencer. Pendant que je nettoyais les planchers, je m'entretenais continuellement avec Dieu. *Seigneur, je m'inquiète beaucoup. Ne cesse pas de me rappeler que c'est quelque chose que tu veux que j'accomplisse. Car, pour dire vrai, s'il n'en tient qu'à ma seule volonté, eh bien, sache que je suis sur le point d'abandonner.*

Je pense que c'est en guise de réponse que Dieu a remis Jeffrey sur ma route. Jeffrey avait terminé sa sixième année l'année précédente et était maintenant à l'école secondaire. Un jour, il est venu faire une petite visite à notre école; j'étais en train de remplacer une ampoule fluorescente dans le corridor. « Jeffrey! Comme je suis content de te voir! » lui ai-je dit en le serrant très fort dans mes bras. « Comment ça va, fiston? »

« Ça va bien, m'sieur », a-t-il répondu. Ses bonnes manières m'impressionnaient. Il a poursuivi: « M'sieur Edwards, je veux vous remercier d'avoir passé du temps avec moi quand j'étais ici, de vous être occupé de moi. Sans vous, je n'aurais jamais terminé ma sixième année. »

« Jeffrey, je suis très fier de toi », lui ai-je répondu. « Et tu vas terminer tes études secondaires, n'est-ce pas? »

« Oui, m'sieur », a-t-il dit en faisant un grand sourire. « Et je vais aller à l'université, m'sieur Edwards, comme vous! »

J'ai failli pleurer. Grâce à Jeffrey, j'étais déterminé à terminer mes études. Ce jeune comptait sur moi.

Nous sommes maintenant le 3 mai 1997, tôt le matin. Un jour qui passera à l'histoire. C'est aujourd'hui la remise des diplômes!

Au centre Georgia Mountain de Gainesville, je suis presque submergé par l'émotion. Vêtu de la traditionnelle robe noire et coiffé du mortier, debout sur la pelouse avec les autres finissants, je regarde ma main, cette main usée d'ancien plombier de 55 ans, et j'admire la bague de finissant à la pierre bleue commémorant mes études universitaires. Les larmes menacent de couler sur mes joues.

Au son de la musique, le recteur et le personnel inaugurent la cérémonie, vêtus de leurs plus beaux atours, et entourés du conseil d'administration ainsi que du conférencier invité, l'honorable Edward E. Elson, ambassadeur américain au Danemark.

Tous ces dignitaires demeurent debout pour nous rendre honneur alors que nous entrons en file. Au total, 350 étudiants de soir et de fin de semaine qui s'apprêtent à recevoir leur diplôme de baccalauréat. Quand j'entends mon nom résonner dans le grand hall — EUGENE EDWARDS — je parviens à me rendre sur l'estrade, mais sans jamais sentir mes pieds toucher le sol!

Heureux, je retourne à mon siège, rayonnant comme un sapin de Noël, et tenant très fort la preuve tangible de la réalisation du rêve de toute une vie: un parchemin carré avec tous ces mots importants « Bachelier en sciences de l'éducation au niveau universitaire premier cycle ».

Enfin, ai-je songé. *Si vous cultivez votre rêve suffisamment longtemps — et si vous travaillez suffisamment fort — Dieu vous aidera à le réaliser.*

Enfin professeur!

M. Roy serait fier de moi.

Eugene Edwards
Tel que raconté à Gloria Cassity Stargel

Mme Abshere

L'enseignant médiocre récite.
Le bon enseignant explique.
L'enseignant supérieur démontre.
L'excellent enseignant inspire.

William Arthur Ward

Quand j'étais en troisième année du primaire, je voulais être comme Mme Abshere. Elle avait une coupe de cheveux comme la patineuse artistique Dorothy Hamill, portait des talons hauts et souriait toujours. Elle prenait le temps qu'il fallait pour revoir avec moi des notions de mathématiques ou pour dire du bien de mes poèmes. Elle élevait rarement la voix et tous ses élèves la respectaient. Avec elle, nous nous sentions importants et désirés. Durant la récréation, je restais à l'intérieur et je jouais à l'école. Mme Abshere avait l'amabilité de me laisser utiliser ses crayons spéciaux et ses feuilles d'exercices. « Tu es une bonne professeure, Erin », disait-elle.

Pour l'école, j'étais une enfant « à risque ». Ma famille était peu fortunée et l'ami violent de ma mère vivait avec nous. Si j'adorais l'école, c'était en partie parce qu'elle me permettait de fuir ma réalité familiale et parce que je sentais que je comptais vraiment pour Mme Abshere. Sa patience et sa gentillesse m'ont aidée à surmonter beaucoup de moments difficiles. Elle avait toujours avec elle un tube de baume pour les lèvres et elle m'en offrait durant l'heure de l'histoire. « Les lèvres gercées font mal et nous devons les soigner », disait-elle. Elle était comme une mère substitut pour moi et un modèle de personne que j'espérais être plus tard.

Un jour, les policiers sont venus chez moi pour arrêter ma mère qui avait fraudé l'aide sociale. J'avais neuf ans et j'étais morte de peur! Je me suis agrippée à mon frère et à ma sœur pendant qu'on nous amenait dans un refuge pour enfants.

Tandis que ma mère attendait sa sentence, mon frère, ma sœur et moi attendions au refuge pour enfants. Nous fréquentions l'école affiliée à ce refuge et dormions dans une chambre remplie d'enfants dont les parents étaient également détenus. Les jours se sont transformés en semaines, et je me demandais si nous allions un jour pouvoir retourner à la maison. Lorsqu'on nous a annoncé que ma mère allait purger une peine de six mois en prison, mes espoirs se sont évanouis. Et comme les autorités étaient incapables de retracer mon père naturel, elles allaient prendre des dispositions pour nous faire adopter dans quelques mois.

Le jour où j'ai appris la nouvelle, je suis retournée à ma chambre comme un automate. Je n'étais plus une fillette de neuf ans qui écrivait des poèmes et jouait à l'école. J'étais une prisonnière et je ne comprenais pas pourquoi. Je me suis affalée sur mon lit et j'ai sangloté pendant des heures. Désespérée, j'en voulais au monde entier et je n'entrevoyais plus aucun avenir pour moi. C'est à ce moment-là qu'une des fillettes du refuge est montée me voir en courant. « Eh! Il y a une dame qui est ici pour te voir. Je pense que c'est ta mère. » Une vague d'émotions a déferlé en moi alors que je dévalais l'escalier. Était-ce possible? L'avait-on laissée sortir de prison?

Lorsque je suis arrivée au bout du corridor, j'ai aperçu la jolie dame qui avait la coupe de cheveux de Dorothy Hamill. C'était Mme Abshere! Elle m'a ouvert ses bras. « Je sais que personne ne peut remplacer ta mère, ma chérie, mais je t'aime, moi aussi! » Je me suis jetée dans ses bras et j'ai remercié Dieu de m'avoir envoyé cet ange qui venait de faire un détour d'une cinquantaine de kilomètres pour me voir.

Après notre étreinte, elle a fouillé dans sa poche et en a ressorti son baume pour les lèvres. « Tu as encore les lèvres gercées à ce que je voie. » En faisant visiter les lieux à Mme Abshere, j'ai recommencé à espérer. Je lui ai montré mon coin pour dormir et quelques-uns de mes nouveaux poèmes. J'étais si excitée de la présenter à tous mes nouveaux amis. « C'est mon professeur, Mme Abshere! » criais-je. Je voulais que tout le monde sache son nom.

À la fin de la visite, Mme Abshere m'a fait promettre d'aller la saluer à son école, afin qu'elle sache que j'allais bien.

Deux semaines plus tard, mes grands-parents ont obtenu notre garde. J'allais habiter de l'autre côté de l'État. Ma grand-mère m'a accompagnée en voiture à mon ancienne école pour que je puisse faire mes adieux à tous mes amis. Lorsque je me suis retrouvée devant mon ancienne enseignante, je n'ai pas été capable de lui faire mes adieux. Je restais là debout et j'essayais de ne pas la regarder. Une immense tristesse m'envahissait. Comment pouvais-je dire adieu à cette femme merveilleuse? Debout devant elle, les larmes coulaient sur mes joues. Elle m'a alors remis une boîte en disant: « Voici une boîte pleine de feuilles d'exercices et de crayons spéciaux pour les professeurs, afin que tu puisses jouer à l'école aussi souvent que tu le désires. Et chaque fois que tu joueras, j'espère que tu penseras à moi car, moi, je penserai à toi. » Je n'oublierai jamais ces mots.

Quand je suis repartie en voiture avec ma grand-mère, je ne savais pas ce qu'il adviendrait de moi. Je savais seulement que j'allais survivre — que j'allais m'en sortir — car une enseignante très spéciale m'avait montré qu'elle tenait à moi. Et c'était suffisant pour me faire traverser n'importe quoi.

Seize années plus tard, j'ai cherché Mme Abshere pour lui dire à quel point je lui étais reconnaissante. Lorsque je l'ai retracée, nous avons eu une conversation formidable. J'étais tellement fière de lui dire qu'il me restait seulement une année d'études à faire avant de devenir enseignante moi-même. « Oh! Tu pourrais venir faire un stage dans ma classe! » a-t-elle proposé. Il est donc fort possible que je retourne bientôt dans la classe de Mme Abshere, mais, cette fois, ce sera comme une collègue et amie remplie de reconnaissance.

Erin Kelley

La bienveillance seule ne fait pas un enseignant, pas plus que le savoir seul peut le faire. Le don de l'enseignement est un talent bien particulier et il sous-tend un besoin et une passion chez l'enseignant lui-même.

John Jay Chapman

Anna

Anna est entrée dans ma vie par un beau jour de la fin d'août. Elle était avec son fils William, mon nouvel élève de cinquième année. Mesurant presque un mètre quatre-vingt, avec des yeux verts magnifiques, les cheveux cuivrés, le visage parsemé de taches de rousseur, elle était réservée comme le sont les autochtones nés dans les petits villages montagneux du nord du Nouveau-Mexique. Ce jour-là, avec son accent chicano très musical, elle s'est présentée et m'a présenté son fils. Les deux souriaient timidement.

Après un court moment pour faire connaissance, je lui ai demandé : « Aimeriez-vous apporter votre aide dans la classe ? Ce qui aide le plus, c'est de prendre une journée par mois pour corriger des exercices de français et de mathématiques. »

« Je n'étais pas très bonne à l'école », a-t-elle répondu presque en chuchotant. « Je me suis rendue à la huitième année seulement. »

« Oh, ça devrait aller; je vous aiderai », lui ai-je dit.

Elle a accepté et s'est inscrite pour aider à chaque premier jeudi du mois à partir de septembre.

Le premier jeudi où elle devait aider, elle m'a téléphoné. « Mme Bucher ? a-t-elle demandé. Je ne sais pas comment faire ces corrections d'exercices. »

« J'arrive », lui ai-je répondu.

Je me suis rendue à son appartement minuscule et impeccable et l'ai trouvée totalement plongée dans les dossiers de travail des élèves. Les feuilles de réponses étaient éparpillées un peu partout sur la table. Son fils William se tenait debout derrière elle, l'air nerveux, manifestement embarrassé par l'incapacité de sa mère d'aider son enseignante. De toute évidence, elle était complètement terrifiée devant la tâche.

« Vous savez, Anna, lui ai-je dit, quand j'étais en cinquième année, j'avais beaucoup de difficulté en mathématiques. Ma peur a assombri ma vie pendant plus de quarante ans. Comme j'avais du mal à multiplier ou à faire les problèmes raisonnés, je me croyais stupide. Il a fallu que j'enseigne moi-même à une classe de cinquième année et que j'apprenne chaque soir mes leçons pour guérir ma peur. »

Anna et son fils ont souri. Anna s'est détendue un peu.

« Voici comment vous corrigez… »

C'est ainsi qu'a commencé la première d'une série de plusieurs leçons avec Anna. Elle était réceptive, intéressée et très attentive. Elle a fait les corrections avec facilité et s'est présentée à la porte de ma classe après l'école pour m'offrir de corriger les examens de « reprise » en mathématiques. Je l'aurais embrassée! Tout élève de notre classe qui obtient une note inférieure à 75% doit refaire l'examen et, parfois, le re-re-re-faire. Cela signifie deux, trois ou quatre fois plus de travaux à corriger pour s'assurer que les élèves ont bien assimilé la matière. Anna s'est avérée une correctrice à la fois fiable et exigeante. Elle marquait en rouge chaque petit oubli, que ce soit une décimale, un signe de dollar, un symbole d'opération ou tout mot dans un problème raisonné; bref, elle corrigeait les travaux de maths avec zèle et minutie. Elle calculait la note mentalement, sans même jamais recourir au correcteur que j'avais acheté. Les élèves le savaient: quand Anna venait, ou quand le sac de travaux à corriger partait, ils devaient se préparer à bien travailler, ou alors essuyer la faible note de reprise.

Peu à peu, Anna a acquis de l'assurance. Elle avait l'air fière, parlant de manière douce et réservée, mais avec une détermination, une résolution, qui émanait de ses phrases.

En février de cette année-là, j'ai reçu un autre appel d'Anna.

« Mme Bucher, m'a-t-elle dit, je veux aider William dans son projet sur la colonisation. Je suis allée à la bibliothèque avec lui aujourd'hui, mais je ne sais pas comment chercher de la documentation. »

Le lendemain était un samedi, alors j'ai pu lui donner rendez-vous à la bibliothèque. Je lui ai montré la façon d'utiliser un fichier, la recherche avec l'ordinateur, et le plan numérique qui cataloguait les livres. Ensuite, je l'ai présentée à la bibliothécaire.

« C'est Dieu qui vous envoie », a dit Anna avec respect et une confiance totale. « Merci, mon professeur. »

Déterminée, elle a posé la main sur l'épaule de William et s'est dirigée vers les étagères de livres. À l'heure du souper, j'ai reçu un autre appel d'Anna.

« Mme Bucher? William et moi sommes allés à trois autres bibliothèques et personne n'a jamais entendu parler d'un orfèvre du nom de Paul Rivera. »

J'ai tellement ri! C'est le genre de moments impérissables qu'un enseignant peut vivre et qui nous rappellent pour toujours un visage, un cœur généreux, un esprit bienveillant. Anna a ri aussi quand je lui ai expliqué.

Évidemment, Anna a fini par se débrouiller à merveille avec le système de la bibliothèque, et le diorama remis par William était un minuscule vaisselier en carton rempli de cruches, d'assiettes, d'argenterie et de chandeliers fabriqués en papier aluminium. Et Paul Rivera était représenté par une figurine de bois sculptée à la main, habillée de vêtements d'époque et travaillant à sa table. William perpétuait les traditions de ses racines de sculpteur. Parmi les premiers colons du Nouveau-Mexique figuraient des maîtres artisans très pieux qui sculptaient des *Santos*, c'est-à-dire des saints. La sculpture de William était très réussie, ainsi que son compte rendu écrit et son exposé oral. Il en savait long sur l'orfèvrerie et il avait ajouté quelques informations sur les sculpteurs du nord du Nouveau-Mexique qui étaient apparentés à sa famille. Anna s'en était assurée.

La dernière fois que j'ai entendu parler d'Anna, elle terminait ses études secondaires et avait pour objectif de devenir enseignante de cinquième année. Connaissant Anna, elle atteindra sûrement son objectif et le monde aura une merveilleuse enseignante de plus, une enseignante qui corrige les travaux de maths avec zèle.

Isabel Bearman Bucher

Vocation : enseignante

Les gens qui nous influencent sont les gens qui croient en nous.

Henry Drummond

Kelly se réveilla mouillée encore; elle avait fait pipi au lit. Dans une autre famille, on aurait envoyé cette fillette de six ans prendre un bain matinal avant d'aller à l'école, mais pas dans celle-ci.

« Habille-toi. C'est l'heure de partir pour l'école. » La mère de Kelly se tenait dans l'embrasure de la porte de la chambre à coucher de sa fille en tapant impatiemment du pied. Une cigarette non allumée pendait sur le bord de ses lèvres barbouillées de rouge.

Kelly fouilla dans la pile de linge sur le plancher de son placard et trouva des vêtements qui semblaient passables. Elle les enfila et essaya de les défroisser du plat de ses petites mains. Avec un linge humide, elle essuya presque toute la boue qui maculait le bas de son pantalon. Elle peigna ses cheveux avec la brosse du chat et partit pour l'école en mangeant les biscuits salés que sa mère lui avait tendus.

De l'autre côté de la cour de récréation, Kelly dessina dans la terre avec un bâton. Elle fit de beaux dessins tandis que les autres enfants jouaient ensemble sur les balançoires. Ils se plaignaient souvent que Kelly sentait mauvais lorsqu'elle passait près d'eux. En classe, les travaux de Kelly n'étaient jamais faits. Elle avait de la difficulté à apprendre à lire. Elle sentait de plus en plus de froideur en elle, comme de la glace.

Tout semblait se liguer contre Kelly. Mais une personne était de son côté: son enseignante de première année. Mme Dina aimait tous ses enfants et leur disait tous les jours combien ils étaient remarquables. Elle distribuait à tour de rôle des petits autocollants amusants sur les pupitres de ses élèves. Elle leur souriait pendant qu'elle enseignait. Elle les écoutait. Elle prenait une voix douce pour corriger un problème. Puis, à l'heure du dîner, elle accompagnait ses élèves dans le corridor, en rangs bien droits, comme des petits soldats. « Restez en rangs, les enfants. »

À un moment donné, Mme Dina commença à donner des leçons particulières à Kelly chaque matin avant le début des classes. Elle mettait un bras autour des épaules de la fillette aux vêtements sales, elle serrait contre elle ce petit corps qui sentait l'urine, et elle lui murmurait: « Tu t'améliores! » Tête contre tête, elles regardaient des livres d'images. Kelly aimait les couleurs et les formes. Ensuite, elles prenaient un moment pour la lecture. Kelly fronçait les sourcils devant tous ces mots difficiles qui culbutaient sans cesse sur les pages. Toutefois, même ces mots n'assombrissaient pas la joie qu'elle éprouvait à être avec son enseignante. C'était la première fois de sa vie qu'elle se sentait heureuse. C'était agréable de s'asseoir dans cette pièce aux fenêtres propres et aux murs décorés d'illustrations de fleurs. Mme Dina sentait bon, aussi. Peu à peu, la froideur en Kelly s'estompait.

Puis un jour, l'impensable se produisit. Sa mère vint la chercher pour la sortir de cette école, pour toujours. « On déménage » fut tout ce qu'elle dit.

Kelly courut vers son enseignante et s'accrocha à sa main. Mme Dina s'agenouilla et, les yeux humides, elle essaya de la rassurer: « N'oublie jamais à quel point tu es intelligente. Chaque fois que tu te sentiras seule, pense à moi, car je penserai à toi également. »

Les années qui suivirent ne furent pas faciles pour Kelly. Durant tout son cours primaire, elle déménagea souvent et changea d'école autant de fois. Au début du cours secondaire, Kelly fut placée en famille d'accueil parce que sa mère l'avait abandonnée. Malgré cela, elle trouva en elle la force de continuer ses études pour devenir professeure d'arts plastiques.

Lorsque arriva le moment de faire son stage d'étudiante, on l'affecta à une école qu'elle connaissait. Lors de son premier jour de classe à cette école, Kelly se retrouva avec bonheur entourée de couleurs et d'élèves enthousiastes. À l'heure du dîner, des élèves défilaient en rangs bien droits dans le corridor, comme des petits soldats. Puis une voix familière et douce s'éleva: « Restez en rangs, les enfants. »

C'était la voix de Mme Dina. Ses cheveux arboraient un peu plus de gris que dans le souvenir de Kelly, mais elle était restée la même. Puis, spontanément, Kelly se dirigea vers la femme: « Bonjour, Mme Dina. Vous vous souvenez de moi? »

Mme Dina étudia le visage de la jeune femme pendant un moment avant de lui faire son grand sourire habituel. « Eh bien, Kelly! Quelle joie de te revoir! »

« Je suis très contente d'avoir enfin la chance de vous remercier. »

« Me remercier? Mais de quoi? Tu as été mon élève pendant quelques mois seulement! »

« Pourtant, c'était plus que suffisant. Ces quelques mois ont suffi à sauver le reste de ma vie! »

Robin Lee Shope

Celui qui cesse d'apprendre est vieux,
à vingt ans comme à quatre-vingts.
Celui qui continue d'apprendre reste jeune.
La meilleure chose dans la vie
est de garder votre esprit jeune.

Henry Ford

Commencez
par le commencement

J'ai toujours voulu retourner à l'école. Un jour, trente ans après l'avoir quittée, je l'ai fait. Je ne sais pas ce qui m'a donné le courage de le faire, à part le désir ardent de terminer ce que j'avais commencé des années auparavant. Le jour de l'inscription, toutefois, j'étais terrifiée, pétrifiée.

« J'ai décidé de ne pas retourner à l'école », ai-je alors annoncé à ma famille. « Je n'en ai plus vraiment envie après tout. Je vais oublier toute cette histoire. »

Ma fille, alors en première année à l'université, a senti mon appréhension. « Maman, a-t-elle supplié, tu veux le faire depuis des années. Je vais t'accompagner à l'inscription; je vais même attendre dans la file avec toi. » Et c'est ce qu'elle a fait.

J'avais abandonné mes études universitaires en dernière année, et maintenant j'avais l'impression de tout recommencer depuis le début. En fait, je ne savais pas par où commencer. Le hasard a bien fait les choses, cependant: dans un des premiers manuels de littérature que j'ai ouverts en tant que « ancienne étudiante qui revient », je suis tombée sur une citation de Lewis Carroll (auteur d'*Alice au pays des merveilles* et *De l'autre côté du miroir*): « Commencez au début, dit le roi d'une voix grave, continuez jusqu'à ce vous arriviez à la fin; puis arrêtez-vous. » Exactement ce que je pensais. Merci, M. Carroll.

Je n'avais pas ouvert un livre pour l'étudier depuis longtemps. Parfois, j'étudiais huit heures par jour, oubliant de manger ou de nourrir le poisson rouge. Mon époux et moi devions nous donner rendez-vous (seulement les fins de semaine) pour nous voir. Parfois, je me sentais coupable de passer une heure à la bibliothèque pour ensuite devoir servir à ma famille un repas déjà préparé.

Le jour de la remise des diplômes, j'étais aux anges. Non seulement je réalisais un très vieux rêve, mais je recevais mon diplôme le même jour que ma fille. Nous avons donc fait une fête mère-fille avec la parenté et les amis, et nous en avons profité pour exhiber fièrement nos nouveaux diplômes de « baccalauréat ès arts ». Je n'avais jamais été aussi fière de ma fille. Et lorsque nous avons posé côte à côte pour la séance de photos, nos deux toges noires se mélangeant pour n'en faire qu'une, j'ai senti qu'elle était très fière de sa mère.

Peu après ma graduation, j'ai obtenu mes références en enseignement. Et comme j'adorais apprendre et que l'enseignement était pour moi le meilleur chemin de l'apprentissage, j'ai décidé de poursuivre mes études pour obtenir une maîtrise en éducation et création littéraire. C'était un excellent choix pour moi. J'adorais enseigner et j'adorais écrire. Un diplôme interdisciplinaire permettrait de combiner mes deux passions.

Le programme de maîtrise était exigeant et épuisant par moments. Je me suis fait couper les cheveux courts et donner une permanente pour la première fois de ma vie pour ne pas avoir à me coiffer le matin. J'ai appris à faire une sauce à spaghetti qui était prête en deux heures plutôt que ma recette habituelle de six heures, et je me suis rendu compte que je pouvais survivre sans mes émissions de télé préférées avant d'aller dormir.

Mes deux années de maîtrise ont passé vite, mais je les ai trouvées difficiles. À un certain moment, en revenant de l'université, j'ai lancé mes livres sur le comptoir de la cuisine en annonçant à toute la famille que j'abandonnais, que j'en avais assez. Après avoir pleuré pendant deux heures et en avoir discuté, j'ai réalisé que j'étais rendue trop loin pour abandonner. J'avais mené une bonne course jusqu'à maintenant et j'étais fatiguée. J'ai décidé que j'allais vivre une journée à la fois et me reposer à l'écart.

Alors que j'en étais à ma dernière session de maîtrise et qu'il me restait un seul cours à faire, on m'a diagnostiqué un cancer. Le cancer? Allais-je mourir? Allais-je devoir laisser mes enfants avant que je le veuille? Pourrais-je terminer mes études?

Quelques jours plus tard, secouée et apeurée, je suis allée voir mon directeur de thèse, laissant sur ses épaules un torrent de larmes et mes rêves brisés. « Ne vous en faites pas avec ça. Nous allons trouver un arrangement », a-t-il dit.

« Mais je dois aller à Los Angeles pendant sept semaines pour recevoir des traitements de radiothérapie. Je ne pourrai pas assister à mes cours. » Il m'a alors suggéré de faire mes travaux là-bas, à Los Angeles, et de les lui poster. Nous pourrions également demeurer en contact par téléphone.

« Et surtout, n'abandonnez pas », m'a-t-il dit de façon catégorique. « Je n'ai jamais rencontré une étudiante aussi déterminée. Vous êtes le genre d'étudiante que tout professeur voudrait. Vous utiliserez la même détermination pour lutter contre cette maladie. »

Je lui ai donc promis de terminer mes travaux scolaires et de lutter pour ma vie. La table de cuisine de mon appartement à Los Angeles est devenue ma table de travail au cours des sept semaines qui ont suivi. Je traversais la rue pour aller recevoir mes traitements, puis je revenais à ma table de travail pour étudier et rédiger mes travaux de maîtrise. Je postais mes travaux terminés à un bureau de poste tout près.

Juste avant Noël, j'ai reçu mon diplôme de maîtrise avec mention, en enseignement et en anglais. Le jour de ma graduation a été très spécial pour moi, car je venais de terminer à la fois mes traitements de radiothérapie et ma maîtrise. Mon mari et mes enfants, de même que ma mère, ma sœur et mon frère étaient présents dans l'auditorium lorsqu'on m'a nommée et remis mon diplôme. Quand nos regards se sont croisés, j'ai eu envie de leur crier: « Eh! Regardez! J'ai réussi! » Après avoir fait passer le gland de mon mortier du côté droit au côté gauche, comme le veut la tradition, je les ai salués de la main comme un membre de la famille royale. Je n'avais rien à envier à la reine Elizabeth!

Au moment où j'écris ces lignes, je suis en rémission du cancer depuis trois ans. Je vis un jour à la fois en tenant la promesse que j'ai faite à mon professeur et à moi-même de lutter pour ma vie. J'ai vécu pour voir ma fille devenir enseignante et mon fils recevoir son diplôme en psychologie. On ne pourrait pas être plus fière!

Encore aujourd'hui, je poursuis ma propre odyssée sur le chemin de l'apprentissage. J'apprends quelque chose de nouveau chaque jour des élèves qui sont assis devant moi, avec des visages interrogateurs. Ils sont mes plus grands professeurs. J'ai enseigné à beaucoup de jeunes au cours des trois dernières années, et j'ai prié chaque jour pour toucher leurs vies autant qu'ils ont touché la mienne.

Dans mes temps libres, je prends un stylo et j'écris mes pensées et mes sentiments sur une feuille blanche, chose que j'aime faire depuis ma plus tendre enfance. La vie ne pourrait être meilleure.

Lola De Julio De Maci

Enseignante un jour, enseignante...

Ma mère a été enseignante la majeure partie de sa vie. Quand elle n'était pas dans sa classe à enseigner, elle enseignait à ses enfants ou à ses petits-enfants. Elle corrigeait notre grammaire, nous aidait à commencer des collections de papillons, de fleurs ou de cailloux, et nous incitait à discuter des livres que nous avions lus lors d'une activité qu'elle appelait le « livre du mois ». Avec maman, apprendre était amusant.

Les dernières années de vie de ma mère ont été tristes pour mes trois frères et moi. À quatre-vingt-cinq ans, elle a fait un accident vasculaire cérébral qui a laissé tout le côté droit de son corps paralysé. Sa santé n'a pas cessé de décliner par la suite.

Deux jours avant sa mort, mes frères et moi sommes allés au centre de soins prolongés où elle vivait et nous l'avons emmenée faire une courte promenade en fauteuil roulant. Au retour, alors que nous attendions que le personnel la transfère de son fauteuil à son lit, maman s'est endormie. Ne voulant pas la réveiller, nous nous sommes éloignés à l'autre extrémité de la chambre et avons parlé à voix basse.

Au bout de quelques minutes, un bruit étouffé a interrompu notre conversation. Nous nous sommes tus et avons regardé notre mère. Les yeux fermés, elle essayait manifestement de nous dire quelque chose. Nous nous sommes approchés.

« Si... », a-t-elle dit faiblement.

« Si…? » ai-je dit pour l'aider à démarrer sa phrase. « Maman, as-tu besoin de quelque chose? »

« Si j'av… », a-t-elle répété un peu plus fort. Mes frères et moi nous sommes regardés et avons secoué la tête avec tristesse.

Maman a ensuite ouvert les yeux, a soupiré et, avec toute l'énergie qu'il lui restait, a marmonné: « Si j'avais, pas si j'aurais! »

Nous nous sommes soudainement rendu compte que ma mère corrigeait la dernière phrase que mon frère Jim avait dite: « Si j'aurais le choix… »

Jim s'est penché sur elle et l'a embrassée sur la joue. « Merci, maman », a-t-il murmuré.

Mes frères et moi nous sommes souris l'un à l'autre et avons de nouveau secoué la tête — mais cette fois d'admiration: quelle enseignante remarquable notre mère était!

Kay Conner Pliszka

« *Votre cœur est légèrement plus gros qu'un cœur humain moyen, mais c'est parce que vous êtes une enseignante.* »

Reproduction autorisée par Aaron Bacall.

3

DES ENFANTS À AIMER

Je suis enseignante.
Une enseignante est un guide.
Il n'y a rien de mystérieux là-dedans.
Je ne marche pas sur les eaux.
Je ne sépare pas les eaux.
J'aime tout simplement les enfants.

Marva Collins

Allez, on s'en va, papa

Nous n'enseignons pas les choses; nous aidons simplement l'individu à les découvrir en lui.

Galileo Galilei

« Ça fait seulement six mois que le petit Jay fréquente notre garderie? » J'avais l'impression qu'il y venait depuis six ans, pas six semaines! Même si c'était le jour de son anniversaire, Jay Brewer était égal à lui-même. À peine dix heures du matin et il avait déjà mordu Sarah deux fois, fait tomber tous les chevalets avec fracas, donné un coup de pied à Cédric et crié assez fort pour être entendu dans un autre fuseau horaire… Et maintenant, il tentait de sortir par la porte arrière en répétant à tue-tête: « À plus tard! Je voudrais pas être à ta place! À plus tard! Je voudrais pas être à ta place! »

Au bout de plusieurs minutes de cette litanie, je commençais à trouver qu'il avait raison.

Ma journée avait commencé en même temps que l'alarme de mon réveil, à 4h45. Comme à chaque jour, l'heure et demie suivante avait été un tourbillon durant lequel je m'étais préparé et j'avais aidé mon épouse, Carol. À 6h15, nous nous étions dit au revoir, j'avais cherché mes clés d'auto, j'avais fini par les retrouver et j'étais monté dans ma voiture pour me rendre à la garderie où je travaille.

J'étais arrivé quinze minutes en avance; pourtant, il y avait déjà dans le stationnement trois voitures de parents qui m'attendaient pour me remettre leurs enfants. L'un d'eux était Jay Brewer.

Je m'étais déjà demandé: *Pourquoi Jay arrive-t-il toujours si tôt? Pourquoi reste-t-il toujours si tard? Pourquoi Jay Brewer ne manque-t-il jamais, jamais, jamais une journée? Est-ce simplement mon imagination ou est-il vraiment toujours à la garderie?*

J'étais sorti de la voiture et m'étais dirigé vers la garderie avec les parents et leurs enfants. Le père de Jay m'avait alors rappelé que c'était l'anniversaire de son fils; il m'avait remis un gâteau et un présent. Il avait ajouté, tout bas, qu'il ne pourrait pas venir à la fête d'anniversaire que j'avais prévu pour son fils, l'après-midi. Enfin, comme il avait une réunion en fin de journée, ce serait une gardienne qui viendrait chercher Jay. Il m'avait donc demandé s'il pouvait me confier le présent de son fils, qui pourrait l'ouvrir durant la fête de l'après-midi. Avant même que je lui réponde, il m'avait dit *Merci* et avait disparu.

Maintenant, quelques heures plus tard, je me trouvais près de la porte arrière à écouter Jay répéter: « À plus tard! Je voudrais pas être à ta place! À plus tard! Je voudrais pas être à ta place! »

Je me suis rappelé la triste façon dont sa journée d'anniversaire avait commencé. J'ai éloigné Jay de la porte pour essayer de le calmer. Il m'a regardé en me posant la question suivante: « Mon papa va venir à ma fête aujourd'hui? »

« Non, Jay, lui ai-je répondu. Il ne peut pas. Il est très occupé. » Jay s'est retourné et est reparti en courant, puis il s'est arrêté brusquement, son petit être totalement submergé par la tristesse. En ce court instant, j'ai senti pour la toute première fois l'ampleur de sa souffrance. Oui, je savais que sa mère était morte à l'accouchement. Oui, je savais que son père travaillait beaucoup. Et, oui, je savais très bien que Jay me donnait beaucoup de fil à retordre. Mais maintenant, je voyais une petite personne différente — un garçonnet fragile qui avait besoin d'approbation, de confiance et d'amour. J'ai donc décidé d'appeler son père au travail. Ce n'était pas facile pour moi; il m'a fallu prendre mon courage à deux mains pour me décider.

J'ai composé le numéro et demandé tout doucement à parler à M. Brewer. Mon cœur battait fort. *Ne manque pas ton coup,* ai-je songé. Les vingt secondes qu'il a fallu à M. Brewer pour prendre l'appel m'ont semblé interminables. Puis je me suis mis à parler: « M. Brewer, ici Marty Appelbaum de la garderie. Je ne sais pas comment vous voyez mon rôle, ni la place que j'occupe par rapport à vous, mais j'espère que je peux me permettre de dire ce qui suit. Votre fils a besoin de vous aujourd'hui. » J'ai fait une pause avant de poursuivre. « Je sais que vous êtes occupé avec votre travail et vos réunions, mais, M. Brewer, vous êtes important dans la vie de votre enfant. Ce ne sera pas une fête si vous n'êtes pas ici avec lui pour célébrer. »

Un silence a suivi. Je ne savais plus quoi dire, alors je n'ai rien ajouté. Je l'ai entendu respirer péniblement à l'autre bout du fil. D'une voix tremblante, il a répondu doucement: « Merci ». Il sanglotait. Il a ajouté: « Je serai là », puis il a raccroché.

J'ai posé le récepteur et décidé de ne pas dire à Jay que son père allait venir à la fête. Quelle belle surprise ce serait pour lui. Quelle belle surprise ce fut effectivement! Quand M. Brewer est arrivé, Jay s'est jeté dans les bras grands ouverts de son père qui l'a attrapé et soulevé de terre dans une étreinte de géant. Des larmes de bonheur faisaient scintiller leurs yeux, et les miens aussi d'ailleurs.

La fête a été merveilleuse pour tout le monde. Jay m'a dit que c'était « la plus belle fête de sa vie ». Avant de repartir avec son père, il est allé saluer les autres enfants. De son côté, M. Brewer est venu me voir: « Merci d'avoir téléphoné. Cette journée a été très précieuse pour Jay et pour moi. » Sa voix tremblait de nouveau. « Ma femme m'a tellement manqué ces dernières années. Nous avions de si beaux projets. Je n'ai jamais eu la chance de lui dire une dernière fois que je l'aimais. Après vous avoir parlé au téléphone ce matin, je me suis rendu compte que je fuyais la vie depuis son décès. Je vous suis tellement reconnaissant de m'avoir téléphoné et aidé à me rappeler à quel point mon fils a besoin de moi. »

Ayant salué une dernière fois tous ses copains, Jay est revenu près de son père. Il a levé des yeux adorateurs vers lui et a dit: « Allez, on s'en va, papa. » Et ainsi ils sont partis.

Marty Appelbaum

Un vendredi soir de mai

On peut payer des gens pour enseigner aux enfants, mais on ne peut pas les payer pour se soucier d'eux.

Marva Collins

« Monsieur Walker va venir à mon spectacle », m'annonce Laura, ma fille de sept ans, pendant que j'applique du mascara sur ses cils blonds.

Concentrée sur ma tâche pour ne pas blesser son œil, je lui demande : « Qu'est-ce qui te fait croire qu'il viendra ? » M. Walker, son enseignant de première année, est un saint pour elle. Il a fait d'elle une écolière qui sait lire, qui sait réfléchir, qui sait s'organiser. Il a encouragé mon petit garçon manqué à faire de la danse. Il lui a dit de ne pas se contenter des stéréotypes. Nous avons choisi le ballet-jazz, un style de danse plutôt loin des chaussons roses de ballet et ressemblant davantage à du funk entraînant. Elle s'est montrée méfiante au début, mais elle a quand même décidé d'essayer. Ce soir, c'est son grand spectacle, et elle compte beaucoup sur la présence de M. Walker. De mon côté, ce n'est pas que je mette en doute le dévouement de ce monsieur, mais personnellement, si j'assiste à ce spectacle de danse, c'est uniquement parce que j'ai donné naissance à une des danseuses… Ce n'est pas que je déteste ce genre de spectacle, mais je me dis que M. Walker a probablement des choses plus importantes à faire pour occuper son vendredi soir.

Je me sens un devoir de préparer ma fille à la réalité. Je ne veux pas que son bonheur dépende de la mince possibilité que M. Walker assiste à son spectacle.

Je lui demande doucement: « A-t-il dit qu'il viendrait? »

« Non, mais je l'ai invité », répond-elle, sursautant pendant que je retire les bigoudis roses de sa chevelure. Je me lance alors dans un discours maternel pour tenter de lui expliquer que ce n'est pas tout le monde qui a le temps ou le goût d'assister à ses débuts sur scène.

« Maman, rétorque-t-elle en soupirant, tu ne comprends pas. Il veut venir. C'est mon professeur », conclut-elle, comme si c'était la seule raison de vivre de M. Walker.

Finalement, je me dis qu'elle s'en remettra si M. Walker ne vient pas. Après tout, un parent ne peut pas préparer son enfant à toutes les déceptions que la vie lui réserve. Sans compter qu'elle aura ses grands-parents de Baltimore dans l'assistance, ses cousins de Nashville, ainsi qu'un oncle et une tante. *Ça devra suffire,* me dis-je, me sentant malheureuse de voir l'assurance totale qui rayonne des yeux bleus de Laura.

Peu après, nous nous retrouvons dans les coulisses. Laura est prête: son rouge à lèvres est appliqué; sa coiffure, bien rigide grâce au fixatif; son chapeau de cow-girl solidement fixé. Les cow-girls, les araignées et les danseuses arabes se mélangent alors dans la frénésie de l'avant-spectacle, se saluent entre elles, touchant leurs boucles respectives bien solidifiées. « Je ne t'aurais pas reconnue, Laura », lui dit son professeur de danse en la voyant revêtue d'une jupe à franges de cow-girl plutôt que de son short de sport habituel.

« Garde un siège pour M. Walker », me chuchote Laura tandis que je lui rajoute une touche finale de fard à joues. Je songe un instant à lui rappeler de ne pas trop espérer, d'apprécier la grande distance déjà parcourue par sa propre famille pour venir la voir… mais je me tais. *Peut-être*, me dis-je, *peut-être qu'elle oubliera tout ça.*

Le rideau va bientôt se lever. Les membres de la parenté se rassemblent et prennent leurs sièges, alors que je jette un coup d'œil au fond de la salle. Là, j'aperçois M. Walker qui lit attentivement le programme. Je m'empresse de le rejoindre et le tire presque de force jusqu'au siège que je lui ai réservé au beau milieu de notre famille. « Vous êtes venu ! » lui dis-je tout bas tandis que le rideau se lève. Souriant, il me fait un clin d'œil. Lorsque les petites cow-girls font leur entrée en se pavanant sur la scène, il applaudit et acclame avec enthousiasme; *elles sont si talentueuses*, s'exclame-t-il, *si ravissantes.*

« M. Walker a-t-il aimé le spectacle ? » est la première question que Laura me pose alors que je la retrouve parmi la foule qui emplit les coulisses.

« Comment savais-tu qu'il viendrait ? » dis-je encore stupéfaite.

« Je savais, c'est tout », rétorque-t-elle avec un sourire illuminant son visage comme une étincelle dans le noir.

Je sais que Laura aura plusieurs enseignants dévoués dans sa vie. Elle aura des professeurs de français créatifs, des professeurs d'université brillants, et des professeurs de danse inspirés. Mais je ne suis pas certaine qu'elle en aura jamais un autre comme M. Walker.

Un enseignant qui avait manifestement quelque chose d'important à faire un vendredi soir de mai.

Carolyn M. Mason

Aimer d'abord,
enseigner ensuite

« Tu vas avoir Mary dans ta classe ? » m'a demandé une collègue d'une voix préoccupée. « Pauvre toi. »

« Elle prend des médicaments, tu sais », m'a dit une autre collègue sur un ton de mise en garde. « Et tu en prendras, toi aussi, d'ici la fin de l'année ! »

En dix-huit années d'enseignement, ce n'était pas la première fois que j'entendais des commentaires de ce genre, mais la plupart du temps, ces enfants de première année s'avéraient parfaitement normaux.

J'ai donc commencé l'année scolaire avec la tranquille assurance que je pouvais prendre en main n'importe quelle situation.

Si j'avais su ce qui m'attendait !

Quelques jours avant le début des classes, Mary et sa mère sont venues « faire connaissance ». Mary avait de longs cheveux blonds parfaitement coiffés qui descendaient en cascade sur ses épaules, et de beaux grands yeux bleus qui me fixaient avec intensité. Entre les explosions d'énergie de Mary, qui ont interrompu plusieurs fois la conversation que j'essayais d'avoir avec sa mère, j'ai appris que Mary avait besoin de médicaments, tant pour son asthme que pour son hyperactivité. Elle devait prendre un comprimé après le dîner.

Sa mère avait accepté que la secrétaire garde le médicament de Mary dans son bureau. De mon côté, je

116

m'engageais à envoyer Mary chaque midi chercher son comprimé chez la secrétaire. Par ailleurs, la mère de Mary s'offrait pour être parent bénévole dans ma classe. J'étais ravie.

Est alors arrivé le premier jour d'école.

Mary est entrée en sautillant et a fait tomber des élastiques, des pastilles, des marqueurs, des barrettes, toutes sortes de bidules. Partout où je regardais, un enfant rampait sous une table pour récupérer le butin de Mary.

Mary semblait incapable de chuchoter. Elle verbalisait fréquemment ses pensées. « La réponse est euh... un. Non, deux... Non, trooooooooooois ! »

Je connaissais la scène par cœur. Elle frottait vigoureusement sa gomme à effacer sur sa feuille, finissait habituellement par la déchirer, et recommençait la procédure avec une feuille vierge, encore et encore.

Un matin, totalement exaspérée, j'ai exprimé ma frustration à la secrétaire de l'école.

« Le médicament de Mary ne semble pas aider du tout. »

« Quel médicament ? » a demandé la secrétaire. « Elle n'est jamais venue le chercher depuis le début des classes. »

« Je l'envoie chercher sa pilule chaque jour après le dîner, me suis-je exclamée, et elle revient toujours en m'assurant qu'elle l'a prise ! »

Après cet incident, j'ai fait accompagner Mary par un élève fiable qui veillait à ce qu'elle prenne sa pilule.

Malgré la médication, je devais continuer à faire face aux explosions d'énergie répétées de Mary.

Un jour, après avoir fait taire Mary plusieurs fois, après l'avoir isolée et réprimandée, j'ai demandé aux élèves de faire une pause et j'ai dit: « D'accord, Mary, viens à l'avant. Prends tout le temps dont tu as besoin pour parler, pour gigoter ou pour faire ce que tu veux, et quand tu en auras assez fait, nous pourrons nous remettre au travail. »

Jusque-là, cette méthode drastique avait toujours fonctionné. L'élève, embarrassé, restait debout sans rien dire et avait hâte de s'asseoir pour reprendre ses travaux.

Mais pas Mary. Au début, elle a sauté sur place en rugissant comme un lion en cage. Puis, elle a tambouriné sur les pupitres avec ses poings en criant comme Tarzan dans la jungle. Les autres élèves adoraient les grognements, les cris et les rires qui composaient le spectacle de Mary, et leur intérêt l'encourageait à se donner encore plus. Après cinq minutes de ces singeries, je n'en pouvais plus. La petite fille s'avérait plus maligne que la maîtresse!

Au cours des semaines suivantes, j'ai donné à Mary des récompenses, des félicitations et du renforcement positif chaque (rare) fois où je le pouvais. Rien ne semblait fonctionner.

Un après-midi, au terme d'une journée particulièrement éreintante, juste après que les enfants sont repartis à la maison, je me suis laissée choir sur ma chaise derrière mon bureau, complètement abattue. J'avais tout essayé avec Mary, mais rien ne marchait.

Tout, sauf la prière!

J'ai posé ma tête sur mon bureau et j'ai prié: « Seigneur, aide-moi avec cette enfant. Montre-moi la clé. Où me suis-je trompée? »

Épuisée, je me suis assoupie. À mon réveil, quelques minutes plus tard, ma frustration et ma lassitude avaient disparu. Deux mots me venaient constamment à l'esprit: « Aime-la ».

Je savais, effectivement, que les enfants les plus difficiles à aimer sont souvent ceux qui en ont le plus besoin. Mais je pensais avoir fait ce qu'il y avait à faire, je pensais l'aimer déjà.

Cependant, ces deux mots, « Aime-la », hantaient mon esprit. Et ils étaient encore là quand je me suis réveillée le lendemain matin.

« Seigneur, ai-je prié encore, comme j'estime l'aimer déjà, je vais interpréter ces deux mots autrement; je vais en comprendre que je dois l'aimer… avec des câlins. »

Ce matin-là, je me suis empressée d'aller à l'école, bouillante d'impatience. Dieu m'avait répondu et j'avais hâte de découvrir son plan. Lorsque la cloche a sonné, Mary est entrée avec une tonne d'énergie dans le corps, suffisante pour toute la classe. Je lui ai remis une feuille pour écrire ses mots de dictée, puis elle a fait dix sauts de grenouille jusqu'à sa place.

Ensuite, elle a commencé à écrire et à épeler à voix haute: « B-a-s. Bbbbbb, aaaaaaa, ssssssss! »

« Mary, viens à mon bureau, s'il te plaît », lui ai-je demandé doucement.

En deux sautillements, un grand bond, deux sauts de côté et trois pas de géant à reculons, Mary a obéi à ma consigne.

Sans mot dire, je l'ai attirée vers moi et l'ai serrée dans mes bras. Dans ma tête, je priais : « Seigneur, aide cette enfant à se calmer. Élimine la cause de son hyper-activité. » J'ai continué d'appliquer cette tactique. Par-fois, ces petites séances d'étreinte duraient cinq minutes sans que ni elle ni moi ne disions un mot. Il n'y avait rien d'autre que le geste échangé entre nous. Les autres enfants observaient silencieusement et semblaient comprendre. Quand le comportement de Mary deve-nait incontrôlable, j'arrêtais tout et je la serrais contre moi pendant que la classe attendait patiemment et avec amour. Le scénario pouvait parfois se répéter quatre ou cinq fois par jour.

Une semaine plus tard, l'orthopédagogue de Mary est venu me voir en courant. « Que se passe-t-il avec Mary ? Elle n'est plus la même ! »

« C'est grâce à une thérapie basée sur la prière et les étreintes », ai-je expliqué. « Je prie pour elle en silence chaque jour et, avant qu'elle aille vous rencon-trer, j'arrête tout, je la prends dans mes bras et je dis une prière silencieuse. »

« Eh bien, continuez ! » s'est-il exclamé.

Après quelques semaines seulement, d'autres membres du personnel avaient aussi remarqué l'amé-lioration du comportement de Mary.

Dans mon cœur, je savais que Dieu me guidait.

C'est maintenant le printemps. L'automne dernier me semble très loin. Aujourd'hui, il est difficile de penser que Mary a déjà eu des problèmes. Elle se comporte très normalement en tout. Lorsqu'elle lève la main pour répondre à une question, mais qu'elle décide plutôt de me dire *madame la professeure, je vous aime*, je fais une prière de reconnaissance dans ma tête.

Dans quelques minutes, la cloche va sonner, et les enfants vont entrer dans ma classe, chacun avec ses besoins particuliers. Pendant que je leur distribuerai des feuilles d'exercice, je prierai tout bas pour ces petites vies qui ont béni la mienne si abondamment.

« Seigneur, bénis ces enfants aujourd'hui. Aide-moi à toujours aimer d'abord et enseigner ensuite. »

Joan Clayton

Toute chose grandit...
avec de l'amour

J'ai déjà enseigné dans une petite école pré-maternelle privée située dans un lieu charmant aux confins d'un manoir de pierre de trois étages. Chaque matin, à neuf heures, tous les élèves se rassemblaient dans la Grande Salle afin de s'adonner à un réchauffement métaphysique qui les préparait pour la journée. Cinquante-trois enfants, âgés de trois à sept ans, s'assoyaient alors sur des petites chaises aux couleurs vives ou sur les motifs inondés de soleil de l'épaisse moquette. Chaque visage radieux était illuminé de pensées et de sentiments positifs, alors que chacun attendait impatiemment les chansons du matin, les méditations et l'exploration d'un autre méandre métaphysique de l'esprit.

Un matin, la directrice fit une déclaration à tous les enfants réunis. « Aujourd'hui, nous commençons une grande expérience de l'esprit, de *votre* esprit. » Elle tenait deux petits p!ants de lierre; les deux étaient plantés dans des pots identiques.

« Voyez ces deux plantes, poursuivit-elle. Elles ont l'air semblables, n'est-ce pas? »

Tous les enfants hochèrent la tête, solennellement. Moi aussi, car dans la Grande Salle je me sentais comme une enfant.

« Nous donnerons à ces plantes la même quantité de lumière et la même quantité d'eau, mais pas la même quantité d'attention, continua-t-elle. Ensemble, nous allons voir ce qui arrivera à cette plante que nous placerons sur le comptoir de la cuisine, loin de notre attention, et à cette autre plante que nous placerons ici, dans cette pièce, sur la tablette de la cheminée. »

Elle plaça une première plante sur la tablette de bois blanche, puis elle conduisit les enfants *groupés* dans la cuisine où elle posa la seconde plante sur le comptoir blanc. Après, elle reconduisit le jeune troupeau d'enfants aux yeux écarquillés, dans la Grande Salle, à leur place.

« Chaque jour, pendant un mois, nous chanterons pour notre plante sur la tablette, ajouta-t-elle. Nous lui dirons, avec des mots, que nous l'aimons, que nous la trouvons belle. Nous utiliserons nos bons esprits pour avoir de bonnes pensées à propos de cette plante. »

Une des plus jeunes fillettes se leva: « Mais, madame, on va faire quoi avec la plante là-bas? » La fillette pointa un index boudiné en direction de la cuisine.

La directrice fit un sourire. « Nous utiliserons la plante de la cuisine comme sujet *témoin* de notre grande expérience. D'après vous, que va-t-on faire? »

« Nous ne lui parlerons pas? »

« Même pas tout bas. »

« Nous ne lui enverrons pas nos bonnes pensées? »

« Non. Et ensuite nous verrons ce qui se produira. »

Quatre semaines plus tard, mes yeux de novice étaient aussi écarquillés et incrédules que ceux des enfants. La plante de la cuisine, l'air malade, était étiolée; elle n'avait pas du tout poussé. À l'inverse, la plante de la Grande Salle, à qui nous avions chanté et envoyé des pensées positives, avait triplé de grandeur, avec des feuilles sombres et charnues qui vibraient d'énergie quand elles recevaient nos chansons, nos mots ou nos pensées.

Afin de prouver l'expérience (et aussi afin de sécher les larmes des cœurs tendres parmi nous qui craignaient pour la vie de la plante malade), nous avons sorti la plante de la cuisine de son isolement et l'avons placée sur la tablette de la cheminée, mais du côté opposé à la plante saine.

En trois semaines, la plante étiolée avait rattrapé son retard. En quatre semaines, on ne pouvait plus distinguer l'une de l'autre.

J'ai pris cette leçon à cœur et je l'ai fait mienne:

Toute chose grandit... avec de l'amour.

Joan Bramsch

Ne leur dites pas comment faire, montrez-leur comment faire et ne dites pas un mot. Si vous leur dites, ils regarderont vos lèvres bouger. Si vous leur montrez, ils voudront le faire eux-mêmes.

Maria Montessori

Sarah

Parfois, le cœur voit ce qui est invisible à l'œil.

H. Jackson Brown Jr.

Je n'oublierai jamais Sarah. En huit années d'enseignement au sein du programme préscolaire Bon Départ, Sarah a été la plus exceptionnelle de mes élèves.

Un matin, la directrice du programme m'a fait venir dans son bureau avec mon assistante. Elle nous a annoncé que nous aurions une nouvelle élève: une fillette de trois ans nommée Sarah. « Cette enfant a été victime de mauvais traitements », a ajouté la directrice. Son père avait versé un seau d'eau terriblement chaude sur la tête de Sarah, brûlant gravement son cou, son dos, ses jambes et son cuir chevelu. Elle n'avait plus de cheveux, et il fallait enduire d'huile son dos et ses jambes plusieurs fois par jour pour que sa peau demeure souple.

Sarah est venue visiter ma classe préscolaire dès le lendemain pour les présentations pendant que les autres petits étaient sortis. Elle avait les traits délicats et m'a souri avec des yeux bruns candides; son regard était très particulier car elle n'avait plus de sourcils. De grandes cicatrices descendaient de sa tête chauve jusqu'à son cou. La robe bain-de-soleil blanche toute simple qu'elle portait dénudait ses bras brûlés. J'ai pensé à son père avec colère, puis je me suis inquiétée de la façon dont les autres enfants allaient réagir. J'avais réussi à garder mon calme devant Sarah, sa mère d'accueil et mon assistante, mais quand Sarah et sa mère sont parties, j'ai éclaté en sanglots.

« Nous devons préparer les élèves », m'a rappelé mon assistante. « Il ne faudrait pas que les autres enfants se moquent d'elle quand ils la verront. »

« Attirer l'attention sur elle va empirer les choses », ai-je avancé. Après en avoir longuement discuté, nous avons convenu de faire venir Sarah une demi-journée pour son premier jour afin de constater comment les autres enfants réagiraient envers elle.

Le matin de son arrivée, Sarah s'est assise tranquillement. Je la regardais sans cesse. Durant les jeux, les autres enfants lui parlaient et partageaient leurs jouets avec elle. Ils ne semblaient pas remarquer qu'elle était différente.

« C'est l'heure de se déguiser », m'a rappelé un des enfants. Chaque jour, avant le dîner, ils avaient la permission de fouiller dans les placards pour se déguiser avec des vêtements d'adulte et des costumes rigolos.

« Ok, tout le monde, c'est l'heure de se déguiser », ai-je donc annoncé.

Sarah a suivi les autres enfants. Elle a fouillé dans une boîte, et enfilé un chapeau de Pâques et une robe de princesse. J'essayais de sourire, mais le contraste entre le tissu délicat et sa peau cicatrisée me brisait le cœur.

Sarah est repartie après le dîner. Les enfants ont fait leur sieste, puis j'ai animé une activité sur le langage.

Pour terminer, j'ai demandé aux enfants: « Alors, comment trouvez-vous notre nouvelle amie Sarah? »

Un enfant a répondu: « Elle a de petites mains. »

Un autre a dit: « Elle a choisi la robe longue pour se déguiser. »

Personne n'a mentionné sa peau épaisse ou sa tête chauve.

Les observations des enfants m'ont aidée à faire une réflexion très précieuse. Nous, enseignants, voyions Sarah comme une enfant ayant immensément souffert, une enfant ayant besoin d'aide et de soutien exceptionnels. Nous voulions la prendre dans nos bras, lui prouver que les adultes n'étaient pas tous mauvais. Les enfants, dont plusieurs avaient souffert aussi, avaient vu au-delà des cicatrices apparentes de Sarah. Ils avaient vu une autre enfant, une petite personne comme eux, une nouvelle amie.

Le lendemain, durant l'activité de déguisement, Sarah a choisi de nouveau la robe de princesse. Elle s'est placée devant le grand miroir et a dansé en se regardant. « Je suis tellement belle », se disait-elle tout bas.

L'assurance qui se dégageait de ses pirouettes et de ses compliments à elle-même me renversait. Je croyais que Sarah s'apitoierait sur son sort, mais voilà qu'elle dansait, qu'elle avait du plaisir. Je me suis sentie humble devant sa force intérieure et honorée d'être témoin de sa joie d'être simplement en vie. Je l'ai prise dans mes bras et lui ai dit: « Oui, Sarah, tu es très belle. »

Michele Wallace Campanelli

L'ourson et la pierre

« Attention, membres du personnel. Dans trois minutes, il y aura une réunion d'urgence des enseignants à la bibliothèque. » C'était la directrice de notre école, Susan. Elle faisait rarement ce genre d'intervention à l'interphone, surtout sur un ton aussi sérieux. Elle a répété son annonce une seconde fois, puis on a entendu le déclic du micro qui s'éteint.

J'ai rapidement terminé de préparer la gouache afin que l'activité de peinture soit prête à commencer après la cloche, puis je me suis rendue à la bibliothèque. Susan nous a alors révélé l'objet de la réunion: « La mère d'une de nos élèves de quatrième année a été retrouvée morte à son domicile hier soir. » Nous étions pendus aux lèvres de la directrice. Mon cœur battait plus fort tout à coup. « Il s'agit de Mme Colton, la mère de Whitney. »

« Jane Colton? » ai-je demandé. Je n'arrivais pas à croire que cette femme habitant tout près de chez moi était décédée. J'avais souvent clavardé avec elle quand sa fille était dans ma classe de maternelle, quatre ans auparavant.

La directrice nous a ensuite résumé les circonstances entourant le décès de Mme Colton, puis elle a dit: « Des conseillers supplémentaires seront disponibles à l'école pour aider les enfants à faire face à ce drame. »

Toutes sortes de pensées ont envahi mon esprit. *Pauvre petite fille. Elle a seulement neuf ans et elle n'a*

plus de mère. Que puis-je faire pour elle, mon Dieu?
Que puis-je faire?

« J'aimerais aller voir Whitney. Si ça ne vous dérange pas, j'irais lui rendre visite tout de suite. Ma stagiaire peut me remplacer pendant mon absence. »

La directrice a accepté. Immédiatement, je suis allée dans ma classe pour récupérer mon sac à main. Une question me hantait: *Que pouvais-je donner à Whitney pour l'aider à traverser tout cela?*

J'ai regardé autour de moi. Sur la berceuse de la classe trônait notre ourson en peluche adoré, surnommé Liberté. Depuis huit ans, cet ourson passait une nuit à la maison de chaque élève, à tour de rôle. De temps à autre, je le lavais et le reprisais pour le garder beau et doux. J'offrirais à Whitney l'ourson Liberté qu'elle avait câliné plus tôt dans sa vie.

Dans la voiture, je me suis rappelé la tristesse et la peur que j'avais éprouvées lorsqu'on m'avait annoncé mon cancer du sein. La veille de mon opération, je m'étais agenouillée dans mon jardin, j'avais ramassé un petit caillou lisse et ordinaire, et je l'avais serré dans ma main. Cette petite pierre était solide, immuable, tout comme Dieu. Je l'ai longtemps gardée dans ma poche pour me rappeler que je n'étais pas seule.

Soudainement, j'ai freiné et garé la voiture sur le côté de la route pour trouver une petite pierre juste pour Whitney. J'en ai retourné plusieurs dans ma main avant de trouver sa pierre « parfaite ».

Une fois arrivée devant la maison des Colton, j'ai aperçu Whitney dans l'embrasure de la porte. En me voyant, elle a couru jusqu'à moi et a mis ses bras autour de ma taille. Chagrinée, j'ai caressé ses cheveux et dit, à travers mes larmes : « J'ai de la peine pour toi, Whitney. Je l'aimais beaucoup, moi aussi, ta mère. »

Elle a levé les yeux vers moi. « Je ne peux plus pleurer, Mme Wilkins. »

« C'est correct, trésor. Quand ma mère est décédée il y a cinq ans, j'ai pleuré beaucoup au début, puis je n'ai plus pleuré pendant quelque temps. Mais parfois, il m'arrive encore de pleurer de façon tout à fait inattendue. »

Nous sommes restées enlacées, sans dire un mot.

Whitney a ensuite commencé à raconter. « Maman était malade depuis quelque temps; elle restait souvent au lit. Elle ne mangeait plus beaucoup. »

« Elle était très malade, trésor. » J'ai attendu quelques minutes pour voir si Whitney voulait ajouter autre chose au sujet de sa mère. Elle n'a plus rien dit.

« Je t'ai apporté quelque chose, Whitney. J'espère que tu le garderas près de toi, surtout pour dormir. »

« C'est quoi ? » Elle souriait.

Je suis allée chercher le gros ours en douce peluche sur la banquette arrière de ma voiture.

« Liberté ! » s'est écrié Whitney. « C'est pour moi ? » Puis sa nature sensible a fait surgir une autre question : « Et les autres élèves de votre classe ? Ils n'ont pas besoin de Liberté ? »

« Ils l'ont tous apporté une fois à la maison jusqu'à maintenant. Tu me le redonneras quand tu n'en auras plus besoin, ou alors garde-le pour toujours. »

Elle a serré l'ourson très fort dans ses bras en frottant sa joue contre son museau. « Merci, Mme Wilkins. » Je lui ai pris la main et l'ai accompagnée jusqu'au perron, où nous nous sommes assises.

Whitney m'a demandé: « Comment elle est morte, votre mère? »

« Elle avait le cœur malade. »

« Avez-vous beaucoup pleuré? Moi, j'ai crié quand ils me l'ont dit. »

« J'ai pleuré beaucoup à sa mort; ce qui m'a manqué le plus au début, c'est le son de sa voix. » J'ai mis mon bras autour de ses épaules.

« Nous avons des cassettes vidéo de nos vacances familiales en camping », a continué Whitney.

« C'est vraiment bien! Tu aimeras les visionner pour voir ta mère. »

« Mon père pleure beaucoup. Il ne veut voir personne. »

« Quand la mère de mon mari est décédée, il voulait rester seul, également. J'imagine que chaque personne réagit différemment à la perte d'un être cher. Parfois, mon mari se mettait en colère sans raison apparente. Toi et ton père allez peut-être réagir différemment pendant quelque temps. Il faut être patient. »

Ce jour-là, Whitney et moi avons marché et arraché des brins d'herbe pour les lancer dans les rayons de soleil pendant que nous parlions. Je lui ai même mis du vernis sur les ongles comme sa mère l'avait probablement déjà fait.

« Avant de repartir, j'ai autre chose à te donner, ma chérie. »

J'ai déposé la petite pierre dans sa main. Elle a semblé quelque peu intriguée. « Sens-tu comme cette pierre est solide? » Elle a regardé la pierre et a refermé ses doigts dessus avec force, puis elle a souri.

Je lui ai raconté que, durant ma maladie, j'avais gardé la pierre sur moi pour me rappeler la force de Dieu et sa promesse de ne jamais m'abandonner. « C'est une pierre que tu garderas avec toi, Whitney. Souviens-toi que tu n'es jamais seule. »

Sa peine a remonté à la surface et les larmes ont coulé sur ses joues.

J'ai essuyé ses yeux, puis les miens. Nous nous sommes balancées doucement, enlacées l'une contre l'autre, Liberté entre nous deux.

En partant, je lui ai soufflé un baiser, de mon automobile. Elle était assise sur le perron, serrant bien fort l'ours Liberté d'un bras et en faisant au revoir de l'autre, avec la roche dans sa main.

Deux jours plus tard, ma famille a assisté aux funérailles de Mme Colton. Puis, pendant deux semaines, Whitney est venue nous visiter à la maison chaque jour après l'école. Notre fille adolescente, Melissa, jouait au basket avec Whitney, nous faisions des biscuits, nous regardions la télévision. Le jour de la Saint-Valentin, j'ai donné à Whitney un journal intime et l'ai encouragée à écrire sur ses années d'adolescence.

Les semaines ont passé, et les visites de Whitney ont cessé. Je me demandais si elle dormait avec Liberté et si elle gardait la pierre dans sa poche. Un jour, je suis allée dans sa classe pour parler à son enseignante. En repartant, j'ai senti qu'on me tapait doucement sur l'épaule. C'était Whitney qui me souriait. Elle a sorti lentement un objet de la poche de son pantalon et a ouvert les doigts pour me le montrer.

« J'ai cette pierre avec moi chaque jour », a-t-elle murmuré.

Nous nous sommes souri à la pensée de ce secret que nous partagions. « Je t'aime, Whitney. »

« Je vous aime aussi, Mme Wilkins. »

Elle a remis la pierre dans sa poche et est retournée à sa place.

Sharon Wilkins

Je vous aimerai toujours

À l'école dont j'étais la directrice, le local de l'infirmerie était continuellement occupé, comme dans la plupart des écoles primaires. Nous dispensions de la glace pour les bleus et les bosses, des pansements adhésifs pour les coupures, ainsi que des doses massives de sympathie et d'étreintes. Comme mon bureau jouxtait le local des soins de santé, il m'arrivait souvent d'aller prêter main-forte et de distribuer les câlins consolateurs. Je savais aussi que, pour certains enfants, mes câlins étaient les seuls qu'ils recevraient de la journée.

Un matin, une petite blondinette est venue se faire mettre un pansement adhésif sur son genou éraflé. Je me souviens que ses beaux cheveux étaient emmêlés et qu'elle grelottait dans son chemisier mince et sans manches. Je lui ai trouvé un chandail chaud et l'ai aidée à l'enfiler. « Merci de prendre soin de moi », avait-elle chuchoté en montant sur mes genoux.

Quelques jours après cet incident, j'ai découvert une bosse sous mon aisselle. Le cancer, d'un type très agressif, avait déjà envahi treize de mes ganglions lymphatiques. Je me suis alors demandé si j'allais en parler ou non aux élèves. Le mot *sein* était déjà délicat à prononcer devant les enfants, et le mot *cancer* semblait si effrayant. Quand il m'est apparu évident que les enfants allaient finir par apprendre la nouvelle de toute façon, soit de moi directement, soit d'une version déformée de quelqu'un d'autre, j'ai décidé de la leur annoncer moi-même. Je les ai tous rassemblés au gymnase. Ce ne fut pas facile de trouver les mots, mais l'empathie et la sollicitude sur leur visage alors que je leur expliquais la situation ont vite fait de me convaincre que j'avais pris la bonne décision. Lorsque je leur ai donné la possibilité de poser des questions, ils ont surtout voulu savoir comment ils pouvaient aider. Je leur ai répondu que ce que je préférerais, ce seraient leurs lettres, leurs photos et leurs prières. Je suis restée à la porte du gymnase pendant qu'ils défilaient solennellement en rangs pour retourner dans leurs classes. Ma petite blondinette que j'avais rencontrée à l'infirmerie est sortie du rang pour se jeter dans mes bras. Ensuite, elle s'est reculée pour me regarder droit dans les yeux: « N'ayez pas peur, madame la directrice, dit-elle avec sérieux, je sais que vous reviendrez, car maintenant c'est à notre tour de prendre soin de vous. »

Personne n'aurait pu faire mieux que ces enfants. Pour ma toute première séance de chimiothérapie, ils m'ont offert en cadeau un livre hilarant sur les remèdes contre la nausée, livre qu'ils avaient eux-mêmes rédigé. Pour ma deuxième séance de chimiothérapie, ils m'ont remis une cassette vidéo montrant chaque classe qui me chantait des chansons de prompt rétablissement. À ma troisième séance, les infirmières m'attendaient à la porte pour savoir ce que les élèves m'avaient remis. Cette fois, c'était une jolie boîte à musique qui jouait *Je vous aimerai toujours*.

Même durant la période où j'étais hospitalisée en chambre d'isolement pour une greffe de la moelle osseuse, les lettres et les photos ont continué d'arriver, jusqu'à ce que tous les murs de ma chambre en soient couverts. Une fois, les enfants ont tracé leurs mains sur du carton coloré, les ont découpées et les ont collées ensemble pour en faire un arc-en-ciel de mains aidantes. « Je me sens comme à Disneyland chaque fois que j'entre dans cette chambre ! » disait le médecin en riant. Et cela, c'était avant qu'arrive le gigantesque pommier de carton de un mètre quatre-vingt, garni de pommes de papier sur lesquelles les élèves et les enseignants avaient écrit des messages d'encouragement. Quel réconfort thérapeutique ai-je trouvé à être entourée de tous ces témoignages de leur affection !

Après plusieurs semaines de traitement, j'ai enfin pu reprendre le travail. Le matin de mon retour à l'école, tandis que je me dirigeais vers l'école en voiture, le doute m'a envahie. *Et si les enfants avaient tout oublié de moi ? Et s'ils ne voulaient pas d'une directrice amaigrie et chauve ? Et si...* En tournant le coin de la rue, j'ai aperçu devant l'école une grande banderole : « Bon retour, madame la directrice Perry ». Au sortir de la voiture, j'ai vu qu'il y avait des rubans roses partout : aux fenêtres, sur les poignées de porte, même autour des branches d'arbres ! Les enfants et les enseignants arboraient également des rubans roses.

Ma petite blondinette était au premier rang pour m'accueillir. « Vous êtes revenue, madame Perry, vous êtes revenue ! » a-t-elle dit. « Vous voyez, je vous l'avais bien dit qu'on prendrait soin de vous ! » Lorsque je l'ai serrée bien fort dans mes bras, la mélodie de la boîte à musique jouait tout doucement dans ma tête... *Je vous aimerai toujours.*

Suzanne M. Perry, Ph.D.

Un couple d'enseignants

Parmi les amis et les connaissances qui assistaient aux funérailles de Sam Waterfield, plusieurs voyaient probablement sa mort comme une délivrance. Sam était décédé lentement des suites d'une longue maladie qui avait détruit son corps plein de vigueur bien avant qu'elle ne s'attaque à son esprit. Pour un couple comme Gila et Sam qui avait été aussi engagé et amoureux pendant plus de cinquante ans, une si lente agonie apparaissait particulièrement cruelle.

J'avais appris à bien connaître Gila et son indomptable mari, Sam, pendant les cinq années qu'a duré sa maladie, la maladie de Lou Gehrig. Tout comme moi, Gila et Sam étaient enseignants. Je savais que Gila ne considérait pas la mort de son mari comme une délivrance, mais elle n'était ni en colère ni anéantie par sa peine. Non, Gila considérait la mort de Sam, je crois, comme étant simplement une fin naturelle et inévitable des innombrables leçons d'un enseignant doué.

Ils s'étaient rencontrés à la fin de la Deuxième Guerre mondiale et s'étaient mariés peu de temps après. Survivants des camps de concentration, ils avaient immigré aux États-Unis; ils en portaient d'ailleurs encore la marque bleu pâle tatouée sur leurs bras. S'ils portaient d'autres cicatrices héritées de cette époque, elles restaient cachées. Ils avaient perdu tous les membres de leurs familles et n'avaient pas eu d'enfants. Je pense que la raison qui les avait poussés naturellement tous les deux vers l'enseignement était que ce métier offrait un parfait exutoire à leur nature affectueuse et prévenante. Peut-être aussi que le fait d'enseigner à de jeunes enfants représentait pour eux un moyen de laisser leur marque personnelle sur le futur. Plus d'une fois ai-je entendu Gila citer cette phrase d'Henry Adams: « Un maître affecte l'éternité; on ne saurait dire où s'arrête son influence. » Sam enseignait la biologie à l'université. Gila enseignait l'anglais, comme moi, au niveau secondaire.

Lorsque Sam est tombé malade et que Gila a commencé à enseigner à temps partiel, beaucoup se sont demandé pourquoi elle n'arrêtait tout simplement pas de travailler. Elle aurait pu rester à la maison avec Sam pour profiter ensemble du bon temps qu'il lui restait à vivre. Après tout, leur première réaction à l'annonce de sa maladie avait été de se renseigner le plus possible sur le sujet, et ils savaient à quoi s'attendre. Un de mes collègues pensait que Gila avait besoin de travailler pour s'offrir un répit dans la tâche épuisante de prendre soin d'un mari de plus en plus invalide.

Cependant, tous les proches de Gila et Sam savaient que ce n'était pas pour cela qu'elle continuait de travailler. Elle le faisait parce qu'elle le voulait ainsi. Et Sam l'encourageait à continuer parce qu'il ressentait une telle joie de la voir épanouie à exercer un métier qu'elle aimait et dans lequel elle excellait.

Mais durant la progression de la maladie de Sam, j'en suis venue à voir une autre raison qui incitait Gila à enseigner: en dépit de la détérioration graduelle de l'état de Sam — ou peut-être même à cause de cela — le couple avait encore beaucoup de leçons à offrir. Et les élèves de Gila n'étaient pas les seuls à avoir besoin de ces leçons.

Gila avait intégré la maladie de son mari dans son enseignement. À mesure que chacun de ses sens abandonnait Sam, Gila invitait ses élèves à accroître l'usage des leurs, à prendre conscience de la richesse qui était entre leurs mains.

J'avais toujours trouvé intéressant que Gila enseigne une langue qui n'était pas sa langue maternelle. Pourtant, sa classe était toujours la plus en demande par les élèves qui se préparaient aux examens d'admission à des études supérieures. En effet, jamais elle ne donnait de listes de mots à mémoriser. Elle utilisait plutôt son riche vocabulaire pour communiquer les histoires et les idées qui tourbillonnaient sans cesse dans sa tête. Elle ne simplifiait jamais son discours, convaincue que les enfants s'élèvent lorsqu'on attend beaucoup d'eux. Elle avait raison. Ses élèves apprenaient dans un tel contexte et obtenaient invariablement de meilleurs résultats que leurs pairs aux examens. Plus important encore, ils étaient toujours ravis par ses histoires. Dans les corridors ou à la cafétéria, je les entendais souvent discuter avec entrain d'un sujet abordé en classe par Gila. Elle les encourageait à réfléchir. Son amour de la langue et son respect pour le pouvoir des mots étaient contagieux. La plupart de ses histoires concernaient sa vie avec Sam.

Gila partageait librement toute la gamme des émotions que vivait son couple depuis le diagnostic de la maladie de Sam. Ils avaient ressenti d'abord de la peur, puis de la colère. Avec l'aggravation de sa maladie, Sam avait commencé à perdre sa capacité à se remémorer des mots simples. Le problème du couple en est alors devenu un de communication. Ils avaient toujours été exceptionnellement près l'un de l'autre. Maintenant, Sam devait apprendre à utiliser des moyens autres que les mots pour exprimer ses pensées et son amour.

Gila avait demandé à ses élèves de rédiger une composition. Ils devaient exprimer un sentiment profond envers une personne aimée sans utiliser les mots clés « amour », « joie » et « bonheur ». Il en a résulté une série de textes dont le vocabulaire était digne d'écrivains professionnels. Une des élèves de Gila m'a même confié que cet exercice lui avait révélé un talent dont elle prenait conscience pour la première fois.

Selon moi, cette réflexion nous renvoie effectivement à des concepts tels que l'accroissement de l'estime de soi des enfants et la découverte de leurs propres capacités. L'école secondaire est un endroit stressant: les diverses influences de la société peuvent semer une grande confusion chez les adolescents. Ils doivent apprendre à composer avec les drogues, les gangs de rue, la pression de leurs pairs, le divorce et les autres épreuves de la vie. Les cours de Gila leur permettaient d'oublier momentanément cette pression de bien des façons. Ainsi, Gila proposait des cours optionnels à l'extérieur de l'école, par exemple sur le bord d'un lac à l'aube ou au crépuscule, afin de permettre à ses élèves de vivre la joie d'une telle expérience. Elle leur offrait la possibilité de profiter des beautés de ce monde pour autant qu'ils se donnent le temps et la peine de les apprécier. Il va sans dire que chacun de ses élèves participait à ces activités spéciales.

Au fur et à mesure que Sam perdait ses facultés — d'abord la parole, puis la vue et l'ouïe — Gila utilisait des moyens innovateurs pour enseigner à ses élèves à apprécier les facultés qu'ils possédaient encore eux-mêmes. Elle décorait sa classe de gigantesques bouquets de fleurs sauvages. Elle faisait jouer une musique de fond pendant qu'elle lisait un texte à ses élèves. (Elle a toujours cru que les enfants, peu importe leur âge, aiment qu'on leur fasse la lecture.) C'est ainsi que les accords triomphaux de *Tableaux d'une exposition* de Moussorgsky résonnaient pendant la lecture de *Les Hauts de Hurlevent*, alors que Heathcliff et Cathy se retrouvent l'un l'autre dans le brouillard.

Gila et Sam étaient de remarquables exemples de courage et de dignité. Ils étaient la preuve qu'il peut exister en ce monde un type d'amour qui ne meurt pas lorsqu'un des deux partenaires change ou meurt.

Il y a des jours où Gila nous confiait que sa tristesse causée par l'absence de Sam risquait de l'engloutir, de la submerger, de l'anéantir. Pourtant, elle continuait d'enseigner. Cela la réconfortait... et nous aussi.

Quelques jours après le décès de Sam et avant que Gila ne revienne à l'école, j'ai remarqué un jeune homme — un de ses élèves — assis dehors sur les marches menant à l'édifice. Il était vêtu d'un jean et d'un blouson de cuir — noir, je crois. Je ne me rappelle plus très bien. Ce dont je me souviens distinctement, c'est que la journée était chaude pour la saison et, juste pour un instant, ce garçon a tourné son visage pour capter la chaleur des rayons du soleil. Sur ses genoux, il y avait un exemplaire ouvert de *Les Hauts de Hurlevent*.

Marsha Arons

« *Vous êtes en droit de savoir*
que je n'ai plus le béguin pour vous. »

La Boîte à gros mots

« L'une des choses les plus importantes qu'un professeur peut accomplir est que son élève retourne à la maison un peu plus content de lui-même qu'il ne l'était le matin à son arrivée à l'école. »

Ernest Melby

Mike était un petit garçon très en colère. Même s'il n'avait que sept ans, son cœur et son esprit portaient le fardeau de problèmes d'adultes causés par le mariage malheureux de ses parents et la tension qui régnait à la maison. Il se croyait responsable, et rien de ce qu'il pouvait faire ne réussissait à apaiser la colère de son père, ou à amoindrir la tristesse et la distance de sa mère.

Mike était dans ma classe de deuxième année. J'étais donc en mesure de constater les effets de ces sentiments conflictuels sur son comportement quotidien très perturbateur. Le pire problème avec Mike était sa manie d'écrire des jurons et des gros mots sur des bouts de papier qu'il glissait ensuite dans le pupitre des autres élèves, plus particulièrement des filles. Comme la plupart des élèves de 2e année savent lire, bon nombre des destinataires des petites notes de Mike pouvaient en lire le contenu. Choqués, beaucoup venaient me voir en pleurs en disant: « Regardez ce que j'ai trouvé dans mon pupitre! »

Mike ne signait jamais ses petits mots, mais il est rapidement devenu évident qu'il en était l'auteur. Pourtant, il niait avec véhémence les avoir écrits ou distribués. En tant que professeur, plusieurs options s'offraient à moi. Je pouvais lui imposer une retenue. Je pouvais l'envoyer au bureau du directeur. Je pouvais le réprimander chaque fois qu'un mot était découvert. Ou je pouvais utiliser une approche qui permettrait à Mike d'exprimer ses sentiments de la seule façon qu'il connaissait, mais sans toutefois offenser ses camarades de classe. Il s'était déjà aliéné peu à peu les quelques amis qu'il lui restait dans la classe.

Un jour, après la découverte d'un autre petit mot désagréable, j'ai fait venir Mike à mon bureau. Je l'ai fait asseoir sur mes genoux, puis je l'ai tenu fermement. Lorsqu'il a commencé à résister, j'ai resserré mon étreinte tout en lui murmurant très doucement que je savais qu'il était un bon petit garçon, mais il me semblait que quelque chose le tracassait beaucoup. Aimerait-il m'en parler? Maintenant, il ne se tortillait plus, mais il se débattait et luttait de toutes ses forces pour se libérer de mes bras.

Grâce aux quelques notions en techniques d'immobilisation apprises pendant mes études, j'ai décidé que le cas de Mike nécessitait peut-être que je le tienne durant sa colère. J'ai donc maintenu sur lui une pression douce, mais ferme. Au bout de plusieurs minutes, il a cessé de bouger et s'est mis à sangloter. Il s'est alors blotti dans mes bras comme un petit chiot à la recherche de chaleur et d'affection. Sans jamais dire ce qui le préoccupait, il a tout de même admis être l'auteur des petites notes.

Le lendemain, j'ai donné à Mike une boîte avec une fente sur le dessus. Je lui ai dit que c'était sa Boîte à gros mots, qu'il pourrait écrire tous les gros mots qu'il voudrait au cours de chaque journée à la condition de les déposer ensuite dans la boîte. Personne d'autre ne pourrait utiliser cette boîte spéciale. Personne d'autre dans la classe ne pourrait y déposer quoi que ce soit. Elle lui appartiendrait tant et aussi longtemps qu'il placerait tous ses gros mots à l'intérieur et nulle part ailleurs. Si j'apprenais qu'il violait cette règle et se remettait à distribuer des notes remplies de jurons, je lui retirerais la boîte.

Au début, Mike remplissait quotidiennement la boîte de messages pleins de colère et de paroles horribles. Puis, deux semaines après avoir reçu la Boîte à gros mots, Mike est venu me voir et m'a demandé s'il pouvait s'asseoir sur mes genoux. Une fois assis, il m'a demandé si j'avais une petite corvée à lui confier dans la classe. Je lui ai alors donné deux ou trois tâches à faire quotidiennement qui n'étaient pas inscrites sur la liste des corvées du concierge de l'école. Chaque fois qu'une de ses tâches était terminée, je le complimentais. Je lui disais qu'il avait bien travaillé et que j'appréciais énormément son aide.

Peu de temps après, le nombre de petites notes a commencé à diminuer dans la Boîte à gros mots. Graduellement, il y en a eu de moins en moins. Puis, un beau jour, la boîte est restée complètement vide.

J'ignore si les parents de Mike ont résolu leurs problèmes conjugaux. Je sais toutefois qu'en prêtant une oreille attentive à l'appel intérieur de Mike, en lui donnant la chance d'exprimer ses émotions refoulées et en renforçant ses comportements positifs, je lui ai offert ma classe comme refuge. Elle était devenue pour lui un endroit où la colère était inutile, et où il pouvait retourner, jour après jour, pour y trouver de l'amour.

Julie Wassom

Les petites mains

L'enseignement peut s'avérer être une profession exigeante. Certains jours, on ne sait plus où donner de la tête. Chaque petit visage est si avide, si plein de confiance, et *si* digne de votre attention. Comment peut-on les aider, tout un chacun? On a parfois l'impression qu'il n'y a pas assez de minutes dans une journée, surtout lorsqu'il s'agit d'une classe de maternelle.

Chaque jour, les enfants de la maternelle entrent à l'école, prêts à se laisser émerveiller. Tout les excite, autant la poussière de craie sur votre coude que l'insecte qui rampe sous leur pupitre. Ils sont affectueux, énergiques, enthousiastes, énergiques, curieux, énergiques, motivés, énergiques, avides d'apprendre, énergiques. Ai-je oublié de mentionner qu'ils sont aussi énergiques? Travailler dans une classe de maternelle, c'est comme essayer de maintenir plusieurs balles de ping-pong sous l'eau en même temps. Malgré tout, il arrive des moments où tous nos efforts sont récompensés. Et la petite Lucy m'a fait vivre un de ces moments de grâce.

La petite Lucy (c'est ainsi que nous l'appellerons) n'avait fréquenté ni la garderie ni la pré-maternelle. Tout l'enthousiasmait: les activités, les autres enfants, la classe et le bruit. Lucy aimait particulièrement le bruit. C'était beaucoup plus silencieux chez elle. Lorsque les membres de sa famille parlaient entre eux, on n'entendait aucun son. Ses parents étaient sourds et chaque conversation s'effectuait dans le langage des signes. À l'école, Lucy vivait l'excitation d'une langue seconde — elle allait parler!

À mesure que l'année avançait, Lucy faisait des progrès remarquables. Ses parents assistaient aux réunions d'école et communiquaient avec nous par écrit. L'école les avait même aidés à se procurer un téléphone spécial afin qu'ils puissent nous contacter si quelque chose les préoccupait à propos de Lucy. Pouvoir ainsi échanger avec eux était formidable et Lucy en bénéficiait énormément!

L'Halloween est arrivée avec son cortège de citrouilles et de costumes, puis l'Action de grâce avec ses dindes aux plumes multicolores. En décembre a commencé l'attente de la fête la meilleure d'entre toutes: Noël. Le père Noël allait *très* bientôt arriver et les enfants de la maternelle s'affairaient à fabriquer leur propre père Noël, histoire de souhaiter la bienvenue au vrai. Les enfants ont d'abord tracé des douzaines de petites mains sur du papier de couleur. Des centaines de petits doigts ont été découpés à l'aide de ciseaux à bouts ronds. Puis chacun a fièrement apporté les empreintes de ses mains à l'institutrice qui les a collées sur la porte. Les mains rouges ont servi à former le costume du père Noël; les blanches, sa barbe; et les noires, ses bottes. C'était magnifique!

Lucy était aux anges! Elle adorait tracer et découper. Elle avait eu tant de plaisir que le soir même à la maison, elle a continué à tracer et à découper, et à tracer et à découper. Elle a choisi sa main la plus réussie pour l'offrir à son institutrice.

Le lendemain, Lucy n'en pouvait plus d'attendre. Dès qu'elle est entrée en classe, elle a fouillé dans son sac pour en sortir son chef-d'œuvre et le présenter fièrement à son enseignante. Celle-ci s'est penchée et a étreint Lucy, mais elle était plutôt perplexe devant ce drôle de cadeau. Pourtant, la veille, Lucy avait si bien travaillé; ses bricolages se comparaient avantageusement à ceux de ses camarades de classe. Mais ce bricolage fait à la maison semblait en deçà des capacités de Lucy.

« Vous l'aimez? » s'est empressée de demander Lucy.

L'enseignante a souri.

« Oui, ma chérie, a-t-elle répondu, mais c'est curieux, il manque des doigts. Est-il arrivé quelque chose? »

En effet, il *manquait* des doigts. Le pouce, l'index et le petit doigt avaient été tracés et découpés avec soin, mais les deux autres doigts avaient été amputés à la paume.

« Oui, madame », a répondu Lucy avec le sourire. « Je voulais vous donner ma plus belle main — celle qui veut dire *Je t'aime.* »

Et c'est exactement ce que cette main voulait dire — dans le langage des signes — « Je t'aime. »

Suzanne Boyce

« Félicitations. Il est temps de sortir cet enfant de vos jupes et de l'envoyer à la maternelle. »

4

À LA CROISÉE
DES CHEMINS

Mon cœur déborde de joie ce matin.
Un miracle s'est produit!
Un éclair de compréhension a illuminé
l'esprit de mon jeune élève,
et voici que tout a changé.

Anne Sullivan

Ce n'est que Roscoe

*Les enfants sont notre plus précieuse
ressource naturelle.*

Herbert Hoover

À l'automne 1966, j'ai commencé à enseigner dans la région de Wise, en Virginie, dans le cadre d'un programme d'aide lancé par le président Lyndon B. Johnson. Notre équipe, formée d'un professeur de lecture, d'un chauffeur et de moi-même, voyageait à bord d'un autobus scolaire transformé en une classe mobile. Notre territoire comprenait sept petites écoles des environs de Coeburn, en Virginie. Une fois par semaine, nous apportions musique et lecture dans la vie de jeunes « défavorisés sur le plan éducatif » des régions pauvres du sud-ouest des montagnes de Virginie. J'étais jeune, incroyablement naïve, et débordante de cette énergie dont se sentent investis ceux pour qui l'enseignement est une vocation.

Notre premier arrêt avait été l'école Tom Creek, un établissement juché au sommet d'une colline, directement de l'autre côté de la mine de charbon du même nom. J'étais entrée dans l'école pour donner mon atelier de musique à des élèves de première et de deuxième année, tandis que le professeur de lecture emmenait un autre groupe dans l'autobus pour l'atelier de lecture.

Ce jour-là, ma leçon portait sur le rythme. J'utilisais en guise de matériel divers instruments de percussion, des enregistrements de musique, des chansons du genre « Malbrough s'en va-t-en guerre » ainsi que plusieurs marches de Sousa. Les élèves réagissaient comme seuls les enfants de six et sept ans peuvent le faire, c'est-à-dire avec un enthousiasme débridé. J'étais euphorique! Ma première journée serait un succès!

J'avais toutefois remarqué un petit garçon assis dans le fond de la classe à l'écart des autres. Il n'avait pas touché à l'instrument de musique que je lui avais prêté. Cependant, ses yeux bleus étincelaient et ses petits doigts crasseux bougeaient au rythme de la musique. Il était de loin le petit garçon le plus malpropre que j'avais jamais vu. Ses cheveux étaient emmêlés et graisseux; ses vêtements n'avaient jamais été en contact avec de l'eau et du savon; ses chaussures, qui couvraient à peine ses pieds, étaient usées à la corde, trop grandes et nouées avec de la grosse ficelle. Son cou était recouvert d'une croûte de crasse telle que je me demandais si quelqu'un l'avait déjà frotté comme ma grand-mère l'avait fait avec moi. En résumé, cet élève était triste à voir, un gamin répugnant perdu au beau milieu d'une classe remplie de visages propres et souriants.

Après l'atelier, je me suis informée à son sujet auprès de son institutrice. Sa réponse m'a à la fois intriguée et troublée. « Oh! Ce n'est que Roscoe. Un vrai ignorant. Toute sa famille est attardée. Il vient à l'école uniquement pour manger un repas chaud chaque jour. Il ne parle même pas. Ma chère, ne t'occupe pas de lui. »

J'ai quitté Tom Creek, mais l'image de Roscoe me hantait l'esprit. Comment les professeurs de l'école pouvaient-ils savoir qu'il était attardé? L'avait-on soumis à des tests? L'avait-on mis ainsi à l'écart à cause de sa famille? Que pouvais-je faire pour l'aider? J'étais certaine de l'avoir vu réagir à la musique. Avait-on seulement essayé de lui venir en aide?

De retour à Coeburn, j'ai fait ma petite enquête. Le directeur de l'école secondaire m'a appris que la famille de Roscoe avait une triste réputation dans la région. Il était question d'inceste, d'alcoolisme, de maladie mentale et d'une foule d'autres problèmes. La plupart des agences gouvernementales qui avaient tenté d'aider avaient renoncé depuis longtemps, car le grand-père, patriarche du clan, était du genre à tirer d'abord et poser les questions ensuite quand des « étrangers » s'approchaient trop de sa demeure.

La semaine suivante, lorsque l'autobus s'est garé en face de Tom Creek, l'institutrice à qui j'avais parlé lors de ma visite précédente m'attendait avec impatience devant la porte d'entrée, un large sourire accroché au visage.

Je me suis dirigée vers elle. « J'avais hâte de vous le raconter », m'a-t-elle dit. « Ce matin, lorsque Roscoe est arrivé, il a tiré sur ma robe et a dit: *Aujourd'hui, le professeur de musique vient.* J'ignorais que ce garçon était même capable de parler, encore moins de compter les jours. On dirait que vous et vos instruments de musique avez provoqué un déclic ou quelque chose du genre. »

Avec des larmes de joie dans les yeux et une prière de remerciement dans le cœur, je suis entrée dans la classe pour la deuxième fois seulement. Roscoe, toujours aussi crasseux, toujours aussi différent des autres enfants, mais le regard bleu pétillant, était assis dans la première rangée et attendait le « professeur de musique ».

Au fil des mois, j'ai donné des vêtements à Roscoe. J'ai également convaincu son institutrice de m'aider à le laver (dans une cuve à lessive à la cafétéria, mais ça, c'est une autre histoire), et je l'ai vu s'épanouir. Sa chevelure soyeuse était d'un blond platine à faire l'envie de toutes les femmes et son teint était de pêche. Dès que ses vêtements montraient des signes d'usure, je lui en apportais d'autres. L'institutrice lui demandait de se changer avant de retourner à la maison; sinon, prétendait-elle, ses frères et sœurs en profiteraient pour les lui arracher ou les faire tout simplement « disparaître ».

Roscoe a appris à lire, à réciter l'alphabet et à compter. Il a aussi manifesté une sensibilité artistique supérieure à la plupart des autres enfants dans la classe. Pendant la récréation, il est parvenu à s'intégrer aux jeux des autres enfants. Bref, il n'était plus considéré comme « différent ».

Pendant deux ans, j'ai donné des ateliers de musique dans cette école et j'ai pu suivre avec fierté les progrès de Roscoe. Lorsque j'ai quitté pour retourner à mon école dans le Tennessee, j'ai perdu Roscoe de vue. J'ignore ce qu'il est advenu de lui, mais je crois que la musique — ainsi que l'eau et le savon — ont transformé une vie… et peut-être même un clan.

Sue L. Vaughn

Une bonne mauvaise réponse

Si vous devez élever la voix, faites-le pour encourager quelqu'un.

Anonyme

Dans ma classe de maternelle, j'encourage sans cesse les enfants à reconnaître et à accepter leurs forces et celles des autres. Chaque jour, je mets de l'avant la notion de « famille ». Nous nous préoccupons réellement les uns des autres et nous nous manifestons notre affection. Une de nos règles principales est la suivante: « Nous ne dirons que des choses gentilles aux autres. » Les enfants sont devenus des meneurs de claques les uns envers les autres, dans leurs essais comme dans leurs succès. Si un enfant a de la difficulté à accomplir une tâche, un autre enfant lui dira: « Fais juste de ton mieux. » De plus, nous utilisons pendant la journée les ovations debout pour souligner les gestes et les efforts accomplis.

Un jour où les enfants étaient assis sur le plancher à échanger avec empressement leurs expériences à propos du printemps, Michael a levé sa main. Michael levait souvent la main, mais il ne pouvait pas parler. Heureusement, grâce à l'environnement accueillant et rassurant que nous avions instauré, son enthousiasme et sa soif d'apprendre semblaient ne jamais diminuer. Je lui donnais la parole chaque fois qu'il levait la main et nous lui laissions le temps de répondre à sa propre façon, espérant que cette fois-ci serait celle où il parlerait. Puis, au bout de quelques minutes, je réagissais comme s'il avait répondu. « Bien essayé, Michael. » Puis nous poursuivions notre leçon.

Lorsque Michael a levé la main de nouveau ce jour-là, les élèves et moi avons attendu avec intérêt, comme d'habitude. À notre grande surprise, il a parlé! Notre stupéfaction et notre joie étaient si grandes qu'un formidable courant d'énergie a traversé la pièce. Un des petits anges de ma classe, Nicole, a été la première à parler: « C'était une très bonne mauvaise réponse! » Les élèves se sont spontanément levés pour lui accorder une ovation debout.

Bonnie Block

Enseignez comme vous le feriez
pour vos propres enfants.

Anonyme

La connaissance, c'est apprendre
quelque chose chaque jour.
La sagesse, c'est lâcher prise
sur quelque chose chaque jour.

Proverbe zen

Mère et enfant

C'était le Noël de 1961. J'enseignais dans une petite ville de l'Ohio. Mes vingt-sept élèves de troisième année, le regard brillant et les cheveux en broussaille, attendaient avec impatience le grand jour des échanges de cadeaux.

Un arbre décoré de guirlandes argentées et de chaînettes en papier aux couleurs éclatantes trônait dans un coin de la classe. Dans un autre coin se trouvait une crèche en carton que des mains potelées, et parfois sales, avaient peinte à la gouache. Quelqu'un avait apporté une poupée et l'avait couchée sur la paille placée à l'intérieur de la boîte de carton qui servait de mangeoire. La poupée aux yeux bleus et à la chevelure dorée était munie d'une ficelle que l'on tirait pour entendre: « Mon nom est Susie. »

« Mais Jésus était un bébé garçon! » a lancé un des garçons. Susie est néanmoins restée dans la crèche.

Chaque jour, les enfants fabriquaient une nouvelle merveille: guirlandes en maïs soufflé; babioles confectionnées à la main; cloches faites avec des bouts de papier peint que nous suspendions au plafond.

Il y avait toutefois une petite fille qui restait à l'écart et observait les autres de loin, paraissant à mille lieues de là. J'étais préoccupée par cette enfant auparavant si enjouée, mais devenue soudainement repliée sur elle-même. J'espérais que l'approche du temps des fêtes la stimulerait. Sans résultat.

Nous avions fabriqué des cartes de souhaits et des présents à l'intention des papas et mamans, des frères et sœurs, et des grands-parents. Nous en avions aussi préparé en prévision d'un échange de cadeaux entre nous. À la maison, les élèves avaient fait les populaires billes frites et chacun prétendait avoir apporté les plus jolies.

« On place les billes dans une poêle à frire bien chaude », m'avaient expliqué les élèves. « Lorsqu'elles sont vraiment brûlantes, on regarde ce qui se produit à l'intérieur. Mais il ne faut pas les faire frire trop longtemps, car elles se brisent. » En guise de cadeau à mes élèves, j'avais fabriqué à chacun un petit étui pour transporter leurs billes frites.

Je savais que chacun m'avait préparé quelque chose : des signets décorés avec soin et joliment colorés, et parfois collés ensemble ; des cartes et des dessins spéciaux ; des napperons enjolivés avec de la peinture décorative sur tissu et ornés de franges, faites à la main, bien entendu.

Le jour de l'échange de cadeaux est finalement arrivé. Chaque présent provoquait des *oh!* et des *ah!* admiratifs. Pendant ce temps, la tranquille petite fille observait en silence. Je lui avais préparé un étui spécial vert et rouge bordé de dentelle blanche. Je voulais tellement la voir sourire. Elle a ouvert l'emballage lentement, avec soin. J'attendais une réaction, mais elle est retournée s'asseoir sans un mot. J'avais échoué à percer le mur d'isolement qu'elle avait construit autour d'elle.

À la fin de la journée, les élèves sont sortis de la classe en petits groupes, babillant à propos du grand jour à venir où la bicyclette et la luge tant désirées apparaîtraient sous l'arbre de Noël à la maison.

Seule la petite fille n'a pas bougé de sa place, observant les autres prendre leurs affaires et partir. Je me suis assise sur une chaise d'élève pour reprendre mon souffle, à peine consciente de ce qui s'était passé, quand elle s'est approchée de moi les mains tendues, portant une petite boîte blanche non emballée et un peu souillée, une boîte qui semblait avoir été manipulée à de nombreuses reprises par des petites mains sales. Elle restait muette.

« C'est pour moi? » lui ai-je demandé en souriant faiblement. Soudain, j'étais devenue une grande fille de trente ans peu sûre d'elle.

Elle a hoché la tête sans dire un mot. J'ai pris la boîte et l'ai ouverte avec précaution. À l'intérieur se trouvait une bille frite d'un vert étincelant, accrochée à une chaîne dorée.

J'ai alors regardé ce jeune visage qui paraissait plus vieux que ses huit ans et j'ai deviné la question que me posaient ses yeux sombres marron. Comme dans un éclair, j'ai compris: ce cadeau était destiné à sa mère, une mère qu'elle ne verrait plus jamais, une mère qui ne lui ferait plus de câlins, ou ne coifferait plus ses cheveux, ou qui ne lui raconterait plus d'histoires amusantes; une mère qui n'écouterait plus jamais ses joies et ses peines d'enfant. Une mère qui s'était enlevé la vie à peine trois semaines auparavant.

J'ai sorti la chaîne de la boîte. Elle l'a prise avec ses deux mains, s'est avancée, et a attaché le fermoir derrière mon cou. Elle a ensuite reculé d'un pas pour vérifier si rien ne clochait. J'ai regardé le petit morceau de verre brillant et la chaîne de couleur or terni, puis mes yeux se sont de nouveau posés sur celle qui m'avait offert ce présent. « Maria, c'est magnifique. Je suis sûre qu'elle l'aurait adoré », ai-je murmuré avec conviction.

Ni elle ni moi ne pouvions arrêter nos larmes. Elle s'est blottie dans mes bras et nous avons pleuré ensemble. Pendant ce bref instant, je suis devenue la mère d'une fillette qui m'avait donné le plus beau des cadeaux : elle-même.

Patricia A. Habada

Une victoire d'équipe

Après avoir déménagé dans une banlieue d'Atlanta, en Géorgie, j'ai eu la chance de me voir offrir un poste d'enseignante de cinquième année. Lorsque j'ai accepté l'emploi, on m'a prévenue que mon groupe d'élèves était « difficile » et que j'aurais à faire face à des problèmes caractériels et comportementaux. Encore ébahie d'avoir réussi à trouver un emploi aussi rapidement, ces avertissements d'anciens enseignants et de parents n'avaient pas freiné mon enthousiasme.

L'année scolaire a débuté comme toutes les autres années. J'ai fait part aux élèves de mes attentes et je leur ai imposé ma seule règle, celle du respect. En moins de deux semaines, j'ai commencé à remarquer les problèmes dont j'avais été prévenue. Mon groupe était loin d'être homogène et les élèves étaient peu tolérants envers les différences des autres. Les amener à travailler avec des pairs ou en équipe était une torture pour eux et pour moi.

Je ne pouvais accepter leur intolérance. J'ai donc insisté pour que les élèves collaborent entre eux, se respectent les uns les autres et apprécient leurs différences. Ce serait ma mission pour l'année. La situation s'y prêtait et j'avais le temps de travailler ces habiletés avec eux. C'était l'année des Olympiques d'Atlanta et nous étions entourés d'athlètes venus d'un peu partout dans le monde qui s'entraînaient en prévision des Jeux. Nous avons donc commencé à étudier les différents pays qui participeraient aux Jeux. Nous avons parlé de leur histoire et des valeurs de chaque culture. Nous avons discuté de l'importance du rôle de chaque personne au sein d'une équipe sportive. Nous avons parlé du respect des talents de chacun comme outil de réussite. Nous avons appris que la victoire importait moins que la participation dans l'effort. La fièvre olympique est contagieuse, et rapidement tous les élèves l'ont attrapée et ont cherché à se surpasser. Finies les disputes pendant le travail en équipe, finies les injures, finies les insinuations à caractère raciste, finies les insultes lorsque quelqu'un commettait une erreur. Dorénavant, les élèves s'encourageraient mutuellement.

Les résultats ont été si probants que les autres enseignants et les parents ont remarqué le changement. J'entendais des commentaires du genre: « Lorsque ces enfants venaient en ma direction, j'avais un mouvement de recul. Maintenant, ils sont un de mes groupes préférés. » « Il y a un an, tu m'aurais dit que Tricia recevrait un certificat de civisme et je ne l'aurais pas cru. » Les parents me confiaient que leurs enfants ne se disputaient plus avec leurs frères et sœurs, et ne levaient plus le nez sur les corvées ménagères et les travaux scolaires. Les attitudes de rébellion et d'intolérance avaient complètement disparu.

Au printemps, j'avais le sentiment que ces élèves étaient prêts pour leur examen final. J'avais reçu une petite subvention de la communauté pour financer mon projet que j'avais appelé *Objectifs et Rêves*. Dans le cadre de ce projet, la classe devait se fixer un objectif de groupe et tous les élèves devaient participer à sa réalisation. Comme il avait été beaucoup question de sport et d'olympisme, les élèves ont choisi de s'inscrire à une activité sportive. Chaque année, l'école organisait une course dans le but de recueillir des fonds pour la recherche sur le cancer. Mes élèves ont donc choisi de s'entraîner pour courir et terminer le parcours de cinq kilomètres. Pourtant, aucun d'entre eux n'avait couru plus de un kilomètre et certainement aucun n'avait participé à une course sur route.

Nous avons commencé notre programme d'entraînement en nous documentant sur les parties du corps que nous devrions développer pour faire cette course. Nous avons ensuite étudié les coureurs célèbres du passé ainsi que les athlètes qui s'entraînaient en prévision des Jeux d'Atlanta. Tous les jours, nous nous sommes entraînés sur la piste d'athlétisme et nous avons fait un tableau de notre endurance, notre pouls, notre fréquence cardiaque et notre vitesse. Chaque élève a choisi un partenaire de course pour s'encourager mutuellement dans l'éventualité où l'un ou l'autre en aurait assez et voudrait marcher. Nous avons tenu un journal d'entraînement des activités faites à la maison. Nous avons conçu un t-shirt d'équipe que nous allions porter pendant la course et avons organisé des activités de financement afin d'amasser l'argent qui nous servirait à défrayer nos frais d'inscription. Nous visions tous le même objectif: participer à la course et la terminer.

Chaque jour, une partie de mon enseignement était en lien avec notre objectif. Tous mes élèves répondaient avec enthousiasme pour travailler à l'atteindre, sauf un.

Luke n'était guère enchanté par la perspective de courir cinq kilomètres dans les rues du quartier. Il détestait même faire un seul tour de piste. Il n'était pas un coureur. Luke était l'élève le plus gros de la classe, dépassant les autres par au moins quinze centimètres et plus d'une dizaine de kilos. Courir pendant plus de deux minutes à n'importe quelle vitesse était un véritable calvaire pour lui. Malgré tout, il ne se plaignait jamais et participait à toutes les séances d'entraînement, finissant toujours bon dernier, le visage rouge et à bout de souffle. Luke ne semblait jamais contrarié et, chaque jour, il avançait tant bien que mal, tel un vaillant soldat.

Personne dans la classe ne soufflait mot de la situation de Luke. Tous acceptaient qu'il terminerait dernier. Il n'y avait ni pitié ni moquerie à son endroit. Il en était ainsi et personne ne s'en faisait — c'était du moins ce que nous croyions.

La veille de la grande course, la mère de Luke m'a téléphoné. Son fils était en pleurs à l'idée de finir le dernier. Il comprenait que l'important était de participer, mais terminer en dernière place serait néanmoins humiliant pour lui. La mère de Luke voulait me sensibiliser à la situation et projetait même de participer à la course en marchant afin de terminer la dernière à la place de son fils.

Le jour de la course, nous avons pris une photo d'équipe, puis nous avons étiré nos muscles. L'excitation était à son comble. Nous étions tous confiants de terminer la course et d'atteindre notre objectif. Luke se comportait comme un fier membre de notre équipe et ne manifestait aucune inquiétude.

Le coup de départ a retenti et des centaines de personnes se sont élancées à des vitesses différentes. En tête de peloton, il y avait les coureurs aguerris qui participaient à ce genre de compétition depuis des années.

Dans la masse des participants derrière eux se trouvaient mes vingt-six élèves bien entraînés et moi-même, coureuse depuis plusieurs années.

Une fois franchi le fil d'arrivée, j'ai rejoint le groupe de parents pour accueillir chaque élève avec une accolade de la victoire. Mes élèves terminaient la course un ou deux à la fois, et chaque arrivée nous rapprochait peu à peu de notre objectif. À un moment donné, j'ai perdu le compte, alors j'ai demandé à ceux qui avaient déjà complété l'épreuve de surveiller leurs camarades qui approchaient. Un à un, chaque élève a terminé ses cinq kilomètres avec la fierté d'avoir contribué à l'atteinte de notre objectif commun et d'avoir accompli un exploit personnel. Après un certain temps, l'aire d'arrivée est devenue de plus en plus calme. Toujours aucun signe de Luke. J'ai regardé autour de moi. Mes élèves et leurs parents avaient disparu. J'étais tellement déçue. Nous nous étions fixé un objectif de groupe, ce qui signifiait que tous devaient traverser le fil d'arrivée, et après nous célébrerions notre victoire.

Peut-être avais-je trop demandé à des enfants de dix ans. Peut-être que les parents, très occupés le samedi matin, n'avaient pas compris l'importance de permettre à leur enfant de rester pour encourager chaque camarade de classe jusqu'au dernier. Il était hors de question que je laisse tomber Luke. Je resterais tant et aussi longtemps qu'il ne traverserait pas le fil d'arrivée.

Ma déception s'est rapidement transformée en inquiétude. Luke s'était peut-être effondré quelque part sur le parcours. Alors que ces sombres pensées me traversaient l'esprit, j'ai entendu un brouhaha au dernier virage qui précédait le fil d'arrivée. Une sirène a lâché un son perçant qui m'a glacé le sang. *Oh! non, ce doit être Luke*, ai-je pensé. *Il lui est arrivé quelque chose!* Je me suis précipitée pour voir ce qui se passait.

J'ai arrêté d'un coup sec: Luke était entouré de ses camarades qui l'encourageaient de toutes leurs forces. C'est ensemble que le groupe de vingt-six élèves de 5e année a traversé le fil d'arrivée en criant et en célébrant sa victoire avec Luke au milieu, tel un héros.

Chaque membre de notre équipe a reçu une médaille pour notre victoire et, chaque fois que je regarde la mienne dans son boîtier spécial, je me rappelle ces élèves spéciaux, qui ont appris et vécu ensemble ce que signifie être une équipe, et je me rappelle Luke, mon héros de la course à pied.

Jodi O'Meara

« Mme Kelley, jusqu'ici je trouve ma journée
très ennuyante. Je compte vraiment sur vous
pour me distraire un peu. »

5

LAISSER SA TRACE

Ce qui compte vraiment,
ce n'est pas tant votre façon de vivre
que l'impact qu'elle a sur la vie des autres.

Source inconnue

Vous nous avez fait grandir

L'enseignant capable d'inspirer à ses élèves une seule bonne action, un seul beau poème, accomplit davantage que celui qui fait mémoriser des listes de connaissances classifiées selon le genre et le nombre.

Johann Wolfgang von Goethe

Vêtus de nos costumes d'écolier flambant neufs, nous étions assis en position d'écoute, légèrement anxieux. Pour tuer le temps, nous décodions les déclarations d'amour éternel gravées sur nos pupitres que les élèves de l'année précédente nous avaient léguées. Nos doigts effleuraient les initiales sculptées comme si c'était du braille. Nos yeux fixaient la grosse horloge murale comme pour la forcer à accélérer le temps. Finalement, la cloche de neuf heures a retenti dans tous les corridors et dans toutes les salles de classe, annonçant le début d'une nouvelle année scolaire.

Au son du tic-tac des secondes, nous attendions l'arrivée de notre nouvelle institutrice. Personne n'osait souffler mot de peur d'être surpris par une maîtresse d'école au dos voûté, vêtue d'un cardigan attaché par une chaînette en or. Elle nous dévisagerait à travers des verres épais dans une monture pointue, tout en agitant son doigt accusateur en signe de réprimande. De profonds soupirs emplissaient la pièce, des jointures craquaient, des sourcils se fronçaient, des épaules se renfrognaient.

Cependant, votre arrivée grandiose, M. Barlow, en valait l'attente.

Vous êtes entré en coup de vent, vos longs cheveux ondulés flottant sur vos épaules, les franges de votre veste en suède pendant sous vos bras. Un chapeau de cow-boy blanc à large bord complétait ce costume sorti tout droit d'une autre époque, ou peut-être encore à venir: après tout, nous étions en 1960. D'un geste théâtral, vous avez salué en agitant votre chapeau, puis vous avez fait une révérence. Avec un rire de baryton, vous avez esquissé un sourire tout en tortillant votre moustache recourbée comme un guidon de bicyclette.

« Je m'appelle M. Barlow », avez-vous déclaré d'une voix de stentor, puis vous avez écrit votre nom au tableau. Vous vous êtes assis sur le coin de votre bureau tout en faisant claquer vos mains pour en chasser la poussière de craie.

« Maintenant, dites-moi qui vous êtes et quelle est la chose que vous aimez le plus. »

Un par un, nous avons bredouillé nos réponses, ne sachant trop comment réagir devant notre nouvel instituteur. Vous nous avez fait la classe toute la journée sans expliquer la raison de votre accoutrement. Pendant tout ce temps, nous avons pris plaisir à vos leçons de géographie, de sciences, de mathématiques, d'anglais et de calligraphie.

Le lendemain, toujours vêtu de la même façon, vous étiez déjà dans la classe pour accueillir chacun de nous par son prénom: « Bonjour Suzy qui adore ses poupées Barbie. Et toi, n'es-tu pas Tommy qui possède trois GI Joe. » Vous aviez décelé nos forces et nos faiblesses aussi rapidement que vous aviez appris nos noms, et vous trouviez toujours le positif en nous.

Y compris en Catherine. Je connaissais Catherine depuis la première année. Elle entrait toujours en classe la tête dans les épaules et se glissait sur sa chaise en cherchant à se faire la plus petite possible. Les enseignants lui posaient rarement des questions, car elle éclatait en sanglots si elle ignorait la réponse, ce qui était habituellement le cas en mathématiques. Ce matin-là, nous mémorisions nos tables de multiplication lorsque…

« Catherine! » Tous les yeux se sont tournés vers une Catherine en proie à la panique, puis sont revenus vers vous, M. Barlow. « Dis-moi, quel est ton chiffre préféré? »

Après un silence embarrassé, elle a pleurniché comme si elle passait un test: « Neuf? »

« Excellent! C'est également mon chiffre préféré. Aimerais-tu savoir pourquoi? » a-t-il ajouté avec un petit sourire.

« Pourquoi? » avons-nous répété à l'unisson.

« Parce que. » Vous avez ensuite écrit rapidement au tableau un truc pour apprendre la table de multiplication du chiffre neuf. Le visage rayonnant de Catherine traduisait sa nouvelle compréhension.

« Donc, Catherine, si neuf est ton chiffre préféré, quel nombre devrais-tu aimer deux fois plus? » Vous avez pointé du doigt le tableau, espérant une bonne réponse.

« Dix-huit? » a-t-elle répondu d'une voix hésitante.

« Moi aussi! J'aime dix-huit, deux fois plus que neuf. Quel nombre crois-tu que j'aime trois fois plus? »

Et ainsi de suite. Nos têtes allaient de vous à elle, et de elle à vous, jusqu'à ce que la leçon soit terminée.

La partie achevée, vous vous êtes incliné devant la petite fille qui se tenait maintenant bien droite sur sa chaise, avec fierté. « Catherine, fais la révérence », lui avez-vous dit de façon théâtrale.

Catherine a fait la révérence et nous avons spontanément applaudi. Dès lors, nous l'avons encouragée, ainsi que toutes les Catherine de notre classe. M. Barlow, vous nous avez fait grandir, puis à votre exemple, nous avons pris le relais pour nous aider à grandir les uns les autres.

Je me rappelle encore clairement le jour où vous avez donné une leçon à Dennis, le clown de la classe qui se transformait parfois en tyran. Dennis taquinait sans merci une camarade de classe, ignorant que vous étiez témoin de son comportement inacceptable. Nous retenions notre souffle, attendant que vous mettiez un terme à cette situation cruelle.

« Dennis, levez-vous », avez-vous ordonné d'une voix sévère. D'abord décontenancé, Dennis a rapidement retrouvé son aplomb et s'est levé en riant. « Répétez après moi », avez-vous poursuivi. « J'ai honte de moi parce que je fais de la peine à Mary. »

Un sourire accroché aux lèvres, Dennis a répété la phrase et, du même coup, provoqué de petits rires nerveux chez les élèves.

Quelques secondes plus tard, la cloche a sonné. À notre grand étonnement, le Dennis habituellement imperturbable s'est effondré sur sa chaise, s'est pris la tête à deux mains et a sangloté en poussant de gros soupirs. Vous sembliez être le premier surpris de cette réaction. Vous vous êtes empressé d'aller vers lui alors que nous sommes sortis pour la récréation. Toujours vêtu de vos habits de coureur des bois, vous avez pris dans vos bras ce sosie de Huckleberry Finn en lui parlant doucement à l'oreille pour l'apaiser. À notre retour en classe, nos quinze minutes de jeux nous avaient presque fait oublier la scène qui venait d'avoir lieu. Après avoir avalé quelques gorgées d'eau à la fontaine, nous avions repris nos places en nous essuyant la bouche et en jetant un coup d'œil en direction de Dennis. Il s'était calmé et avait même retrouvé son petit air de vaurien habituel. Nous avons ouvert notre livre de sciences et attendu que vous commenciez la leçon. Et c'est effectivement une leçon que vous nous avez donnée ce jour-là.

« Comme vous le savez, j'ai causé de l'embarras à Dennis un peu plus tôt aujourd'hui. Je veux que vous sachiez tous que j'en suis très désolé. Personne n'a le droit d'humilier ainsi quelqu'un d'autre. Si le comportement de Dennis me posait problème, j'aurais dû lui en glisser un mot en privé. » Vous avez ensuite ajouté avec un sourire, question d'alléger l'atmosphère : « Quoi qu'il en soit, nous avons tous les deux appris quelque chose aujourd'hui, n'est-ce pas Dennis? » Vous avez fait un clin d'œil à un Dennis qui couvrait son visage devenu tout rouge. On apercevait toutefois ses yeux briller entre ses doigts.

À vos yeux, nous excellions tous en quelque chose. Par exemple, vous permettiez souvent à Dennis de raconter une blague avant que ne sonne la cloche de quinze heures. Catherine, elle, récitait à la perfection les tables de multiplication, à la fin du semestre. Quant à moi, eh bien, il faut croire que j'allais suivre vos traces. Et par là, je ne veux pas dire devenir enseignante.

Vous rappelez-vous le jour où vous nous avez réunis autour de vous et nous avez révélé la véritable raison de votre accoutrement excentrique? C'est parce que vous jouiez un rôle de cow-boy dans une comédie musicale présentée au théâtre de notre ville. Des « Wow » étouffés sont alors sortis de nos bouches pendant que nous attendions, muets d'admiration et les yeux grands ouverts, la suite de l'histoire. Vous avez alors ajouté que nous allions monter une pièce de théâtre pour notre école. Notre excitation était à son comble. « Quelle pièce allons-nous jouer? »… « Jouerons-nous le soir pour que nos parents viennent nous voir? »… « Allons-nous porter des costumes? »

Vous avez écouté avec attention nos questions, puis vous nous avez révélé le titre de notre pièce: Cendrillon. Sans perdre de temps, vous avez désigné des acteurs et des actrices potentiels afin de procéder à une première lecture. Lorsque mon tour est arrivé, j'ai fait la lecture avec toute la confiance que vous étiez parvenu à instiller en moi au cours des derniers mois.

À la fin de la semaine, vous aviez distribué les rôles. J'avais décroché le rôle principal! En rétrospective, je doute sincèrement, M. Barlow, que vous puissiez jamais décrocher un poste de directeur de casting pour une vraie production théâtrale.

J'étais fabuleuse. Un cône en carton blanc ornait ma tête, terminé par un long foulard rose. Des mèches de cheveux châtains sortaient entre les pinces à cheveux dorées qui retenaient le haut chapeau de carton. Pour plus de sûreté, un élastique passait sous mon menton et encerclait mes oreilles déjà énormes, les accentuant davantage. Une robe de bal empruntée, en taffetas, trois tailles trop grande, recouvrait des cerceaux de crinoline. Chaussée des souliers à talons hauts de ma mère, mes jambes grêles valsaient à chacun de mes pas chancelants. Une ombre à paupière bleue, appliquée par la main experte d'une fillette de neuf ans, recouvrait mes paupières en entier tandis qu'un rouge à lèvres rouge rubis peinturait un sourire permanent sur mes lèvres.

Pour toute une soirée, j'ai été une belle princesse; pour toute une vie, je serai une femme confiante dans ses moyens.

De l'extérieur, je ressemblais davantage à une des méchantes belles-sœurs de Cendrillon qu'à la fiancée promise du prince charmant. À l'intérieur, je rayonnais. Vous avez allumé cette flamme, M. Barlow, une flamme qui ne s'éteindra jamais. Une flamme que Dennis, Catherine et moi passerons à d'autres pour toujours.

Adela Anne Bradlee

On ne sait jamais

Un maître vous dit ce qu'il attend de vous. Un enseignant, lui, éveille vos propres attentes.

Patricia Neal

D'aussi loin que je me rappelle, je voulais être enseignant. Sur ma liste des « Personnes que je respecte le plus », mes enseignants arrivaient tout juste derrière Dieu et mes parents. C'est pourquoi, après quatre années dans les forces armées pendant la guerre de Corée, quatre années d'université, un mariage et une petite fille, je terminais un stage dans une école d'une petite ville de l'Illinois située près du campus de l'université.

Un jour, j'expliquais une expérience scientifique à mes élèves lorsqu'un homme à l'allure distinguée a fait irruption dans la classe. Avec assurance, il a déclaré qu'il était le directeur des écoles d'une banlieue de l'ouest de Chicago et qu'il voulait m'embaucher. (À l'époque, les enseignants en chimie et en physique étaient très en demande. La Russie venait de lancer le *Spoutnik* et la plupart des écoles secondaires cherchaient frénétiquement à enrichir leurs programmes scolaires en sciences. Toutefois, elles devaient concurrencer les grandes entreprises qui offraient de meilleurs salaires de départ comme incitatif.) J'ai répondu à l'homme que j'envisageais d'accepter une offre au salaire de 3 600 $ par année dans le centre de l'Illinois et que, de toute façon, je n'étais pas intéressé à déménager dans la région de Chicago. Il est revenu à la charge :

« Je vous offre 4000$. » *Wow*, ai-je pensé. *Peut-être que je devrais aller là-bas pour savoir de quoi il en retourne.* À l'époque, 400$ de plus par année était une différence énorme.

J'ai donc pris la direction nord pour une entrevue avec le directeur de l'école, qui avait l'air de M. Éducation en personne. Il m'a présenté les plans pour l'ajout de quatre nouveaux laboratoires de physique. En théorie, les travaux seraient terminés pour ma deuxième année d'enseignement. Enthousiasmé par ce projet, j'ai signé mon contrat et pris l'engagement de suivre des cours d'été pour obtenir une maîtrise en sciences.

Ma première année a été infernale. On ne m'avait assigné qu'une classe de chimie composée d'élèves qui ne se destinaient pas à des études supérieures. Puis, on m'a donné deux classes de sciences générales de plus de cinquante élèves de première année et une classe de physique d'élèves de dernière année. Comme l'école était bondée d'étudiants qui arrivaient et quittaient toute la journée, on m'a confié deux tâches supplémentaires: accueillir les élèves à leur descente d'autobus pour les diriger vers l'auditorium jusqu'à ce que la cloche sonne, et surveiller la salle d'études. Mon premier cours commençait à 7h30 et mon dernier se terminait à 16h.

Cependant, cette situation ne me préoccupait pas outre mesure, car je la savais temporaire jusqu'à l'ajout imminent de nouveaux laboratoires. Je n'avais ni bureau, ni classeur, ni local qui m'étaient propres, mais cela ne me dérangeait pas non plus. Pour couronner le tout, je devais préparer une exposition scientifique avec plus d'une centaine d'élèves de première (une exigence de l'école), organiser une parade, et trimballer mon matériel scientifique sur un chariot entre quatre laboratoires différents, mais je ne me plaignais pas de mon sort. En fait, ce qui m'agaçait vraiment, c'étaient mes élèves finissants en classe de sciences physiques.

Lors de mon entrevue, mon jargon pédagogique à propos de mes aspirations, de mes objectifs et de mon dévouement avait tellement impressionné le directeur qu'il m'a fait la proposition suivante: « Nous avons une douzaine d'élèves finissants qui ne décrocheront pas leur diplôme d'études secondaires parce qu'il leur manque des crédits en sciences. Ils veulent tous s'enrôler dans l'armée à la fin de l'année et ils se contrefichent d'avoir leur diplôme ou non. Je pense qu'ils le regretteront jusqu'à la fin de leur vie. Pourriez-vous concevoir un cours de sciences dans lequel ils réussiraient suffisamment pour que nous puissions leur accorder ces crédits? » Peut-être en raison de mon inexpérience, j'ai accepté avec enthousiasme le défi.

Quarante années ont passé et je me rappelle encore l'expression du visage de ces garçons lorsqu'ils sont entrés pour leur premier cours et se sont pour la plupart reconnus. Immédiatement, ils ont compris ce que nous leur avions préparé. Du fond de la classe, j'ai entendu comme un chuchotement: « Si on se serre les coudes, il ne pourra pas tous nous faire couler. »

Ces élèves ont été traités comme des cancres, me suis-je dit. *Comme je ne connais aucun d'entre eux personnellement, je les considérerai donc comme la crème de mes élèves finissants qui se dirigent à l'université!*

J'avais consacré l'essentiel de ma préparation à la mise en place du matériel de laboratoire. Chaque poste de travail était muni de leviers, de poulies et de poids qui permettraient de réaliser des expériences sur les différentes forces. Dès que les élèves aperçurent le matériel, ils ont émis un murmure d'enthousiasme. J'avais vu juste! Place maintenant à l'apprentissage. Je suis alors sorti un moment pour aller chercher une pièce de matériel qui me servirait à faire une démonstration. À mon retour, j'ai eu l'agréable surprise de constater qu'ils étaient effectivement passés à l'action, mais ce plaisir a été de courte durée: les élèves, debout sur leurs tabourets, avaient transformé leurs règles de bois en épées pour se livrer à des duels endiablés. Élèves 1, enseignant 0.

La nuit, au lieu de dormir, je me torturais les méninges à essayer de trouver des stratégies susceptibles de fonctionner avec cette classe. Comme ces élèves étaient d'avides consommateurs de magazines de voitures usagées modifiées qu'ils gardaient roulés dans leurs poches pour constamment essayer de les lire en classe, j'ai décidé d'apporter des pièces d'automobile pour baser notre étude des principes de la physique autour de quelque chose de plus concret pour eux. J'ai *énormément* appris de cette expérience, notamment:

1. Comment monter trois étages à pied et traverser un long corridor avec une transmission sur le dos.

2. Que les élèves pouvaient reconnaître immédiatement une transmission de Chevy 1957.

Malheureusement, dès que j'ai essayé d'amorcer une discussion sur la fonction des différentes parties d'une transmission, ils ont érigé un mur de silence entre eux et moi. Élèves 2, enseignant 0.

Après avoir ramassé les copies de leur premier examen, c'est-à-dire douze feuilles complètement blanches où étaient inscrits uniquement les noms des élèves, j'ai compris que ni la carotte ni le bâton ne donneraient de résultats. Évidemment, puisque c'était le traitement qu'on leur servait depuis trois années. Mais attendez une seconde! J'avais essayé des techniques semblables à celles utilisées par tous leurs anciens enseignants en sciences, sans résultat. Je suis donc allé voir le directeur, M. Johnson, pour lui demander l'autorisation de remplacer les manuels, les leçons et le laboratoire par des visites sur des chantiers de construction et dans des entreprises de télécommunications pour y prendre des photographies et les développer (j'avais été photographe dans l'armée de l'air). Ces sorties me serviraient de point de départ pour enseigner des notions de physique, d'électronique et même de chimie. Si mon plan fonctionnait, nous pourrions ensuite passer au reste de la matière à enseigner. Le directeur n'a posé qu'une seule condition: sortir de l'école sans bruit pour ne pas déranger les autres élèves.

J'ai proposé cette approche à mes élèves qui ont tous accepté. J'ai insisté sur l'importance de sortir de l'école en silence, sinon ils pourraient dire adieu aux sorties journalières. C'était l'hiver et il y avait de la neige; je leur ai donc suggéré d'apporter leurs manteaux dans la classe le lendemain et nous irions à pied dans une entreprise de télécommunications située tout près.

En marchant dans les corridors, les garçons jetaient un coup d'œil dans les classes en y allant de grimaces et de signes de la main. Une fois dehors, ils se sont lancé des balles de neige tout le long du parcours. Cette sortie a été notre première… et notre dernière.

Noël est arrivé et j'étais tellement à bout que j'ai annoncé à M. Johnson que je ne reviendrais pas après le congé des fêtes. Je ne me considérais plus comme un bon enseignant, car j'avais échoué misérablement avec ces garçons. Il m'a répondu qu'il ne souhaitait pas me perdre et m'a suggéré de prendre les deux semaines de congé pour y réfléchir sérieusement. Si je décidais de terminer l'année, il promettait que tant et aussi long-temps qu'il serait directeur, il me confierait les meil-leures classes avancées en chimie, car je possédais certainement toutes les qualifications requises. Après deux semaines de repos et de sommeil, j'ai décidé d'honorer mon contrat, ainsi que trente merveilleuses années d'enseignement dans cette école secondaire.

Quel est l'intérêt de cette histoire somme toute banale pour un enseignant débutant?

Deux années après cette première expérience diffi-cile, alors que je vendais des billets pour un des matchs de football de notre école, histoire de gagner un petit supplément, j'ai remarqué à l'autre bout de la file un beau soldat qui avait fière allure. Lorsqu'il est arrivé sous la lumière de mon petit guichet, j'ai pu distinguer son visage.

« Monsieur, vous me reconnaissez? »

« Mon Dieu, oui, je te reconnais. Tu t'appelles Jim. Je me rappelle tous les noms des garçons de cette classe. »

« Monsieur, vous étiez notre prof préféré et votre classe était notre classe préférée, le saviez-vous? »

« Sans blague? J'ai toujours eu l'impression de vous avoir laissé tomber, de ne pas vous avoir enseigné grand-chose. J'ai failli quitter l'enseignement après mon échec avec vous. Comment peux-tu dire une chose pareille? »

« Mais, monsieur, vous avez été le seul prof du secondaire qui se souciait suffisamment de nous pour avoir continué d'essayer et ne pas avoir renoncé à nous enseigner quelque chose. »

Les larmes ont coulé sans retenue sur mes joues, sans aucune gêne.

Larry L. Leathers

Faites que j'essaie suffisamment d'aimer suffi-samment et de partager suffisamment pour permettre aux autres de devenir eux-mêmes.

John O'Brien

Je sais lire

Ma première année d'enseignement, je ne l'oublierai jamais. C'était une classe de troisième année. Or, toute la préparation, tous les manuels que j'avais lus, et tous les cours que j'avais suivis ne m'avaient suffisamment préparé pour ce premier jour.

Le mot *nervosité* n'arrive pas à décrire l'état d'anxiété qui a précédé la première rencontre avec ma classe. Cette anxiété avait redoublé lorsqu'une de mes collègues m'avait parlé d'un de mes élèves: Enrique.

Elle m'avait expliqué qu'Enrique fréquentait notre école depuis deux mois seulement. Plus petit que les autres élèves, c'était un enfant timide, si timide en fait qu'il se cachait souvent sous son pupitre. Enrique était capable de compter uniquement jusqu'à cinq et ne connaissait pas l'alphabet. Il écrivait à peine son nom. Quant à ses habiletés motrices et langagières, elles étaient sous la normale. Il fréquentait une classe spéciale pendant une moitié de la journée. L'autre moitié, il serait avec moi. Ouf!

Je me rappelle avoir demandé à l'ancienne enseignante d'Enrique un conseil pour l'intégrer aux activités quotidiennes. Elle m'avait répondu: « Ne fais surtout pas ça. » Quand Enrique était dans sa classe, m'avait-elle dit, elle lui permettait de fouiller à sa guise dans une boîte contenant des casse-têtes et des jouets d'enfant préscolaire achetés dans des ventes-débarras.

Je ne voulais pas de ce garçon dans ma classe. Cela peut sembler égoïste, mais c'est la pure vérité. J'avais déjà assez la trouille. Je priais en silence pour qu'il ne se présente pas. « Juste une année », ai-je demandé. « Donnez-moi juste une année, le temps que je prenne de l'assurance. Avec une année d'expérience, je pourrai m'occuper d'un élève avec des besoins particuliers comme Enrique. »

Le premier jour d'école est arrivé. J'étais plus intimidé par les enfants qu'ils ne l'étaient par moi, mais je n'ai rien laissé paraître. Étrangement, Enrique était absent. Une semaine a passé et toujours pas d'Enrique. Un mois s'est écoulé et aucune trace d'Enrique. Il a été officiellement rayé de ma liste d'élèves. L'année scolaire était commencée depuis deux mois et mes élèves et moi avions établi une routine efficace.

Un matin, au début du troisième mois, après environ une vingtaine de minutes d'enseignement, un membre de la direction s'est présenté à ma porte en compagnie d'un petit garçon que je n'avais jamais vu auparavant. Avant même les présentations, je savais que c'était Enrique. J'ai rassemblé tout mon courage, je me suis forcé à sourire, et je lui ai souhaité la bienvenue dans notre classe, sa classe.

J'ai dû chambouler ma routine pour évaluer Enrique, lui trouver des fournitures, lui assigner une place et organiser son horaire. Quand je lui ai demandé de me lire un passage dans un livre, il a répondu: « Je ne sais pas lire. »

Je l'ai rassuré: « Bien sûr que tu le peux. Ce livre est peut-être trop difficile pour toi. »

Enrique a répété: « Je ne sais pas lire. »

Les jours se sont transformés en semaines et j'ai peu à peu réalisé que la présence d'Enrique n'était pas aussi traumatisante que je l'avais craint au départ. Je n'avais pas préparé la « boîte » spéciale d'Enrique. Il participait à presque toutes les activités. Il suffisait que je les adapte ou que je lui assigne un équipier. Il n'était pas une cause désespérée. Il voulait apprendre.

J'ai commencé à utiliser une méthode pédagogique spéciale en lecture pour Enrique, ce qui lui a permis d'apprendre l'alphabet et les syllabes. À Noël, je lui ai offert un livre plastifié sur le père Noël. C'était le tout premier livre qu'il recevait. Même s'il était incapable de lire l'histoire, il l'a mémorisée et la répétait tous les soirs à la maison.

Un jour, nous avons appris que sa famille déménageait dans un autre quartier de la ville. Enrique devait quitter notre école. Au lieu de l'exubérance que j'aurais sans doute ressentie pendant la première semaine de son arrivée, je me suis surpris à déclarer: « Non! Non, il ne peut pas partir! » J'ai plaidé ma cause. Enrique faisait des progrès et apprenait à lire. Il participait bien en classe et semblait à l'aise avec les autres élèves qui l'avaient pris sous leur aile. Quitter cet environnement sécurisant le ferait sûrement régresser; il recommencerait à se « cacher sous son pupitre ». Tout notre dur travail accompli serait perdu. Il devrait recommencer à zéro.

J'ai su me faire convaincant. Mon directeur et le district scolaire ont trouvé un moyen de lui assurer un transport quotidien en autobus, et Enrique est resté. J'avais peine à croire ce que je venais de faire. Je m'étais battu pour garder un enfant que j'avais rejeté au départ.

À mesure que l'année scolaire progressait, Enrique et moi avons développé des liens. Je l'aidais à débuter un projet, puis j'allais aider les autres. Lorsque je ne le regardais pas, il glissait une feuille de papier sur son pupitre pour y dessiner une fleur ou un petit bonhomme qu'il allait ensuite déposer secrètement sur mon bureau. Quand je trouvais son dessin, je levais les yeux en sa direction. Nos regards se croisaient, Enrique me souriait, puis il se remettait au travail.

Un jour, en mai, j'ai trouvé sur mon bureau une feuille de papier construction jaune où était dessiné un visage souriant enjolivé d'étoiles et de cœurs. Je reconnaissais là le travail d'Enrique. Nos regards se sont de nouveau rencontrés, mais cette fois, j'ai fait signe à Enrique de s'approcher et je lui ai murmuré à l'oreille: « Ce dessin est pour moi? » Il a hoché la tête. Je lui ai demandé pourquoi il l'avait fait. Il m'a regardé et a répondu comme si je devais bien le savoir: « Vous m'aidez à lire! » Il a souri, puis il est retourné à son travail, à son pupitre.

Cet instant a été le plus merveilleux de toute ma carrière d'enseignant. J'ai réalisé à ce moment que j'étais devenu un enseignant, que mon travail était important. J'avais touché quelqu'un et ce lien était précieux. Et formidable. J'avais eu un impact sur la vie de quelqu'un. Si je pouvais toucher ainsi un Enrique chaque année jusqu'à ma retraite, je pourrais dire avec satisfaction « mission accomplie » à la fin de ma carrière. Enrique m'a appris à exiger beaucoup de chacun de mes élèves, car chacun est capable de donner beaucoup. En éducation, il est facile de se cacher derrière des méthodes et des règlements. Mais, il est essentiel de se rappeler que nous nous efforçons tous d'atteindre le même but : aider tous les Enrique à apprendre, à avoir confiance en eux, à réussir.

Lorsque ma première année d'enseignement s'est terminée, j'ai pris Enrique à part et je lui ai demandé s'il se rappelait m'avoir dit qu'il ne savait pas lire quand nous nous sommes rencontrés la première fois. Il m'a répondu oui.

« Et maintenant? » ai-je demandé. Enrique a illuminé la pièce de son sourire et a dit : « Je sais lire. » Il avait raison. Il savait lire et même beaucoup plus.

Leon Lewandowski

Sergei

*Une des beautés de l'enseignement, c'est qu'il
n'y a aucune limite à ce que peut faire un
enseignant, tout comme il est impossible de
prédire ce que les élèves seront capables
d'apprendre.*

Herbert Kohl

Je me rongeais les sangs à propos de la visite de la
mère de Sergei. Je venais tout juste de débuter dans
l'enseignement et je corrigeais les travaux de mes
élèves au meilleur de ma connaissance. Dans le cas de
Sergei, les notes étaient terriblement basses. C'était
pourtant un élève de sixième année extrêmement brillant; comme on dit souvent, l'intelligence lui sortait par
les oreilles. Il était capable de discuter de sujets adultes
avec une compréhension presque adulte, mais il ne
pouvait lire sa propre écriture. Pour la même raison, ses
notes en mathématiques étaient catastrophiques. Son
travail était largement en deçà de ses capacités, et je le
savais. Alors lorsque sa mère a pris rendez-vous avec
moi, j'ai paniqué comme si j'allais être tenue responsable des piètres résultats de Sergei.

De plus, je savais que ses parents étaient commu-
nistes et je venais tout juste d'enseigner un module sur
la démocratie. Je me suis donc préparée dans l'éventualité où je devrais m'engager dans une discussion
politico-philosophique sur le programme d'enseignement, discussion que je souhaitais éviter par-dessus
tout. Bref, j'avais la trouille de l'institutrice débutante.

Défendre ses actions face à l'opposition d'un parent est une des tâches les plus difficiles, même pour les enseignants expérimentés. Or, j'enseignais depuis seulement six mois.

Quand la mère de Sergei est entrée dans la classe, mes mains étaient moites. Les deux bises qu'elle a déposées sur mes joues m'ont donc prise complètement par surprise. « Je suis venue vous remercier », a-t-elle dit. J'étais sans voix. Grâce à moi, disait-elle, Sergei avait changé; il répétait sans cesse à quel point il m'aimait, qu'il s'était enfin fait des amis et que, pour la première fois en ses douze ans, il avait récemment passé un après-midi chez un copain. Et c'était moi la responsable de tous ces bienfaits! La mère de Sergei en avait discuté longuement avec la psychologue de l'école et elle souhaitait m'exprimer sa gratitude pour l'estime de soi que j'avais réussi à inculquer à son fils. Elle m'a embrassée de nouveau et est partie.

Pendant une demi-heure, je suis restée sans bouger, complètement abasourdie. Que s'était-il passé? Comment, au nom de tous les saints, avais-je pu avoir un tel impact sur ce garçon sans même le savoir? Ce constat m'a effrayée plus profondément que toute autre expérience vécue pendant ma carrière d'enseignante, avant ou depuis. J'avais absolument besoin de comprendre, car un tel effet aussi bénéfique, provoqué bien involontairement, aurait tout aussi bien pu être très négatif. Je ne voulais pas être un agent de changement négatif, encore moins de manière accidentelle.

C'est alors que je me suis rappelé un incident survenu quelques mois auparavant. Quelques élèves avaient fait une présentation orale devant la classe. Une d'entre eux, Jeanne, ne parlait pas assez fort. Pour l'encourager à projeter davantage sa voix, je lui avais dit: « Parle plus fort. Sergei est l'expert sur ce sujet; c'est lui que tu dois convaincre, mais il ne peut t'entendre, car il est assis au fond de la classe. » C'est tout. En me remémorant cette anecdote, j'ai compris que ce moment avait été un élément déclencheur. Par la suite, Sergei s'était assis plus droit, avait semblé plus attentif, plus souriant et plus heureux. Tout cela parce que, ce jour-là, il était le dernier élève assis dans la dernière rangée. S'il s'était agi d'un autre enfant, j'aurais probablement fait la même chose. Les voies du Seigneur sont impénétrables. Je rends grâce à Dieu d'avoir fait en sorte que l'élève qui avait le plus besoin d'éloges était assis dans la dernière rangée cette journée-là au moment où Jeanne, habituellement le clown de la classe, s'était mise à parler à voix trop basse, ce jour-là aussi.

Cet incident m'a enseigné une des leçons les plus précieuses que j'ai glanées au cours des années. Je suis heureuse qu'elle me soit arrivée si tôt dans ma carrière et qu'elle ait été si positive. Nous sommes des êtres tellement fragiles et nos enfants le sont encore plus. Un peu de gentillesse peut, en effet, faire toute une différence déterminante dans une vie. Après cette journée-là, j'ai fait beaucoup, beaucoup plus attention à ce que je disais devant les élèves, et je suis devenue plus bienveillante. Et j'espère que Sergei, qui a déménagé peu après, a réussi à faire son chemin dans la vie, car il m'a donné davantage que ce que je lui ai donné.

Molly Bernard

Hommage aux nombreux rois et reines sans couronne

*L'art d'enseigner
est l'art de faciliter la découverte.*

Mark Van Doren

Au printemps de 1962, j'étais en septième année dans une école de Baltimore. Pour être plus précis, je faisais partie de la section 7B. Jusqu'en sixième année, l'école divisait les classes en deux groupes, les « oiseaux rouges » et les « oiseaux bleus », dans une vaine tentative d'étiqueter la classe des brillants et la classe des « imbéciles » (la mienne). En septième année, l'école n'utilisait plus ce faux-semblant; on parlait plutôt des sections 7A et 7B. Malgré cela, nous savions tous où chacun d'entre nous se situait dans la hiérarchie des oiseaux rouges et des oiseaux bleus.

Tous mes amis du quartier faisaient partie du groupe 7A tant convoité. Moi? J'étais un génie de la récréation. Je remportais tous les « honneurs » — comme dans « Oui, Votre Honneur. Non, Votre Honneur. Je promets de ne plus le faire, Votre Honneur. »

J'étais un cas des plus classiques: un garçon hyperactif, gaucher et dyslexique qui récoltait invariablement la mention « insatisfaisant » dans la catégorie vaguement intitulée « contrôle de soi ». Je n'arrivais pas à distinguer les M des N; quant aux lettres D, B, P et Q, c'était du pareil au même. Les journées en classe étaient trop longues, les pupitres trop petits et les activités extérieures trop courtes. Comme un prisonnier en attente d'une libération conditionnelle de trois mois, je comptais les jours qui me séparaient du mois de juin.

L'instituteur des sections 7A et 7B ressemblait à un grand séquoia; un géant colossal qui, du haut de son 1m87, apparaissait deux fois plus impressionnant aux yeux du petit garçon que j'étais. Il s'appelait avec beaucoup d'à-propos M. Roi. Il était gentil, cultivé et respecté à la fois par les sections 7A et 7B, un exploit remarquable pour un enseignant.

Un jour, de manière tout à fait inattendue, M. Roi a dit à mes amis de la 7A: « Il y a quelqu'un dans la 7B qui est aussi intelligent que n'importe lequel d'entre vous. Le problème, c'est qu'il ne le sait pas encore. Je ne vous dirai pas son nom, mais je vais vous donner un indice: il court plus vite que vous tous et frappe des coups de circuit au-dessus de la clôture du champ droit. »

Ces paroles de M. Roi sont parvenues à mes oreilles au moment où je montais à bord de l'autobus scolaire, cet après-midi-là. Je me souviens d'avoir ressenti un sentiment de confusion mêlé d'incrédulité. « Ouais, ouais, bien sûr, vous me faites marcher », ai-je répondu nonchalamment à mes amis; mais à un niveau plus profond et plus subtil, je me rappelle la lueur réconfortante produite par la flamme vacillante d'une chandelle qui venait d'être allumée au creux de mon âme.

Deux semaines plus tard est arrivé le moment de faire un redoutable exercice: un compte rendu de lecture présenté devant toute la classe. Déjà qu'il était suffisamment difficile de présenter des travaux écrits que seul M. Roi lisait, l'exposé oral tenait du véritable supplice, car il n'y avait nul endroit où se cacher.

Lorsque mon tour est venu, je me suis placé solennellement devant mes camarades de classe. Avec lenteur et un peu gauchement, j'ai commencé à discourir du livre épique de James Fenimore Cooper, *Les Pionniers*. Pendant que je parlais, les images de canoës sillonnant les rivières de l'Ouest sauvage de l'Amérique du dix-huitième siècle se superposaient aux riches descriptions de forêts et d'Amérindiens naviguant sans bruit sur les lacs et les rivières. Aucun feu d'artifice de la fête nationale ne surpassera jamais l'explosion qui s'est produite à l'intérieur de ma tête ce jour-là : c'était électrisant. Au comble de l'excitation, j'ai voulu partager ces images avec mes camarades de classe. Or, dès que je commençais une phrase sur les canoës, l'image s'entremêlait avec une scène du paysage, puis avec celle des Amérindiens. Je n'avais pas entamé la moitié d'une phrase que je sautais à une autre. Mon enthousiasme frisait l'hystérie, ce qui se traduisait par des phrases incomplètes et incohérentes.

Malheureusement, l'hilarité générale déclenchée par ma « folie » a rapidement éteint ce feu d'artifice intérieur. Embarrassé et humilié, j'hésitais entre sauter à la gorge de mes bourreaux ou me précipiter à la maison pour me réfugier en pleurant dans les bras de ma mère. Mais j'avais appris depuis longtemps à masquer mes émotions. Je suis donc retourné à mon pupitre en essayant de devenir invisible.

Les rires ont cessé lorsque la voix profonde et rassurante de M. Roi a retenti : « Danny, sais-tu que tu possèdes un talent unique, c'est-à-dire celui de parler tout en réfléchissant ? Mais parfois ton esprit est si emballé que tes mots n'arrivent pas à suivre le rythme. Ton enthousiasme est contagieux : c'est un don précieux et j'espère que tu l'utiliseras à bon escient un jour. »

J'étais stupéfait. Après une pause qui a semblé durer une éternité, les applaudissements et les félicitations ont fusé. Lors de cette merveilleuse journée, une transformation miraculeuse s'est produite en moi.

Quarante années ont passé. J'utilise maintenant des mots recherchés comme « émulation » ou « transformer ce qui est perçu comme un inconvénient en un avantage » pour décrire ce que M. Roi a fait pour moi ce jour-là. Aujourd'hui, c'est à mon tour de dire « merci » à tous les M. Roi et les Mme Reine de ce monde, à tous ces enseignants qui m'ont aidé, et qui ont aidé un nombre incalculable d'enfants, à donner un sens nouveau à notre vie pour toujours.

Daniel Eckstein, Ph.D.

Ne doutez jamais que l'engagement d'un petit groupe de personnes peut changer le monde ; en fait, c'est par cette seule façon qu'il peut changer.

Margaret Mead

La leçon de catéchèse

Je n'enseigne pas, j'éveille les esprits.

Robert Frost

Pour Mlle Swan, l'enseignement de la catéchèse, c'était terminé. Plus question de passer un seul autre dimanche en compagnie d'une bande d'adolescents irrespectueux qui mâchaient de la gomme en faisant claquer des bulles pendant la prière et lisaient des magazines pendant l'étude de la Bible. Pour ajouter l'injure à l'insulte, au moment de la prière, ils demandaient à Dieu d'augmenter leur allocation hebdomadaire!

« J'en ai assez de vous. Je démissionne! » a-t-elle crié à ses élèves.

« Cool! » a répondu Rick en signe d'approbation. Jamais elle n'avait rencontré un enfant aussi grossier.

Il a fallu deux mois pour trouver une remplaçante. Nouvellement arrivée dans cette ville, Mlle Betty ignorait la réputation des jeunes de chasseurs de professeurs. Lorsqu'elle est entrée dans la classe en compagnie du pasteur, les élèves à l'air faussement angélique ont, de toute évidence, jugé qu'elle serait une proie facile avec sa robe rose trop serrée et sa chevelure blonde mal décolorée. Les paris se sont rapidement ouverts quant à la date où Mlle Betty remettrait sa démission.

Betty s'est présentée en précisant qu'elle arrivait tout récemment du Sud. Elle ressemblait d'ailleurs à une de ces belles des États du Sud qui portent des vêtements démodés et qui croient naïvement être encore à l'apogée de leur beauté. Des ricanements se sont fait entendre pendant qu'elle fouillait dans la grosse poche en bandoulière qui lui tenait lieu de sac à main.

« Y en a-t-il parmi vous qui ont voyagé à *l'extérieur* de la région? » a-t-elle demandé sur un ton amical. Quelques mains se sont levées.

« Quelqu'un parmi vous a-t-il déjà franchi *plus* de 800 kilomètres? » Une seule main s'est levée et les ricanements ont diminué.

« Quelqu'un a-t-il déjà voyagé à *l'extérieur* du pays? »

Aucune main ne s'est levée. Les adolescents, silencieux, étaient intrigués. Où voulait-elle en venir? Usait-elle de psychologie avec eux ou allait-elle tout simplement à la pêche?

C'est alors que Betty a trouvé ce qu'elle cherchait dans son sac. De sa main décharnée, elle a sorti un long tube duquel elle a sorti une carte du monde qu'elle a ensuite déroulée.

Quelqu'un a lancé à la blague: « Y a-t-il autre chose dans votre sac? Votre dîner peut-être? »

Betty a esquissé un léger sourire et a répondu: « Des biscuits pour plus tard ».

« Cool! » a ajouté Rick sur un ton sarcastique.

Puis elle a pointé un ongle très long vers un continent à la forme excentrique.

« C'est là que je suis née », a indiqué Betty en tapant la carte du doigt. « Et j'y ai vécu jusqu'à votre âge environ. »

Tous ont étiré le cou pour voir de quel endroit il s'agissait.

« C'est le Texas? » a lancé une voix provenant du fond de la pièce.

« Beaucoup plus loin que le Texas. L'Inde. » Ses yeux pétillaient de joie.

« Comment, diable, avez-vous pu naître si loin? »

Betty a éclaté de rire. « Mes parents étaient missionnaires et c'est là que ma mère se trouvait lorsqu'elle m'a donné naissance. »

« Cool! » Rick s'est redressé sur sa chaise, réellement impressionné.

Betty a de nouveau plongé la main dans son sac pour en sortir cette fois un paquet de vieilles photos ainsi qu'une boîte métallique contenant des biscuits aux brisures de chocolat. Les élèves se sont passé les photos montrant des gens à la peau foncée, figés dans le temps. Les enfants les ont examinées avec intérêt tout en mangeant des biscuits.

« Vous n'avez pas besoin de devenir missionnaires pour aider autrui », a dit Mlle Betty.

L'heure a filé rapidement. Betty a parlé aux élèves d'endroits exotiques, des gens qui y vivaient et de leur manière de vivre.

« Wow! C'est aussi excitant que la télévision! » s'est écriée une jeune fille.

Pendant les dimanches suivants, Betty a utilisé des situations de la vie quotidienne pour enseigner la catéchèse. Elle a expliqué aux adolescents comment ils pouvaient changer les choses dès maintenant. Peu à peu, les élèves se sont liés avec cette femme aux cheveux blonds décolorés et à l'allure excentrique. Et plus ils s'attachaient à elle, plus elle devenait attachante.

Betty a enseigné la catéchèse du dimanche pendant vingt ans. Même si elle ne s'est jamais mariée et n'a pas eu d'enfants, les gens en sont venus à la considérer, elle qui avait enseigné à deux générations d'enfants, comme un parent substitut.

Puis ses cheveux sont devenus d'un gris naturel. Les rides plus nombreuses autour de sa bouche et de ses yeux ont ajouté de la maturité à son visage chérubin. Avec l'âge, ses mains ont commencé à trembler. De temps à autre, elle recevait des lettres d'anciens élèves. Parmi eux, il y avait un médecin, un chercheur en sciences, un entrepreneur en construction, un homme d'affaires et plusieurs enseignants.

Un jour, elle a trouvé dans sa boîte aux lettres une enveloppe bleue. Dans le coin supérieur droit se trouvait le timbre d'un pays étranger qui lui était familier. Dans le coin gauche était écrit le nom d'un garçon de cette toute première classe de catéchèse des années auparavant. Elle se rappelait qu'il aimait toujours les biscuits qu'elle apportait, et qu'il s'était montré si intéressé par ses leçons. Une photo a glissé de l'enveloppe et atterri sur sa cuisse. Plissant les yeux, elle a souri à l'homme sur la photo, voyant encore l'adolescent qu'elle avait connu jadis. Debout au milieu d'édifices en ruines de New Delhi, en Inde, il était avec d'autres secouristes qui étaient venus aider les victimes d'un tremblement de terre.

La légende sous la photo disait: « Si je suis ici maintenant, c'est grâce à vous. »

Robin Lee Shope

Chaque élève peut apprendre

Ce qui compte vraiment en ce monde, ce n'est pas tant où nous sommes, mais vers où nous allons.

Oliver Wendell Holmes

Pour chaque élève, il existe un enseignant spécial, un enseignant qui saura le toucher de la bonne façon ou au moment précis où il sera prêt à apprendre. Avec un peu de chance, nous pouvons tous trouver cet enseignant spécial qui allumera notre flamme intérieure, qui alimentera notre désir ardent d'apprendre et qui nous convaincra que, oui, nous sommes capables d'apprendre la matière. Pour moi, mon mentor s'appelait Sue.

J'ai commencé à travailler comme professeure en éducation spécialisée dans une petite école rurale du nord de la Californie. Mes élèves avaient des difficultés de communication et d'apprentissage. Sue était une enseignante expérimentée qui travaillait avec des élèves au profil similaire. Elle n'était pas une enseignante comme les autres. Contrairement à plusieurs autres professeurs que j'avais connus auparavant, elle avait une vision de l'enseignement bien à elle.

Même s'il est communément admis que chaque élève peut apprendre, Sue y croyait réellement. Elle avait structuré son enseignement autour de l'idée suivante: les contacts avec les autres favorisent l'apprentissage. Elle jumelait ses élèves en difficulté avec des élèves en cheminement normal. Non seulement les élèves de Sue réussissaient dans toutes les matières au programme, mais ils étaient traités de la même façon que les autres. Plus important encore, ils s'intégraient bien au groupe et personne ne leur faisait sentir qu'ils étaient différents. Sue travaillait à partir des forces de ses élèves plutôt qu'à partir de leurs faiblesses. En toute honnêteté, jamais je n'avais vu de tels élèves aussi heureux ou qui réussissaient aussi bien.

Les enfants qui apprennent d'une façon différente suscitent moins la sympathie que les enfants aux prises avec des déficiences visibles. On les considère parfois comme des idiots ou des paresseux, ce qui est loin d'être le cas. Il peut être si difficile de prononcer les lettres qui forment les mots que, lorsqu'on parvient à la fin de la phrase, on a oublié ce qu'on a lu. Pour ces élèves, les lettres peuvent sembler différentes d'un paragraphe à l'autre, et l'information peut leur parvenir à un rythme si rapide qu'ils ont de la difficulté à se rappeler de tout.

Les difficultés d'apprentissage sont souvent héréditaires, en particulier chez les garçons. Sue avait deux frères parmi ses élèves. Les deux garçons progressaient bien et se sentaient pleins d'espoir après avoir trimé dur pendant des années. Un jour, on a découvert que le benjamin de la famille, un garçon aussi, souffrait également de troubles de communication et d'apprentissage. Comme j'avais de l'expérience avec les troubles de communication, Sue m'avait confié ce petit bonhomme afin que nous puissions travailler en équipe pour l'aider.

Un soir où Sue était restée tard pour préparer sa classe en prévision d'une visite des parents, elle a été très surprise d'entendre quelqu'un frapper à sa porte.

Là, dans l'embrasure, mal à l'aise et nerveux, se tenait le père de cette famille. « Mme Lyon, je suis désolé de vous déranger à une heure si tardive », a-t-il bredouillé, hésitant et cherchant ses mots. « Habituellement, c'est ma femme qui vient vous voir pour les rencontres pendant que je travaille. Je veux seulement vous dire à quel point nous apprécions le travail que vous faites avec nos petits gars. C'est grâce à vous s'ils peuvent lire et nous vous en sommes tous très reconnaissants. »

Sue l'a invité à entrer et lui a offert une chaise et un café. Le visage de cet homme trahissait son combat intérieur. De toute évidence, il essayait de dire quelque chose qu'il lui était très difficile de communiquer.

Il a pris quelques gorgées de café. Le silence et l'attente de ce qu'il essayait de dire alourdissaient l'atmosphère. Pour le rassurer, Sue a dit : « Vos garçons sont des enfants brillants et consciencieux. Je suis vraiment contente d'avoir la chance de travailler avec eux. Je pense qu'ils me font suffisamment confiance pour me taquiner sur mes choix en matière d'équipes de football professionnel. » Le père a esquissé un sourire et la tension s'est dissipée un peu.

Sur un ton calme, le père a raconté: « J'étais un élève qui trimait dur à l'école et je trime encore dur aujourd'hui. Lorsque j'ai commencé l'école, j'étais si content d'être là que je ne voulais pas manquer une seule journée, peu importe la raison. Au primaire, plus j'avançais et plus l'école devenait difficile pour moi. Je savais que je n'étais pas stupide parce que je pouvais me rappeler tout ce qu'on me disait. J'étais bon dans les sports et j'étais capable de compter dans ma tête. Là où j'avais beaucoup de difficulté, c'était en lecture.

« Chaque matin, je me levais en me disant: *Aujourd'hui, je vais essayer encore plus fort d'arrêter les lettres de bouger.* Mais à la fin de la journée, le résultat était le même et je ne savais toujours pas lire. À l'école secondaire, mes enseignants m'aimaient bien et me faisaient passer par compassion. Ils savaient que je saisissais l'information et, de plus, je n'avais pas de problèmes de comportement.

« Pendant les examens, je me tirais d'affaire en prétextant avoir besoin d'aller aux toilettes ou en demandant à mes amis de m'aider. Parfois, je faisais même semblant de dormir. Petit à petit, j'ai commencé à croire les railleries de mes camarades de classe qui m'avaient traité d'*attardé* plus tôt à l'école. Dès lors, tout a changé pour moi. Je suis devenu un analphabète dans un monde où la lecture était reine et plusieurs portes se sont refermées devant moi, ou c'est du moins l'impression que j'avais. J'ai appris à bien dissimuler mon handicap; en fait, je suis devenu un expert en la matière. Pendant longtemps, même ma femme n'en savait rien.

« Pour moi, la lecture est comme un code secret que je ne comprends pas. C'est un vrai méli-mélo. Mais j'observe mes garçons et ils y arrivent avec votre aide.

« Mon employeur m'a confié un nouveau poste que j'aime vraiment et qui me permet de mieux faire vivre ma famille. Mais je dois passer un examen pour continuer à progresser et je suis venu ici pour vous demander de l'aide. Pourriez-vous m'enseigner à lire? Mon employeur est même prêt à me donner un peu de temps libre pour que j'améliore ma lecture. »

Sue était sidérée. Pendant un long moment, elle est restée assise sans dire un mot, réfléchissant. Puis elle a souri. Sa décision était prise. « Bien sûr, vous pouvez venir ici deux fois par semaine et je vais travailler avec vous. Je ne peux vous promettre que vous allez réussir, mais je peux vous promettre de faire mon possible pour vous aider. »

Chaque semaine pendant deux ans, ce père s'est rendu à l'école pour travailler avec Sue. C'était très difficile pour lui au début, mais en constatant les succès et l'espoir chez ses fils, et en profitant des encouragements de Sue et de la confiance qu'elle avait en lui, il a peu à peu commencé à s'améliorer de façon constante. Sue a même écrit à son employeur pour le remercier d'investir dans son employé et d'appuyer son alphabétisation. Elle a également rassuré le patron que son employé était un travailleur très persévérant et qu'il faisait des progrès significatifs.

Le jour de l'examen est arrivé. Sue a passé toute la journée en classe à enseigner à ses jeunes élèves, mais une partie de son esprit attendait avec anxiété la nouvelle. Réussirait-il? Il avait fait des progrès importants, mais serait-ce suffisant? À la fin de la journée, Sue a tranquillement mis son bureau en ordre, nettoyé le tableau et rangé le matériel. Elle a pris son manteau et s'apprêtait à éteindre la lumière pour quitter lorsque la porte s'est ouverte et que le père est entré, suivi de toute sa famille.

Elle l'a regardé et a immédiatement deviné. Il ne pouvait rien dissimuler avec un tel sourire de satisfaction. « Je pense que vous l'avez deviné », a-t-il dit, le visage rayonnant. « J'ai réussi! Ils m'ont dit que j'ai eu un très bon résultat. Et c'est grâce à vous. » Il lui a donné une accolade, puis les autres membres de la famille, attendant patiemment en ligne, ont chacun à leur tour fait de même.

« J'apprécie beaucoup vos remerciements, mais je tiens à vous dire, à vous et à toute votre famille, que tout le mérite vous revient. Vous êtes celui qui a eu le courage de demander de l'aide, qui a pris l'engagement de venir ici chaque semaine pendant deux ans et qui a passé tout ce temps à étudier. Il me semble que le véritable héros, c'est vous. »

Du coin de l'œil, Sue a vu les deux garçons qui regardaient leur père avec un sentiment de respect renouvelé. Les raisons qui l'avaient poussée vers l'enseignement lui sont alors revenues en mémoire: un endroit et un moment tout à fait particuliers et beaucoup d'attention qu'elle seule peut donner. Oui, pour chaque élève, il existe un enseignant, un enseignant spécial capable d'allumer la flamme de l'apprentissage.

Meladee McCarty

L'éveil

*L'éducation ne prépare pas à la vie;
l'éducation est la vie elle-même.*

John Dewey

La lune vient de se glisser derrière West Hill, et je me demande ce que je fais dehors si tôt le matin. Beaucoup de gens sont déjà debout à cette heure, mais c'est inhabituel pour moi.

En route vers un hôpital pour anciens combattants de la région de New York, non seulement je suis à moitié endormie, mais j'ai l'impression de ne pas être à la hauteur. Je me demande ce que j'ai accompli en cette année où j'ai donné bénévolement un atelier de création littéraire à des patients engagés dans un programme intensif de réhabilitation.

En approchant du vieil édifice en brique rouge, j'aperçois David sur sa bicyclette. Vétéran du Viêt-nam âgé d'une quarantaine d'années, David pédale furieusement avec sa seule jambe. Il n'avance pas assez vite à son goût, et alors que je passe près de lui, il m'envoie la main et sourit.

« J'ai une histoire! » crie-t-il en redoublant d'ardeur. Son jean, plié à hauteur du moignon de sa jambe gauche, claque au vent.

Pendant que je me gare dans le stationnement, je l'observe qui verrouille à la hâte sa bicyclette, puis qui prend les béquilles attachées à la roue arrière de son vieux trois-vitesses.

Je sors de ma voiture toute chaude. Dans la brume matinale qui me fait frissonner, j'attends David qui peine pour me rejoindre.

« J'avais peur que vous ne veniez pas aujourd'hui », me dit-il en cherchant à reprendre son souffle.

« Eh bien, me voici », dis-je en regardant dans ses yeux sombres. Habituellement, son regard est fuyant ou voilé par la douleur causée par les ulcères sur son moignon, lesquels étant la raison de son hospitalisation. Mais aujourd'hui, ces yeux sont brillants, avivés par le vent et l'excitation qu'il semble ressentir.

Il fouille dans sa poche pour en sortir un bout de papier soigneusement plié. David participe à mon atelier de groupe depuis des mois, mais il n'a jamais voulu me partager un seul de ses textes. Il dit toujours qu'il ne peut pas écrire, mais qu'il sait écouter.

Je déplie la feuille et je lis le titre. Mes yeux se brouillent de larmes et je me tourne rapidement vers la porte d'entrée.

Même si cette feuille froissée d'un cahier de notes contient seulement quelques lignes, elles me font réaliser que mon déplacement à une heure si matinale en valait la peine.

L'histoire de David est intitulée: *Vous m'avez aidé à briser le silence dans mon cœur.*

Beatrice O'Brien

Pâques à Jackson

Même si c'est peu, faites-le pour ceux qui ont besoin d'aide, faites quelque chose qui ne vous rapportera rien d'autre que la satisfaction de l'avoir fait.

Albert Schweitzer

La pluie abondante avait débuté au milieu de la nuit. Le bruit avait réveillé la population de Jackson, en Ohio, puis tout le monde s'était rendormi. Le lendemain, il pleuvait toujours et l'eau avait commencé à monter. Certes, les statistiques indiquaient que Jackson subissait une inondation une fois tous les cent ans, mais personne n'aurait pu croire que la ville s'apprêtait à vivre l'inondation du siècle.

Les habitants ont été évacués de leur maison pour aller vers des terres plus hautes, abandonnant tout derrière eux. Les bâtiments construits dans les plaines inondables ont été submergés. Les gens ont vu les eaux emporter chiens, chats, vaches et autres animaux. Les torrents ont charrié voitures et camions sur de grandes distances, loin de leurs maisons. Les gens assistaient, impuissants, à cette démonstration de force de Mère Nature.

En ce week-end du 3 mars 1997, ma camarade de chambre, Susan, était en visite chez ses parents à Jackson. À son retour dans notre « ghetto » de l'Université de Dayton, elle nous a décrit les inondations et comment son automobile Beretta bleu poudre avait été emportée. Sa grand-mère avait été secourue alors qu'elle se tenait debout sur son lit, sa bonbonne d'oxygène serrée contre elle, immergée jusqu'à la poitrine.

Je terminais ma dernière année d'université, qui consistait à faire des stages dans les écoles. Une foule de choses me préoccupait: préparer mes cours, trouver un emploi, déménager dans une autre ville, quitter mes amis. Toutefois, mes préoccupations me semblaient dérisoires en comparaison des problèmes à Jackson.

Le lundi suivant, Susan est retournée à son stage dans une classe de 6e année. Elle a raconté son histoire à ses élèves et leur a montré des photos de journaux. Compatissants et motivés, ses élèves sont passés à l'action. Comme ils amassaient des fonds pour leur voyage d'école dans un camp, ils ont décidé d'amasser plutôt l'argent pour les victimes de l'inondation. Ils ont vendu des sucettes, écrit des lettres pour solliciter des dons et contribué de leur propre argent de poche. Même les élèves de première année ont donné de l'argent. Des montagnes de vêtements, de meubles et de nourriture ont été recueillies. La classe de Susan a fabriqué des paniers de Pâques à partir de boîtes à chaussures, puis elle les a remplis de bonbons et de jouets ainsi que de pâte dentifrice, de savon, de brosses à dents et de shampoing.

J'ai ensuite aidé Susan à charger la voiture de sa mère jusqu'au toit avec des paniers de Pâques. Pendant le voyage, je me demandais ce qui m'attendait là-bas; j'avais peine à imaginer ce qu'on pouvait ressentir lorsqu'on perd presque tout. Le nuit tombait quand nous sommes arrivées à destination, et je me suis sentie nerveuse. Mon estomac s'est noué lorsque j'ai aperçu des maisons dont il ne restait plus que les fondations. L'odeur de la rivière emplissait l'air. Il ne restait plus rien, ni tapis, ni meubles, ni tuyauterie, ni appareils électroménagers. À peine quelques jours auparavant, ces décombres étaient des maisons où vivaient des gens. Cette pensée m'a chaviré le cœur. Combien d'enfants avaient grandi ici? Quels souvenirs reste-raient-ils? Ces maisons seraient-elles reconstruites un jour? Cette monstrueuse inondation s'était maintenant retirée, mais ses effets se feraient sentir encore pendant des années.

Nous sommes allées de maison en maison en frap-pant aux portes, prêtes à accomplir notre mission. J'étais anxieuse. Les familles dévastées par la montée des eaux allaient-elles accepter un panier de Pâques? Le geste commençait à m'apparaître futile.

« Bonjour. Je m'appelle Susan Moore et voici mon amie, Allison. Lorsqu'ils ont entendu parler de l'inon-dation, mes élèves de sixième année ont préparé ces paniers de Pâques pour vous venir en aide. »

Les visages s'illuminaient lorsque les gens ouvraient leur cadeau. Dans une des maisons où nous sommes entrées, un couple s'affairait, avec clous et marteaux, à réparer leur plancher. Lorsque l'homme a ouvert la boîte, il a éclaté en sanglots: « Je n'en reviens pas de ce que ces enfants ont fait. Laissez-moi vous donner un peu d'argent pour leur école. » En jetant un coup d'œil à ce qui restait dans la maison, une telle générosité me renversait. Il a finalement accepté de nous remettre un petit mot de remerciement plutôt que de l'argent.

Une femme est venue nous retrouver après avoir ouvert sa boîte, le visage plein de larmes. « Je collectionnais des lapins en peluche, mais je les ai tous perdus dans l'inondation. Il y avait un petit lapin rose dans ma boîte. Je peux recommencer ma collection. Merci. » L'homme costaud à ses côtés avait également les yeux humides.

Participer, en tant que messagère, à cette manifestation de solidarité humaine me réchauffait le cœur. On dit souvent que les jeunes sont indifférents au sort des autres, mais ces enfants ont répondu à un appel à l'aide, et prouvé que l'amour et la générosité finissent toujours par triompher.

Allison C. Miller

Changer le monde,
un trombone à la fois

En 1998, la directrice Linda Hooper a voulu démarrer un projet sur la tolérance et le respect des autres cultures avec les élèves de l'école secondaire Whitwell, au Tennessee. Pour mener à bien son projet, Mme Hooper a fait suivre une formation à David Smith, l'enseignant d'histoire de deuxième secondaire qui était aussi entraîneur de football. À son retour, M. Smith a proposé que l'école offre un cours sur l'Holocauste après les heures de classe. Pourtant, il n'y avait pas beaucoup d'ethnies dans l'école, et aucun élève juif.

M. Smith et Sandra Roberts, enseignante d'anglais de deuxième secondaire, ont donné la première partie du projet au cours du mois d'octobre de cette année-là. Pour commencer, les deux enseignants ont lu à voix haute le *Journal d'Anne Frank* (de l'auteure du même nom) et *La nuit* de Elie Wiesel. Ils le lisaient ainsi parce que la plupart des élèves n'avaient pas les moyens d'acheter des livres.

À mesure que le cours avançait, une chose frappait tout particulièrement les élèves de deuxième secondaire: le nombre de Juifs exterminés par le Troisième Reich. Six millions. Ils avaient du mal à s'imaginer un chiffre aussi énorme.

Un jour, Mme Roberts et M. Smith ont expliqué aux élèves que, dans l'Europe des années quarante, des gens ont éprouvé de la compassion pour ces Juifs et les ont soutenus. Après l'invasion de la Norvège par les

Nazis, beaucoup de Norvégiens courageux, pour exprimer leur solidarité envers leurs concitoyens juifs, arboraient sur le revers de leurs manteaux des trombones à papier, tout comme les Juifs étaient contraints de porter une étoile de David sur le leur.

Un élève a alors eu l'idée de recueillir six millions de trombones pour représenter les six millions de Juifs exterminés durant l'Holocauste. L'idée a inspiré les autres élèves qui ont commencé à apporter des trombones que leur donnaient leurs parents, leur parenté et leurs amis. Les élèves ont également créé une page Web. Quelques semaines plus tard, une première lettre est arrivée, puis d'autres ont suivi. Plusieurs contenaient des trombones. À la fin de l'année scolaire, le groupe avait recueilli 100 000 trombones. Les enseignants ont fait leurs petits calculs : à ce rythme, il faudrait une vie entière pour amasser six millions de trombones !

Les activités du groupe se sont étendues à d'autres classes et le projet a été rebaptisé *Projet Holocauste*. Dans un corridor, des élèves ont simulé un camp de concentration avec des personnages de papier représentant eux-mêmes collés sur le mur. Ils ont installé du grillage de basse-cour partout sur le mur pour représenter les clôtures électrifiées, puis ils y ont accroché des chaussures pour illustrer les millions de chaussures laissées par les victimes conduites en marchant dans les chambres à gaz. Maintenant, chaque année, ils refont cette « marche » pour montrer leur amour et leur respect pour ces victimes qu'ils n'ont jamais connues. Elle permet aussi aux élèves d'avoir au moins une vague idée de ce que les Juifs ont dû ressentir quand les gardes nazis les ont emmenés dans les camps de la mort.

Entre-temps, la collecte des trombones se poursuit. Les élèves du projet se rassemblent tous les mercredis et arborent un trombone sur le revers du polo spécial de leur groupe, sur lequel est écrit: « Changer le monde, un trombone à la fois ». Des trombones de tous genres leur sont envoyés: argentés, dorés, de couleurs vives, petits, gros, recouverts de plastique, ronds, triangulaires, et même en bois. Les élèves gardent toutes les lettres reçues dans un grand cartable. Ils ont voulu que les trombones recueillis servent de monument commémoratif pour rendre hommage aux victimes.

Il a été décidé que le monument serait plus significatif si les trombones étaient rassemblés dans un vrai wagon de train allemand. Avec l'aide de citoyens d'origine allemande, l'école a obtenu un wagon allemand authentique des années 1940, qui avait réellement servi à transporter des Juifs vers les camps de la mort. Le wagon, transporté de Berlin, en Allemagne, jusque dans la petite ville de Whitwell, au Tennessee, est maintenant installé devant l'école et il est rempli de onze millions de trombones symboliques de partout dans le monde. La directrice, les enseignants et les élèves ont fait de leur vision une réalité. Ils ont réussi quelque chose que personne n'aurait pu prévoir: amasser vingt-neuf millions de trombones et plus de vingt mille lettres.

Pour plusieurs générations d'élèves de deuxième secondaire de l'école Whitwell, un trombone est plus qu'un trombone. Il est plutôt un symbole de persévérance, d'empathie, de tolérance et de compréhension. Un des élèves du projet l'a exprimé ainsi: « Maintenant, quand je vois quelqu'un, je pense avant de parler, je pense avant d'agir et je pense avant de juger. »

Un seul individu, ou un petit groupe, peut-il vraiment faire quelque chose pour aider à amener l'humanité à plus de compréhension et de paix dans le monde? Posez la question aux élèves de l'école Whitwell et à tous ceux autour du monde qui les aident à recueillir des trombones!

Steve Goodier

6

LES CLASSIQUES

Enseigner, c'est encore apprendre.

Oliver Wendell Holmes

La liste

La vie d'un enfant, c'est comme un sentier vierge sur lequel chaque passant laisse une trace.

Ancien proverbe chinois

Mark Eklund était dans le groupe de troisième année auquel j'enseignais à l'école Saint Mary à Morris, au Minnesota. Les trente-quatre élèves de ma classe étaient tous chers à mon cœur, mais le petit Mark appartenait à une espèce rare. Il possédait de beaux traits et une telle joie de vivre que même ses espiègleries occasionnelles étaient charmantes.

Autre particularité: Mark parlait sans cesse. J'avais essayé mille fois de lui faire comprendre qu'il devait demander la permission avant de parler, mais en vain. Une chose me touchait, cependant, c'était la réaction sincère qu'il avait à chacune de mes réprimandes. « Merci de me corriger, ma sœur! » Au début, je ne savais trop quoi en penser, mais j'avais fini par m'habituer de l'entendre me répondre cette phrase plusieurs fois par jour.

Un matin, alors que ma patience arrivait à bout, Mark a parlé une fois de trop, et j'ai fait une erreur d'enseignante débutante. Je l'ai regardé et j'ai lancé: « Un mot de plus, et je te colle la bouche avec du ruban adhésif! »

À peine dix secondes plus tard, son camarade Chuck a crié: « Mark parle encore, ma sœur! » Je n'avais demandé à aucun élève de surveiller Mark, évidemment, mais comme j'avais annoncé l'éventuelle punition devant toute la classe, je me devais d'y donner suite.

Je me souviens de la scène comme si c'était hier. J'ai marché jusqu'à mon bureau, j'ai ouvert mon tiroir très lentement et j'en ai sorti un rouleau de ruban adhésif. Sans dire un mot, je me suis approchée du pupitre de Mark, j'ai tiré deux bouts de ruban et je les ai collés en X sur sa bouche. Je suis ensuite retournée à mon bureau.

Lorsque j'ai jeté un coup d'œil dans sa direction pour voir ce qu'il faisait, Mark m'a fait un clin d'œil. C'en était trop! J'ai éclaté de rire. Toute la classe a applaudi quand je suis retournée auprès de Mark. J'ai enlevé le ruban en haussant les épaules. Aussitôt le ruban décollé, Mark a dit: « Merci de me corriger, ma sœur ».

L'année suivante, on m'a demandé d'enseigner les mathématiques à des groupes d'élèves du secondaire. Les années ont passé, puis j'ai eu Mark de nouveau dans ma classe. Il était plus beau que jamais et toujours aussi poli. Comme les mathématiques du secondaire ne sont pas aussi faciles que celles du primaire, Mark ne pouvait pas se permettre de parler autant en troisième secondaire qu'en troisième année.

Un vendredi, j'ai senti que les élèves ne comprenaient pas très bien le concept sur lequel nous avions travaillé très fort toute la semaine. Ils commençaient à devenir frustrés envers eux-mêmes — et à s'énerver les uns les autres. Je devais faire cesser le brouhaha avant qu'il ne dégénère. J'ai donc demandé aux élèves d'écrire le nom des autres étudiants de la classe sur deux feuilles de papier en laissant une ligne entre chaque nom. Ensuite, je leur ai demandé de penser à la chose la plus gentille qu'ils pourraient dire de chaque camarade et de l'écrire à côté de son nom.

Il a fallu aux élèves tout le reste de la période pour terminer ce travail. En quittant, chacun m'a remis ses deux feuilles. Charlie a souri. Mark a dit: « Merci de m'avoir fait la classe, ma sœur. Bonne fin de semaine. »

Ce samedi-là, j'ai écrit le nom de chaque élève sur une feuille séparée, puis j'ai écrit sous son nom tout ce que les autres avaient écrit à son sujet. Le lundi, j'ai donné à chaque élève sa liste. Certains avaient une liste qui s'étendait sur deux pages. Les jeunes étaient contents. J'entendais murmurer toutes sortes de commentaires positifs: « Vraiment? » « Je ne pensais pas que les autres avaient remarqué! » « Je ne savais pas que les autres m'aimaient tant! »

Aucun élève n'a reparlé de ces listes en classe par la suite. Je ne sais pas s'ils en ont parlé entre eux après les cours ou avec leurs parents à la maison, mais ça n'avait pas d'importance. L'exercice avait atteint son objectif. Les élèves étaient de nouveau contents d'eux-mêmes et bien ensemble.

La vie a continué. Plusieurs années plus tard, alors que je revenais de vacances, mes parents sont venus me chercher à l'aéroport. Dans la voiture, ma mère m'a posé les questions habituelles: quel voyage j'avais fait, la température, et mes expériences en général. Je sentais un malaise dans la conversation. Ma mère a lancé un drôle de coup d'œil à mon père et a simplement dit: « Papa? » Mon père s'est alors éclairci la voix comme il le fait chaque fois qu'il a quelque chose d'important à dire. « Les Eklund ont téléphoné hier soir », a-t-il commencé.

« Ah oui? » ai-je demandé. « Ça fait des années que je n'ai pas entendu parler d'eux. Je me demande ce que Mark est devenu. »

Papa a répondu doucement: « Mark s'est fait tuer au Vietnam », a-t-il dit. « Les funérailles ont lieu demain, et ses parents aimeraient que tu y assistes. » Encore aujourd'hui, je me rappelle très précisément l'endroit de l'autoroute où mon père m'a annoncé la nouvelle.

Je n'avais jamais vu un soldat dans un cercueil militaire auparavant. Mark était si beau, si mature. Une seule pensée me traversait l'esprit à ce moment-là: *Mark, je donnerais tout le ruban adhésif du monde si tu pouvais seulement me parler.*

L'église était pleine à craquer des amis de Mark. La sœur de Chuck a chanté « The Battle Hymn of the Republic ». Pourquoi fallait-il qu'il pleuve le jour de ses funérailles? C'était déjà bien assez triste de se recueillir près de sa tombe. Le pasteur a dit les prières d'usage et le clairon a résonné. Les proches de Mark ont défilé un à un pour jeter un peu d'eau bénite sur le cercueil.

J'étais la dernière à bénir le cercueil. Lorsque je me suis approchée, un des soldats qui étaient porteurs du cercueil s'est approché aussi. « Étiez-vous l'enseignante de mathématiques de Mark? » a-t-il demandé.

J'ai répondu oui, les yeux rivés sur la tombe. « Mark m'a beaucoup parlé de vous. »

Après les funérailles, la plupart des anciens camarades de classe de Mark se sont rendus à la ferme de Chuck pour manger. Les parents de Mark étaient là, et ils sont venus vers moi. « Nous aimerions vous montrer quelque chose », a dit le père de Mark en sortant un portefeuille de sa poche. « On a trouvé cela sur Mark quand il a été tué. Nous pensons que ça vous dira quelque chose. »

En ouvrant le portefeuille, il a sorti avec précaution deux vieux morceaux de papier qui, manifestement, avaient été dépliés, repliés et rafistolés bien des fois. Avant même de les regarder, j'ai compris tout de suite que ces feuilles étaient la liste que j'avais rédigée des bonnes choses que les camarades de Mark avaient écrites à son sujet. « On veut tant vous remercier d'avoir fait cela », a dit la mère de Mark. « Comme vous le voyez, ce sont des bouts de papier que Mark a chéris. »

Les anciens camarades de classe de Mark se sont peu à peu joints à nous. Charlie a souri timidement et a dit : « J'ai encore ma liste. Elle est dans le tiroir du haut de ma commode à la maison. » La femme de Chuck a dit : « Chuck, lui, m'a demandé de mettre la sienne dans notre album de mariage. » « J'ai encore la mienne aussi, a lancé Marilyn, elle est dans mon journal intime. » Puis Vicki, une autre camarade de classe, a fouillé dans son sac, a sorti son portefeuille et nous a montré sa liste devenue un vieux bout de papier. « Je l'ai toujours avec moi, a-t-elle ajouté. Je pense que nous avons tous gardé notre liste. »

C'est à ce moment-là que je me suis assise pour pleurer. J'ai pleuré pour Mark et pour tous ses amis qui ne le reverraient plus jamais.

Helen P. Mrosla
Un 1er bol de Bouillon de poulet pour l'âme

*Les enseignants ont
une influence sur l'éternité;
en fait, nul ne sait où cesse leur influence.*

Henry Adams

Mademoiselle Hardy

Arrive un jour dans la vie où l'on fait cette ren-
contre mystérieuse d'une personne qui recon-
naît ce que l'on est et ce que l'on peut être,
éveillant ainsi notre potentiel ultime.

Rusty Berkus

J'ai commencé ma vie d'écolier avec une difficulté
d'apprentissage importante. J'avais ce problème de dis-
torsion de la vision qu'on appelle « dyslexie ». Souvent, les enfants dyslexiques apprennent les mots
rapidement, mais ils ignorent qu'ils ne les voient pas de
la même façon que les autres. Pour moi, le monde était
un endroit merveilleux rempli de ces formes globales
appelées *mots*. Au tout début, à l'école, j'ai été capable
de mémoriser visuellement un tas de mots, et mes
parents étaient plutôt optimistes devant ma grande
capacité d'apprendre. À mon grand désarroi, cependant, j'ai découvert en première année que les lettres
étaient plus importantes que les mots. Les enfants dyslexiques écrivent les lettres à l'envers et à rebours, et ils
ne les disposent pas dans le même ordre que tout le
monde. C'est pourquoi mon enseignante de première
année m'a étiqueté comme enfant souffrant de troubles
d'apprentissage.

Elle a noté par écrit ses observations me concernant et les a remises à mon enseignante de deuxième
année au cours de l'été, de sorte que celle-ci a eu un pré-
jugé négatif à mon égard avant même de me rencontrer
en septembre.

Autre problème: beaucoup d'enfants dyslexiques voient souvent la réponse à un problème de mathématiques, mais pas la démarche pour y arriver. Je suis donc arrivé en deuxième année capable de voir les réponses des problèmes de mathématiques, mais incapable de comprendre la démarche pour arriver à ces réponses. J'ai alors découvert que la démarche était plus importante que la réponse. Complètement intimidé par le processus d'apprentissage, je me suis ensuite mis à bégayer. Incapable de parler avec assurance, incapable de résoudre des problèmes de mathématiques simples, incapable de disposer correctement les lettres de l'alphabet, j'étais un désastre ambulant. J'ai donc rapidement adopté la stratégie suivante: me réfugier au fond de la classe, demeurer invisible et, lorsqu'on me posait une question, répondre en marmonnant: « J-j-j-je n-n-ne s-s-sais pas. » Mon destin était tout tracé.

Avant même de me connaître, mon enseignante de troisième année savait que je ne pouvais pas parler, écrire, lire ou résoudre des opérations mathématiques. Elle ne manifestait donc pas un grand optimisme à mon égard. J'ai alors découvert que je pouvais faire semblant d'être malade pour m'aider à m'en sortir. Ainsi, je m'arrangeais pour passer plus de temps avec l'infirmière de l'école qu'avec mon enseignante, ou je me trouvais de vagues raisons pour rester à la maison ou y être renvoyé. Ces tactiques m'ont beaucoup servi en troisième et quatrième année.

Quand j'ai commencé ma cinquième année, j'agonisais intellectuellement. Heureusement, Dieu m'a mis sous la tutelle de l'impressionnante Mlle Hardy, connue dans l'ouest du pays comme l'une des plus redoutables enseignantes à l'élémentaire qui fût. Au tout début de l'année, cette femme imposante de un mètre quatre-vingt-deux a mis ses bras autour de moi en disant : « Ce garçon n'a pas de difficultés d'apprentissage, il est excentrique. »

Évidemment, on accorde beaucoup plus de potentiel à un enfant excentrique qu'à un enfant en difficulté d'apprentissage. Mais Mlle Hardy est allée plus loin encore. Elle a ajouté : « J'ai parlé avec ta mère, et elle m'a dit que tu te souviens presque photographiquement des textes qu'elle te lit. C'est simplement que tu n'arrives pas à bien assembler les mots et les morceaux. La lecture à voix haute semble aussi te poser problème, alors quand je vais te demander de lire à voix haute en classe, je te le ferai savoir à l'avance pour que tu puisses mémoriser le texte la veille, à la maison ; comme ça, tu pourras faire semblant devant les autres enfants. Aussi, ta mère m'a dit que lorsque tu examines quelque chose, tu peux en parler avec une grande compréhension, mais quand elle te demande de lire les mots ou même d'écrire sur le sujet, tu sembles perdre le fil et ne plus voir le sens. Donc, quand je demanderai aux autres enfants de lire et d'écrire les travaux que je leur donne, tu pourras partir à la maison et, avec plus de temps à toi et moins de pression, tu les feras et me les apporteras le lendemain. »

Elle a poursuivi : « J'ai remarqué aussi que tu sembles hésitant et craintif quand vient le temps d'exprimer tes opinions. Or, je pense que toutes les idées d'une personne méritent considération. Donc, je vais utiliser un truc qui va peut-être t'aider, en tout cas il a aidé un homme appelé Démosthène — es-tu capable de dire Démosthène? » « D-d-d-d… », ai-je essayé. Elle a continué. « Eh bien, tu finiras par être capable. Démosthène avait une langue indisciplinée, alors il plaçait des pierres dans sa bouche et il s'est exercé à parler jusqu'à ce qu'il ait bien maîtrisé sa langue. J'ai quelques billes pour toi que j'ai lavées; elles sont trop grosses pour être avalées. À partir de maintenant, quand tu devras parler en classe, tu les mettras dans ta bouche, tu te lèveras et tu parleras jusqu'à ce que je puisse t'entendre et te comprendre. » Évidemment, aidé par la confiance qu'elle avait en moi et sa capacité de me comprendre, j'ai pris le risque, j'ai maîtrisé ma langue et j'ai pu commencer à exprimer mes opinions.

Lorsque je suis passé en sixième année, j'ai eu la même enseignante qu'en cinquième. J'ai donc eu la chance de passer deux années entières avec Mlle Hardy.

Les années ont passé et je me suis toujours informé de Mlle Hardy. J'ai appris il y a quelques années qu'elle avait un cancer en phase terminale. Convaincu qu'elle se sentirait seule sans son élève spécial qui se trouvait à mille six cents kilomètres loin d'elle, j'ai naïvement acheté un billet d'avion et traversé toute cette distance pour me mettre en file (du moins de façon figurée) derrière plusieurs de ses élèves spéciaux — des gens qui, comme moi, avaient toujours pris de ses nouvelles et étaient venus en pélerinage pour la revoir une dernière fois et partager leur affection pour elle à la fin de sa vie. Les personnes rassemblées formaient un groupe hétérogène très intéressant: trois sénateurs américains, douze législateurs d'État, des présidents et directeurs d'entreprises. Chose intéressante, je me suis rendu compte que les trois quarts d'entre nous étaient entrés en cinquième année très intimidés par l'école, persuadés qu'ils étaient incapables, insignifiants et totalement dépendants du destin ou de la chance. Dieu merci, notre rencontre avec Mlle Hardy en cinquième année nous a tous permis de croire que nous étions des personnes capables, importantes et influentes qui avions le potentiel de nous distinguer si nous voulions bien essayer.

H. Stephen Glenn, Ph.D.
Un 2e bol de Bouillon de poulet pour l'âme

*Le secret de l'éducation
réside dans le respect de l'élève.*

Ralph Waldo Emerson

À l'institutrice
de première année de Beth

Je ne connaissais pas l'homme qui marchait devant moi ce matin-là, mais j'avais remarqué que nous marchions tous les deux la tête un peu plus haute que d'habitude, alors que nos filles nous tenaient la main. Nous étions à la fois fiers et craintifs en ce grand jour: nos filles commençaient leur première année. Nous nous apprêtions à les confier, pour un temps du moins, à cette institution qu'on appelle l'école. Lorsque nous sommes entrés dans le bâtiment, l'autre homme m'a regardé. Nos regards se sont croisés quelques secondes seulement, mais cela a suffi. Notre amour pour nos filles, nos espoirs pour leur avenir et notre souci pour leur bien-être transparaissaient dans nos yeux.

Vous, leur institutrice, étiez à la porte pour nous accueillir. Vous vous êtes présentée et avez indiqué aux filles où s'asseoir. Nous avons embrassé nos petites et sommes ressortis. Nous ne nous sommes pas adressé la parole, ni dans le corridor, ni dans le stationnement. Nous étions trop absorbés dans nos pensées. Nous pensions à vous.

Il y avait tant de choses que nous voulions vous dire, Mme l'institutrice. Trop de choses, en fait. Alors je vous écris. J'aimerais vous dire ces choses que nous n'avons pas eu le temps de vous dire ce matin de la rentrée.

J'espère que vous avez remarqué la robe de Beth. Elle lui allait à ravir. Et ce n'est pas parce que je suis son père que je le dis, elle-même se trouvait jolie dans sa robe et c'est ce qui importe. Savez-vous que nous avons passé une grosse semaine à faire les magasins pour trouver LA robe qui conviendrait pour cette occasion unique? Elle ne vous le montrera pas, mais je suis certain qu'elle aimerait que vous sachiez qu'elle a choisi cette robe pour la façon dont celle-ci voletait quand elle dansait devant le miroir de la salle d'essayage. Dès qu'elle l'a revêtue, elle savait que c'était la robe qu'elle cherchait. J'espère que vous avez remarqué. Un seul mot de vous, et cette robe serait encore plus éblouissante.

Les chaussures de Beth en disent long sur elle et sur sa famille. Elles valent sûrement une minute de votre temps. Si vous vous rappelez bien, ce sont des souliers de cuir bleu marine munis d'une courroie. Des souliers solides, bien faits, du style enfant sage, vous voyez le genre. Ce que vous ne savez pas, c'est qu'il a fallu bien des arguments pour convaincre Beth de les acheter, elle qui voulait le type de souliers que « toutes les autres filles » auraient. Nous avons dit non aux chaussures en plastique mauves, ou roses, ou orange.

Beth avait peur que les autres enfants rient de ses chaussures « de bébé ». En fin de compte, elle a essayé les souliers bleus et nous a dit, en souriant, qu'elle avait toujours aimé les souliers à courroie. On reconnaît là le désir de plaire de l'aînée! Elle est comme ses chaussures: solide et fiable. Comme elle serait heureuse que vous mentionniez ces courroies!

J'espère que vous ne tarderez pas à remarquer que Beth est timide, bien qu'elle soit très bavarde avec ceux qu'elle connaît bien. Avec elle, vous devrez faire les premiers pas. Ne vous méprenez pas sur cette timidité qui pourrait passer pour une nature peu éveillée. Beth peut déjà lire n'importe quel livre pour enfants. Elle a appris à lire de la façon dont on devrait l'enseigner. Elle l'a appris naturellement, lovée dans son lit entre sa mère et moi pour lire des histoires à l'heure de la sieste, le soir avant de dormir, ou çà et là au cours de la journée. Pour Beth, les livres sont synonymes de moments agréables passés au sein d'une famille aimante. Je vous en prie, ne transformez pas son amour de la lecture en une pénible corvée. Il nous a fallu toutes ces années pour lui inculquer l'amour des livres et de l'apprentissage.

Saviez-vous que Beth et ses amis ont joué à l'école durant tout l'été en prévision de la rentrée? Me permettez-vous de vous raconter comment elle faisait la classe? Elle demandait à ses élèves d'écrire quelque chose chaque jour. Elle encourageait ceux qui disaient ne pas savoir quoi écrire. Elle les aidait à épeler des mots. Un jour, elle est venue me voir, l'air troublé, pour me dire que vous seriez peut-être déçue qu'elle ne soit pas capable d'épeler le mot « soustraction ». Elle en est capable maintenant. Vous n'avez qu'à le lui demander. Quand elle jouait à l'école, cet été, on n'entendait que des encouragements et la voix douce d'une enseignante rassurante. J'espère que son école imaginaire deviendra réalité dans votre classe.

Je sais que les enseignants sont très occupés en début d'année scolaire, alors je serai bref. Toutefois, je ne voudrais surtout pas oublier de vous parler de la veille de cette première journée. Nous avons mis son dîner dans sa boîte à lunch des Câlinours, et ses fournitures scolaires dans son sac à dos. Nous avons préparé sa robe spéciale et ses chaussures, lu une histoire et éteint les lumières. Je lui ai donné son bisou et souhaité bonne nuit. Au moment de sortir de sa chambre, elle m'a fait revenir et m'a demandé si je savais que Dieu écrivait des lettres aux gens et les mettait dans leur tête.

Je lui ai dit que je ne le savais pas et lui ai demandé si elle avait reçu une lettre. Elle a répondu qu'elle en avait reçu une lui disant que sa première journée d'école allait être un des plus beaux jours de sa vie. J'ai essuyé une larme du revers de la main en souhaitant *Faites qu'il en soit ainsi.*

Plus tard, ce soir-là, j'ai découvert une note que Beth avait laissée pour moi: « Je suis très chanceuse de t'avoir comme papa. » Eh bien, Mme l'institutrice de première année de Beth, je pense que vous êtes très chanceuse d'avoir Beth comme élève. Nous comptons tous sur vous, nous qui vous avons confié nos enfants ce matin-là, et nos rêves aussi. Quand vous prenez nos enfants par la main, relevez la tête un peu plus haute et marchez un peu plus fièrement. Être enseignant implique une énorme responsabilité.

Richard F. Abrahamson, Ph.D.
Un 3e bol de Bouillon de poulet pour l'âme

Les pensées que l'on nourrit s'inscrivent d'elles-mêmes en nous. Elles nous influencent bien plus encore que nos relations sociales avec nos proches. Nos amis les plus intimes ont moins d'impact sur notre vie que les pensées que nous portons en nous.

J.W. Teal

M. Washington

Un jour, en quatrième secondaire, je suis allé dans une salle de classe pour attendre un copain. Lorsque je suis entré, l'enseignant, M. Washington, est apparu soudainement et m'a demandé d'aller au tableau pour écrire quelque chose, trouver une solution. Je lui ai répondu que je ne pouvais pas. Il a dit: « Et pourquoi donc? »

Je lui ai dit: « Parce que je ne suis pas un de vos élèves. »

Il a répondu: « Ça ne fait rien. Va au tableau quand même. »

J'ai dit: « Je ne peux pas. »

Il a répété: « Pourquoi? »

Je n'ai pas répondu tout de suite, car j'étais embarrassé. Je lui ai finalement dit: « Parce que je suis un déficient léger. »

Il s'est approché de moi, m'a regardé dans les yeux et m'a dit: « Ne dis plus jamais ça. Il ne faut pas prendre pour une réalité l'opinion qu'une autre personne a de toi. »

Ce fut un moment extrêmement libérateur pour moi. D'un côté, j'étais humilié parce que les autres élèves avaient ri de moi. Ils savaient que j'étais en classe spéciale. Mais d'un autre côté, je me sentais libéré parce que M. Washington avait attiré mon attention sur le fait que je n'avais pas à vivre confiné dans les limites de l'opinion des autres à mon égard.

C'est ainsi que M. Washington est devenu mon mentor. Avant cet incident, j'avais échoué deux fois à l'école. Lorsqu'on m'avait étiqueté comme déficient léger en cinquième année du primaire, on m'avait retiré de ma classe de cinquième pour me remettre en quatrième. J'avais aussi échoué ma deuxième année d'école secondaire. En me parlant ainsi, M. Washington a donc fait une grande différence dans ma vie.

Je dis toujours que M. Washington était un disciple de Goethe, qui a déclaré ceci: « Considérez un homme tel qu'il est, et il ne peut que devenir pire. Mais considérez-le tel qu'il pourrait être, alors il deviendra ce qu'il devrait être. » M. Washington avait aussi fait sienne cette maxime de Calvin Lloyd: « Une personne ne peut s'élever si elle doit répondre à des attentes peu élevées. » Par conséquent, il donnait toujours l'impression d'avoir des attentes élevées à notre égard. De notre côté, nous nous efforcions tous de répondre à ses attentes.

Un jour, alors que j'étais encore au premier cycle du secondaire, je l'ai entendu donner un discours à des finissants de cinquième. Il leur disait: « Vous avez de la grandeur en vous. Vous portez quelque chose de spécial. Si seulement l'un de vous peut entrevoir sa pleine mesure, ce qu'il est véritablement, ce qu'il a d'unique, ce qu'il peut apporter au monde, alors dans un contexte historique, l'humanité ne sera plus jamais la même. Vous pouvez faire en sorte que vos parents soient fiers de vous. Que votre école soit fière de vous. Que votre communauté soit fière de vous. Vous pouvez toucher la vie de millions de personnes. » Il parlait aux finissants, mais on aurait dit que ce discours s'adressait à moi.

Je me rappelle quand ils se sont levés debout pour l'applaudir. Par la suite, je l'ai rattrapé dans le stationnement: « M. Washington, vous vous souvenez de moi? J'étais dans l'auditorium quand vous avez parlé aux finissants. »

Il a dit: « Que faisais-tu là? Tu n'es pas un finissant de cinquième. »

« Je sais », lui ai-je répondu. « Mais c'est à cause de votre discours; j'ai entendu votre voix en passant près de la porte de l'auditorium et je suis entré. On aurait dit que vous me parliez, monsieur. Vous disiez aux finissants qu'il y avait de la grandeur en eux. Je l'ai entendu. Y a-t-il de la grandeur en moi aussi, monsieur? »

Il a dit: « Oui, M. Brown. »

« Mais comment se fait-il que j'aie échoué mes cours de français, de maths et d'histoire, et que je doive suivre des cours d'été pour me rattraper? Comment se fait-il, monsieur? Je suis plus lent que les autres. Je ne suis pas aussi intelligent que mon frère ou ma sœur, qui va à l'université de Miami. »

« Ça n'a pas d'importance. Ça veut seulement dire que tu dois travailler plus fort que les autres. Tes notes ne déterminent pas qui tu es ou ce que tu peux faire dans ta vie. »

« Je veux acheter une maison à ma mère. »

« C'est possible, jeune homme. Tu en es capable. » Et il s'est tourné pour s'éloigner.

« M. Washington? »

« Que veux-tu maintenant? »

« Euh… Je suis celui dont vous parliez tout à l'heure, monsieur. Souvenez-vous de moi, souvenez-vous de mon nom. Un jour, monsieur, vous entendrez parler de moi. Vous serez fier de moi. Je suis celui dont on parlera, monsieur. »

L'école a été très difficile pour moi. Si je finissais par passer d'un niveau à l'autre, c'est seulement parce que je n'étais pas un mauvais garçon. J'étais un bon jeune, un gars drôle. Je faisais rire les autres. J'étais poli. J'étais respectueux. Alors les enseignants me faisaient passer de justesse, ce qui ne m'aidait pas. M. Washington, lui, avait des attentes à mon égard. Il m'a rendu responsable. Et il m'a donné la capacité de croire que je pouvais comprendre, que je pouvais y arriver.

M. Washington m'a enseigné en dernière année du secondaire, même si j'étais en classe spéciale. Normalement, les élèves en classe spéciale ne prennent pas le cours d'art dramatique, mais l'école avait pris des arrangements spéciaux pour que je sois avec M. Washington. En effet, le directeur s'était rendu compte du lien spécial et de l'influence positive que cet enseignant avait sur moi, puisque j'avais commencé à obtenir de meilleurs résultats scolaires. Pour la première fois de ma vie, je figurais au tableau d'honneur. Heureusement, car je voulais faire la sortie de fin d'année avec le département d'art dramatique et il fallait figurer sur ce tableau pour y participer. C'était un miracle pour moi!

M. Washington a complètement transformé l'image que je me faisais de moi-même. Il m'a permis de me voir autrement, au-delà de mon conditionnement mental et des circonstances de ma vie.

Des années plus tard, j'ai produit cinq émissions spéciales qui ont été diffusées à la télévision publique. Des amis à moi ont téléphoné à M. Washington quand mon émission « Gens de mérite » a passé sur la chaîne éducative de Miami. J'étais assis à côté du téléphone à attendre quand M. Washington m'a téléphoné à Détroit. Il a dit: « Puis-je parler à M. Brown, s'il vous plaît? »

« Qui est à l'appareil? »

« Vous le savez très bien. »

« Oh! M. Washington, c'est vous! »

« Vous étiez bel et bien celui dont je parlais, n'est-ce pas? »

« Oui, monsieur, celui-là même. »

Les Brown
Un 3e bol de Bouillon de poulet pour l'âme

Comment puis-je m'absenter?
Je suis prof!

Au début des années 1960, à New York, j'ai travaillé avec un groupe d'élèves de deuxième et troisième année du secondaire dont la capacité en lecture correspondait à un niveau de deuxième et troisième année du primaire. Je trouvais difficile de ne pas éprouver du désespoir à travailler avec ces élèves, car c'étaient des jeunes qui avaient perdu pratiquement tout espoir face à l'école. Leur assiduité en classe était, au mieux, sporadique. Je crois que plusieurs d'entre eux venaient à l'école simplement parce que la majorité de leurs amis y étaient ce jour-là, et non parce qu'ils pensaient pouvoir y apprendre quelque chose.

Leur attitude était désastreuse. La colère, le cynisme, le sarcasme, l'appréhension de l'échec, la peur d'être ridiculisés ou dépréciés, voilà de quoi étaient faites leurs conversations. J'essayais de leur enseigner en petits groupes et individuellement, mais je dois admettre que les résultats étaient décourageants avec la plupart. Il y en avait bien quelques-uns qui réagissaient plus positivement de temps en temps, mais on ne pouvait jamais dire à quel moment cette attitude marginalement positive disparaîtrait pour laisser place à la maussaderie ou à d'imprévisibles crises de colère.

Un autre problème se posait: à l'époque, il n'existait presque pas de matériel pédagogique pour faire de la récupération avec des élèves du secondaire aussi peu avancés en lecture. Les élèves de cet âge voulaient lire des textes sur les relations personnelles, les fréquentations, les sports et les voitures, pas des textes qui disaient: « Cours, Fido, cours! Regarde la balle. Elle rebondit! » Les jeunes trouvaient mon matériel de lecture trop bébé et trop facile. Malheureusement, le matériel plus intéressant était beaucoup trop difficile pour eux; sa lecture leur aurait causé bien des frustrations. Certains se plaignaient continuellement des textes que je proposais. José, un grand garçon déguingandé à l'accent prononcé, résumait la situation assez facilement: « Hé, man, c'est nul, ce texte. Et stupide en plus! Pourquoi il faut lire cette merde? »

Un jour, une idée a germé dans mon esprit. Je suis allé voir mon directeur de département pour savoir comment rédiger une demande de subvention afin de mettre sur pied un petit projet de tutorat. La subvention obtenue a été modeste, mais elle a permis de financer un projet pilote pendant les huit derniers mois de l'année scolaire. Mon plan était simple, et il a fonctionné.

J'ai « embauché » mes élèves comme *mini-profs* de lecture. Je leur ai expliqué que des élèves de première, deuxième et troisième année de l'école élémentaire la plus près de notre école avaient besoin d'aide en lecture, et que j'avais un peu d'argent pour payer ceux qui m'aideraient à travailler avec ces enfants. Mes élèves m'ont tout de suite demandé si ce travail aurait lieu durant l'école ou après. « Oh, *durant l'école*. En fait, ça remplacera la période que vous avez avec moi. Nous irons à pied à cette école primaire chaque jour pour travailler avec les enfants qui en ont besoin. »

« Vous devez toutefois savoir une chose: si vous ne vous présentez pas, vous ne serez pas payés. Et vous devez comprendre aussi que les jeunes enfants à qui vous enseignerez seront très déçus si vous ne vous présentez pas ou si vous ne travaillez pas consciencieusement avec eux. C'est une grande responsabilité que vous aurez! »

Dix de mes onze élèves ont sauté sur l'occasion de faire partie de ce programme. Le onzième a changé d'idée au bout d'une semaine lorsqu'il a entendu les autres élèves dire à quel point ils aimaient travailler avec les jeunes enfants.

Les enfants du primaire étaient reconnaissants de l'aide, mais ils aimaient encore plus recevoir un peu d'attention de ces ados de leur propre quartier. Ils posaient sur eux un véritable regard d'admiration. Mes jeunes devaient aider deux ou trois enfants chacun. Et ils travaillaient vraiment, lisant eux-mêmes à voix haute et faisant lire les enfants également.

Mon objectif était de donner à mes élèves adolescents une raison de lire des textes d'un niveau aussi jeune. Je me disais que, si je réussissais à leur faire lire ce matériel de façon constante, ils s'amélioreraient sûrement. Et j'avais raison de le croire. À la fin de l'année, les examens ont montré qu'ils s'étaient presque tous améliorés d'une, de deux et même de trois années en lecture!

Le changement le plus spectaculaire, cependant, s'est manifesté dans leur attitude et dans leur comportement. Je ne m'attendais pas à ce qu'ils changent leur tenue vestimentaire en y mettant plus de soin et d'attention, pas plus que je ne m'attendais à ce que le nombre de batailles diminue, alors que leur assiduité avait de beaucoup augmenté.

Un matin, en sortant de ma voiture dans le stationnement, j'ai aperçu José qui se dirigeait vers l'entrée de l'école. Il avait l'air malade. « Ça va? lui ai-je demandé, on dirait que tu fais de la fièvre. » Cet élève était le deuxième du groupe pour son manque d'assiduité.

« Oh, je pense que j'suis un peu malade, M. McCarty », a-t-il rétorqué.

« Alors pourquoi es-tu venu à l'école aujourd'hui? Pourquoi n'es-tu pas resté à la maison? » ai-je demandé.

Sa réponse m'a laissé sans voix: « Oh, m'sieur, je pouvais pas manquer aujourd'hui. Je suis *prof*! Mes élèves ont besoin de moi, non? » Il a souri et est entré dans l'école.

Hanoch McCarty, Ed.D.
Un 4e bol de Bouillon de poulet pour l'âme

LES DÉCIDEURS DE DEMAIN

Reproduit avec l'autorisation de Benita Epstein.

Un cadeau de Brandon

Quand mon fils Brandon était à l'université, loin de la maison, nous nous téléphonions quelques fois par semaine. Nous avions toujours des conversations formidables, mais ce jour-là, notre échange fut très spécial. Il avait 21 ans, presque 22, et il était en troisième année d'université. Il étudiait pour devenir enseignant au niveau primaire et il venait de terminer sa première journée comme stagiaire.

Au téléphone, ses premiers mots ont été: « Maman, j'ai eu ma première expérience d'enseignant aujourd'hui! » Voici comment s'est déroulé le reste de la conversation.

« J'étais un peu craintif, maman, je ne savais pas à quoi m'attendre, mais M. Schindler, l'enseignant expérimenté de la classe qui m'a été assigné pour m'initier au monde de l'enseignement, m'a fait travailler avec quelques jeunes garçons qui avaient de la difficulté en mathématiques.

« Avant que j'arrive, M. Schindler avait dit aux enfants que j'étais dans l'équipe de football de l'université. Alors quand je suis entré dans la salle de classe, les élèves m'ont demandé un autographe! Ça m'a bien fait rire, mais c'est sûr que ça m'a fait plaisir aussi. Ils se comportaient avec moi comme si j'avais fait partie des 49ers. J'ai donc savouré le moment et j'ai signé des autographes, ensuite nous sommes passés aux choses sérieuses.

« Au début, j'ai aidé un petit garçon de huit ans qui avait de la difficulté à saisir un problème de mathématiques. Il m'a regardé tristement en disant: *J'suis pas bon, hein?* Je lui ai répondu que ce n'était pas vrai du tout, et que les maths n'avaient pas été ma matière préférée non plus. Il avait vraiment de la difficulté, mais il a souri en entendant mon commentaire et nous avons continué.

« Quelques heures ont passé. À un moment donné, j'ai entendu M. Schindler dire que c'était maintenant l'heure du lunch. Il a dit: *Brandon, préparons-nous.* Quand il a prononcé le nom Brandon, j'ai instinctivement levé la tête et j'ai vu M. Schindler s'approcher de moi avec un fauteuil roulant. Il l'apportait au petit garçon avec qui je travaillais. Je n'avais aucune idée qu'il s'appelait Brandon, et encore moins qu'il avait un handicap physique; personne ne m'en avait parlé. Nous avons donc aidé le petit Brandon à passer de sa chaise au fauteuil roulant. Je n'en ai rien laissé paraître, mais j'avais le cœur gros. M. Schindler m'a regardé et m'a proposé: *Brandon, pourquoi ne mangeriez-vous pas avec Brandon?* Ensuite, il s'est penché et a donné au petit Brandon deux cacahouètes; c'est une gâterie que M. Schindler aime donner pour récompenser un élève qui travaille fort. Les élèves l'apprécient beaucoup; pour eux, c'est un cadeau synonyme de félicitations.

« Pendant qu'il avançait dans le corridor en fauteuil roulant, le petit Brandon s'est retourné vers moi et a dit: *Wow! Je porte le même prénom que toi!* Maman, si tu savais comme il avait l'air fier d'avoir le même nom que moi! Quand nous sommes arrivés à la cafétéria, il m'avait déjà posé un million de questions, mais je me souviens surtout de celle-ci: *Comment c'est de courir pour attraper un ballon de football?* Il m'a dit qu'il n'avait jamais été capable de marcher, qu'il s'était toujours déplacé en fauteuil roulant.

« Mais le clou de la journée, c'est quand nous sommes arrivés à la porte de la cafétéria et que le petit Brandon s'est exclamé : *Attendez, monsieur Flood...*, ça m'a fait bizarre car je ne suis pas habitué à me faire appeler ainsi... *Monsieur Flood*, ça a toujours été le nom de mon père, pas le mien. Il a freiné et fait tourner son fauteuil pour mieux me voir, il a ouvert sa petite main et m'a tendu ses deux cacahouètes en disant : *Je veux vous les donner, monsieur Flood, parce que vous m'avez beaucoup aidé aujourd'hui.* Je me suis arrêté tout net, mes yeux ne pouvaient plus se détacher de ces deux arachides, et j'étais très ému, incapable de regarder le petit Brandon.

« J'avais devant moi un petit garçon qui n'avait jamais marché, qui n'avait jamais utilisé ses jambes, qui n'avait pas expérimenté toutes les choses que, moi, j'ai expérimentées enfant, et pourtant il avait un cœur débordant de gentillesse. Il me donnait ses deux arachides ! Maman, ce petit garçon ne sait pas l'effet qu'il a eu sur ma toute première journée d'enseignement. Tout ce que j'ai pu dire, c'est : *Merci, Brandon !* »

En écoutant mon fils me raconter cette histoire au téléphone, un mouchoir n'attendant pas l'autre pour essuyer mes yeux, j'ai pris conscience que *mon* petit Brandon à moi avait grandi ! Et je n'avais plus aucun doute, après cette conversation, qu'il deviendrait un *enseignant* merveilleux et bienveillant !

Myrna Flood
Chicken Soup for the Parent's Soul

7

VAINCRE LES OBSTACLES

*Le but de l'éducation est de préparer
les jeunes à s'éduquer eux-mêmes
toute leur vie durant.*

Robert Maynard Hutchins

Soutenir M. Donato

L'éducation n'est pas une chose que l'on obtient en quelques années; elle est le processus de toute une vie.

Gloria Steinem

Si on peut mesurer la réussite par le respect que les autres nous portent, par les bons sentiments qu'ils ont à notre égard, par les obstacles qu'ils franchiraient pour nous défendre, sans jamais défaillir, alors Richard Donato est un exemple de réussite.

À l'école primaire Calahan, personne ne voulait laisser partir ce concierge de trente-huit ans. Quand nous avons appris qu'il perdrait son emploi de concierge s'il ne passait pas un test d'équivalence d'études secondaires, tout le personnel de l'école s'en est mêlé, du directeur jusqu'aux employés de la cafétéria. Non seulement M. Donato devait-il passer ce test, mais il devait obtenir une note de 81 ou plus. À son premier essai, il a obtenu quarante et un seulement. Si rien n'était fait, on allait mettre à pied ce décrocheur originaire de New York que toute l'école adorait. Il était travaillant, avait beaucoup d'humour et donnait de sages conseils aux jeunes. Nous avions peu de temps devant nous pour agir, mais nous avons essayé de l'aider.

Toute l'école Calahan a retroussé ses manches et s'est mise au travail. Les enseignants arrivaient tôt le matin et repartaient tard l'après-midi pour aider M. Donato à faire les apprentissages qu'il lui manquait.

Les enfants l'interpellaient dans les corridors pour l'encourager. « Étudiez bien, M. Donato, comme vous nous dites toujours de faire! »

M. Donato prenait son heure de dîner et les pauses des récréations pour étudier avec les enseignantes Mandy Price, Linda Babb et d'autres. Il suivait également des cours du soir conçus dans le but de l'aider à passer le fameux test.

Ses efforts ont alors commencé à porter fruit.

À son deuxième essai, M. Donato a obtenu cinquante pour cent. À son troisième essai, soixante-quatre, et à son quatrième, soixante-seize.

Il était à cinq points de la réussite. Si proche… mais le temps manquait: si M. Donato ne passait pas le test le samedi suivant, il quitterait l'école Calahan et serait transféré dans une autre école où il n'aurait pas besoin d'un diplôme d'études secondaires pour un travail de concierge.

L'école Calahan a donc décidé de faire pression.

Les enfants ont sorti leurs crayons et ont écrit des lettres à toutes les personnes influentes de leur district scolaire pour leur dire à quel point M. Donato était important pour eux, combien ils l'aimaient et, s'il vous plaît, de le laisser rester à l'école.

Les professeurs et tout le personnel du secrétariat ont écrit aussi des lettres, soulignant que M. Donato était le premier à arriver le matin et le dernier à partir le soir, qu'aucun graffiti n'enlaidissait l'école, que toutes les salles de classe étaient fraîchement balayées chaque matin.

Le concierge de l'école n'a peut-être pas de diplôme d'études secondaires, ont-ils écrit, *mais ça ne veut pas dire qu'il n'est pas l'un des employés les plus appréciés de cette école.*

Nous ne demandons pas que Rich soit exempté de ce test. Nous demandons seulement qu'il puisse rester à l'emploi de Calahan jusqu'à ce qu'il le réussisse, a écrit Mandy Price. *Nous sommes tous convaincus qu'il en est capable.*

Toutefois, étant enseignants, ils savaient que les efforts ne suffisent pas toujours. Ils savaient que la nervosité et la pression peuvent nous envahir, que l'on soit PDG ou concierge, lorsque le succès est si proche. M. Donato allait-il obtenir une note plus élevée encore, ou la pression allait-elle avoir raison de ses efforts et l'empêcher d'obtenir ces cinq points précieux dont il avait désespérément besoin pour garder son emploi?

Le vendredi, veille du test, le téléphone a sonné dans le bureau du directeur de l'école, Rick Wetzell. Il y avait eu un malentendu, lui a-t-on annoncé. Étant donné que M. Donato était à l'emploi du district scolaire depuis dix ans, il pouvait rester. Seuls les nouveaux employés devaient détenir un diplôme d'études secondaires.

M. Donato pouvait conserver son emploi.

Ce vendredi-là, à midi, tout le monde a appris que Rich pouvait rester, qu'il n'avait plus besoin de passer le test.

« Oui, je vais le passer », a toutefois déclaré respectueusement Richard Donato. « Je dois le passer pour mon épouse et mes trois jeunes enfants. Je dois le passer pour moi-même. »

Il voulait donner l'exemple à ces enfants en difficulté que les enseignants lui amenaient pour une petite conversation. Ces jeunes qui voulaient prendre la même mauvaise route qu'il avait prise dans sa jeunesse à New York. « Tu dois rester à l'école et continuer de faire des efforts », leur disait toujours M. Donato. « L'autre route est celle des perdants. »

Le sage concierge avait maintenant l'occasion de donner l'exemple, non seulement en mots, mais avec des gestes.

Le samedi midi, le téléphone a sonné chez l'enseignante Mandy Price.

« Est-ce que c'est Mme Price, la femme qui m'a aidé à *passer ce test*? »

Trop émue pour répondre, Mandy s'est contentée de sourire et d'éprouver de la fierté pour tous ceux et celles de l'école primaire Calahan. Richard Donato avait obtenu 81 dans son test.

Dennis McCarthy

Mes débuts comme enseignante

Enseigner à un enfant, c'est le rendre capable
de faire des progrès sans son enseignant.

Elbert Hubbard

Un de mes premiers emplois comme enseignante a été dans une école alternative. Cette école avait « la pire » des clientèles: des élèves que même les écoles publiques avaient expulsés. Les jeunes que l'on voyait traînant aux portes de cette école vivaient un désespoir muet. Ils étaient vus comme des ratés, comme des individus dont il n'y avait pas grand-chose à attendre. Étant donné que l'école offrait un service de garderie, la clientèle comptait beaucoup de mères adolescentes qui essayaient tant bien que mal de briser le cycle vicieux de la pauvreté. Chacun de nos jeunes savait que nous étions leur dernière chance de faire quelque chose de leur vie.

J'étais relativement nouvelle comme enseignante, alors j'étais terrifiée par ces élèves. La plupart étaient des Afro-américains nés dans les quartiers déshérités du centre-ville. Moi, j'étais une enseignante blanche qui avait grandi dans une banlieue aisée. La vision que j'avais de ces jeunes me venait en grande partie des heures nombreuses de télévision et de films que j'avais vus. J'étais convaincue qu'ils étaient violents et amoraux, et je me voyais, d'une certaine façon, comme leur sauveur, la personne qui changerait leur vie de violence et de misère en une existence paisible et prospère. Si j'avais su à quel point je me trompais…

Lors de ma première journée de travail, les élèves ont senti mon insécurité et essayé de tirer avantage de chacun de mes faux pas. La première scène du film *Esprits rebelles* aurait pu se passer dans ma classe, sauf que, moi, je n'avais aucun truc d'ex-Marine pour m'aider à capter leur attention. J'étais craintive et nerveuse. Je me demandais comment j'avais pu m'imaginer capable d'enseigner à ces incorrigibles. À un moment donné, j'ai décidé de tout laisser tomber, mais quelques heures avant que je donne ma démission, un de mes élèves est venu me voir : « Ne vous inquiétez pas, madame, ils vous mettent à l'épreuve, c'est tout. » Il a souri et a disparu.

Comme je n'ai jamais été du genre à refuser un défi, je suis revenue le lendemain, le surlendemain, de même que les jours après. Au fil des semaines, les difficultés se sont faites moins nombreuses. J'ai compris que j'avais passé le « test » quand j'ai entendu un de mes élèves dire à un autre : « T'as Mlle Nelson ? Super, elle est cool ! »

J'étais venue à cette école avec la ferme intention d'enseigner à lire à ces élèves. Il s'est avéré que ce sont eux qui m'ont appris à vivre. J'ai appris ce qu'était la véritable pauvreté, un entourage qui vous traite comme un raté, la méfiance et la peur qui ne vous lâchent jamais. J'ai appris ce qu'était la joie éprouvée devant les petits bonheurs de la vie. J'ai compris pourquoi une adolescente peut en arriver à désirer avoir un bébé. J'ai compris pourquoi un jeune homme en arrive à se joindre à un gang de rue et même à tuer quelqu'un. Et quand cet élève qui m'avait encouragée dans les premiers jours s'est fait tuer dans une fusillade, j'ai appris beaucoup sur le deuil. J'ai appris encore plus sur la nature humaine et sur la résistance de l'être humain pour ne pas se laisser abattre.

Les élèves dont j'étais la titulaire m'étaient les plus chers. Je les voyais chaque matin lorsque nous nous préparions pour le reste de la journée. Nous parlions de ce qui se passait à la maison, à l'école, et de n'importe quel sujet dont ils voulaient ou avaient besoin de parler. Dans l'après-midi, avant leur départ, nous nous retrouvions souvent dans la salle d'étude à parler encore des événements dans leurs vies.

À cette école, chaque enseignant titulaire était responsable des élèves qui lui étaient assignés. Nous étions leurs porte-parole, leurs amis et parfois même leurs « parents », puisque plusieurs d'entre eux n'en avaient pas vraiment. Quand ils ne se présentaient pas à l'école, nous tentions de savoir pourquoi. Nous nous rendions chez eux pour rencontrer leurs familles. Nous étions toujours disponibles pour leur apporter l'aide dont ils avaient besoin.

Puis, au milieu de l'année scolaire, nous avons appris une mauvaise nouvelle. L'organisation qui nous parrainait venait de vendre le terrain sur lequel se trouvait l'école; à la fin de l'année, notre école allait fermer.

Les enseignants étaient anéantis. Nous aimions ces enfants comme les nôtres et nous détestions l'idée de les abandonner. Nos élèves étaient encore plus découragés que nous. Cette école était leur dernière chance. Un grand nombre d'entre eux n'avaient littéralement nulle part où aller. Les écoles publiques les avaient expulsés et personne d'autre ne les prendrait. Un échec de plus pour eux.

Nos élèves ont réagi à la nouvelle par l'une ou l'autre des attitudes suivantes. Plusieurs ont tout simplement décroché parce qu'ils se sentaient rejetés une fois de plus. Ceux qui sont restés ont décidé de travailler jusqu'au bout et d'en tirer le maximum. Toutefois, voyant que les protestations ne donnaient rien, ils se sont résignés au fait que l'école allait fermer. Ils ont choisi d'autres écoles ou se sont arrangés pour obtenir la note de passage afin que leurs études soient terminées.

Vers la fin de l'année scolaire, je me suis demandé ce que je pouvais offrir à ces jeunes qui m'avaient tant donné, qui m'avaient tant appris sur moi-même, sur mes préjugés et sur les choses vraiment importantes de la vie. Je n'avais pas beaucoup d'argent à l'époque et je savais qu'un cadeau matériel n'impressionnerait pas certains d'entre eux, de toute façon. Alors j'ai décidé d'écrire une lettre à chaque élève, lui disant les merveilleuses qualités que je voyais en lui, mes espoirs et més rêves pour son avenir, et l'impact qu'il avait eu sur mon existence. J'ai écrit à chacun d'eux que je l'aimais.

La veille du dernier jour de classe, j'ai remis mes lettres aux élèves et j'ai attendu calmement, convaincue que ces petits « durs » me trouveraient sentimentale et jetteraient leur lettre à la poubelle. Au lieu de cela, un silence absolu s'est installé dans la classe.

« Est-ce que vous pensez vraiment ces choses? » a demandé un des élèves.

« Évidemment. Chaque mot. »

« Wow! »

Un de mes plus costauds, qui n'avait jamais réussi à l'école avant son arrivée chez nous, restait assis sans rien dire dans un coin de la classe. J'avais l'impression qu'il attendait que je détourne le regard pour jeter sa lettre. Au lieu de cela, il s'est approché, m'a prise dans ses bras et a sangloté comme un petit garçon. Entre deux sanglots, il a murmuré: « Personne ne m'avait jamais dit que j'étais aussi bon avant. »

Mon cœur s'est brisé. Pouvez-vous imaginer: vous vivez votre vie depuis dix-huit ans et personne ne vous a jamais dit à quel point vous êtes précieux et spécial. Personne ne vous a jamais trouvé important en ce monde. Il m'était très difficile de concevoir le désespoir dans lequel cet enfant avait vécu son existence.

Ce jour-là, j'ai décidé que mon rôle d'enseignante ne se limiterait jamais à enseigner à ces jeunes à lire, mais qu'il consisterait surtout à leur enseigner qu'ils sont importants. Depuis ce temps, avant chaque période des vacances, j'écris à chacun de mes élèves une lettre pour leur dire qu'ils sont un vrai cadeau pour moi et pour leurs camarades de classe. À tout coup, quelques-uns éclatent en sanglots, et la plupart sont stupéfaits de constater que quelqu'un se soucie suffisamment d'eux pour leur dire qu'ils sont des personnes précieuses. Les élèves rangent toujours discrètement leur lettre dans leur cartable; certains l'agrafent sur leur agenda. Ils ne veulent pas que la lettre s'égare et qu'ainsi ce qui leur rappelle leur valeur soit perdu à jamais.

Je pense souvent à ces enfants, et je me demande s'ils savent combien de vies ils ont vraiment touchées en ayant d'abord touché la mienne.

Angela K. Nelson

À la fin de la première période, la remplaçante Brenda Angsley a dû se rendre à l'évidence : c'était une école difficile.

Le Gros

J'avais seulement vingt ans et je pesais environ 50 kilos quand j'ai commencé à enseigner. Un des élèves de mon premier cours d'art oratoire avait vingt et un ans et pesait à peu près 130 kilos. Le directeur l'avait accompagné jusqu'à ma classe, lui avait dit de s'asseoir et m'avait lancé: « Il faut se débarrasser de ce jeune, cette année… alors faites-le passer, coûte que coûte! »

C'était ma première expérience comme enseignante au niveau secondaire, ma toute première journée de travail. Étant donné que « faire passer le jeune, coûte que coûte » était contre mes principes, j'ai répondu au directeur: « Non, je le ferai passer parce qu'il le méritera. Il passera, je vous le garantis. »

Ce « jeune » était le cadet d'une famille de sept garçons. Ses frères étaient tous aussi gros que lui, et sa famille ne voulait pas qu'il quitte l'école avant d'avoir obtenu son diplôme. Il avait fait tous les cours possibles et avait une moyenne de D.

Une fois tous mes élèves installés, je me suis présentée et je leur ai expliqué mes attentes. Tout de suite après, je leur ai demandé de présenter un exposé oral sur une bonne action qu'ils avaient faite pour quelqu'un.

Le Gros, comme les autres le surnommaient si affectueusement, n'a pas bougé quand j'ai demandé aux élèves de préparer par écrit ce qu'ils allaient dire. Il restait assis, le regard dans le vide.

Lorsque je me suis approchée de lui, un des élèves m'a arrêtée et dit: « Il ne fait jamais rien. Perdez pas votre temps. »

J'ai remercié l'élève pour son bon conseil, mais je n'en ai pas tenu compte et me suis assise près du Gros. Je l'ai regardé droit dans les yeux comme si j'avais la même stature que lui et j'ai dit: « Commençons ».

« J'vais pas faire cet oral », a-t-il dit avec un grand sourire pour me faire savoir qu'il n'avait pas l'intention de changer d'idée.

« Tu ne peux pas te défiler », lui ai-je répondu avec la même détermination que lui, comme si j'étais plus costaude, plus grande et plus forte que lui. J'ai souri aussi, j'ai attendu un peu, puis j'ai continué à parler comme s'il avait consenti à préparer son exposé. (Pour moi, ce n'était pas une question de volonté, mais une question de droit.) « Penses-y un peu, une bonne action que tu aurais faite pour quelqu'un... » Nous avons commencé à parler, et il a vite fini par me raconter la fois où il avait fabriqué à son neveu une cabane dans un arbre. Ses frères étaient tous menuisiers et fabriquaient tout ce que chacun leur demandait aux alentours, sauf une maison dans un arbre pour leur neveu. Alors le Gros a décidé un jour de la faire lui-même.

Il avait une belle façon de raconter son histoire. On sentait l'amour et la bonté qu'il éprouvait pour ce neveu. On sentait aussi qu'il était très sensible aux besoins d'une autre personne. Après avoir décrit son neveu dans les moindres détails, il a ajouté avec un grand sourire aussi large que son visage: « Ce petit bonhomme était tellement heureux quand je l'ai monté dans sa cabane. Il m'a regardé de là-haut comme si j'avais fait de lui le roi de la montagne. » Puis, secouant la tête d'incrédulité, il a dit: « Vous savez, tout le monde me trouvait fou de faire cette cabane pour lui parce qu'il est si handicapé. »

Nos yeux se sont alors croisés. Les miens étaient noyés de larmes. Je l'ai remercié en souriant, heureuse qu'il m'ait raconté cette histoire émouvante. Je lui ai dit: « J'ai une récompense pour toi: tu seras… le premier à raconter devant tes camarades! » Avant qu'il ne réplique, j'ai demandé l'attention de la classe et annoncé: « Notre premier oral est prêt. » Le Gros m'a alors regardée, terrifié, comme s'il portait soudain le plus lourd fardeau de sa vie. Je me suis empressée de le faire avancer vers l'avant de la classe et lui ai murmuré: « Raconte ton histoire exactement comme tu me l'as raconté. Aie le courage d'être *le roi de la montagne* à ton tour, comme ton petit neveu te l'a enseigné. » Pour l'encourager, j'ai ajouté: « Je crois que tu peux le faire! »

Après un moment, il a ouvert la bouche pour parler. Aussitôt, ses mains se sont retrouvées au-dessus de sa tête. Du même coup, son vieux t-shirt miteux et déchiré a laissé entrevoir son gros ventre qui pendait par-dessus son pantalon. Le Gros ne tenait pas en place. Il se tortillait et se tournait, visiblement mal à l'aise et embarrassé.

J'ai fait signe de la tête. « Commence », lui ai-je dit en remuant les lèvres silencieusement. « Tu ne peux pas te défiler »… tu peux seulement gagner le cœur de tes camarades.

Après son oral, pas un seul de ces finissants sophistiqués n'avait les yeux secs, y compris leur enseignante — moi. Un silence s'est installé. Le Gros restait là, l'air désespéré ou impuissant. Puis des applaudissements à tout rompre ont explosé et se sont transformés en ovation debout. Le Gros a savouré son moment de gloire, en fait, nous l'avons tous savouré.

Je lui ai donné un A. Il a pleuré. « Personne m'a jamais donné un A avant. »

« Tu nous as fait un cadeau en nous racontant ton histoire », lui ai-je dit en reniflant. « Tu mérites un A. » Après cet incident, les élèves se disputaient la première place avec le Gros pour les exposés oraux. De toute ma vie, je n'ai jamais vu quelqu'un s'améliorer autant. Les autres élèves sont devenus ses amis et lui est devenu le leur. Ils l'appelaient encore le Gros, mais avec une réelle affection. Mes élèves étaient si unis et s'appuyaient tellement les uns les autres que chacun avait hâte de faire un exposé oral devant ses camarades.

Mais ce n'est pas tout…

Le semestre suivant, le Gros était dans le cours de journalisme que je donnais. Comme travail, les élèves allaient devoir produire le journal de l'école. Au secours! Je n'avais jamais enseigné le journalisme de ma vie. Je n'avais jamais monté un journal et je n'avais jamais travaillé à un album de finissants, même quand j'étais à l'école secondaire. Mes élèves, qui en étaient à leur deuxième année de journalisme, m'ont demandé où était la maquette pour impression. Je leur ai répondu: « Montrez-la-moi quand vous l'aurez trouvée! » Je n'avais pas la moindre idée de ce qu'était une maquette pour impression. J'ai étudié le manuel du cours et j'ai appris beaucoup.

Cependant, je n'ai pas appris la moitié de ce que le Gros a appris… C'est dans ce cours que j'ai découvert qu'il ne savait ni lire ni écrire. J'étais horrifiée par la politique en place dans nos écoles à cette époque, qui se résumait trop souvent à faire passer les étudiants pour s'en débarrasser et les oublier.

Comment le Gros arrivait-il à faire ses travaux en ne sachant ni lire ni écrire?

Je ne pouvais pas me défiler.

D'accord! J'ai accepté le défi. Pour faire ses travaux, j'ai permis au Gros de recueillir ses histoires en interviewant les élèves. J'ai confié à un étudiant en deuxième année de journalisme que le Gros ne savait pas écrire, et cet élève rédigeait alors chaque semaine l'histoire que le Gros lui dictait. Peu après, d'autres étudiants ont découvert que le Gros était incapable de lire et d'écrire, et lui ont offert leur aide avec enthousiasme.

À cette époque, il n'y avait aucun professeur assigné pour enseigner à lire et à écrire aux élèves de deuxième cycle du secondaire qui ne le savaient pas encore, alors ce sont les camarades du Gros qui ont été ses professeurs.

À la fin de l'année, le Gros pouvait lire et écrire. Il a d'ailleurs écrit ce qui suit.

Une bonne action
que vous avez faite pour moi

Merci. Le bien que vous avez fait pour moi,
j'espère pouvoir le rendre à d'autres un jour.

Le Gros a appris à lire et à écrire
et va recevoir son diplôme!

Il a obtenu un A et la distinction de l'élève s'étant le plus amélioré...

Joyce Belle Edelbrock

« J'aime mes élèves, je ne les aime pas... »

Reproduit avec l'autorisation de Donna Barstow.

L'épanouissement

*L'élève armé d'information gagnera toujours
la bataille.*

Meladee McCarty

Tous les mois d'août, plusieurs nouveaux élèves
viennent nous voir avec des billets médicaux. Le premier jour de classe, la longue liste des élèves aux prises
avec des problèmes de santé est remise aux enseignants, qui notent alors les noms des jeunes se trouvant
dans leur classe et rangent cette liste quelque part.

Un lundi, cinq jours avant la fin du semestre, mes
élèves finissants ont fait leurs exposés oraux; c'était
leur examen final. Je m'étais assise sur le dernier siège
de la rangée du centre pour évaluer les élèves. Rick
était assis de côté, au pupitre devant le mien. Durant les
exposés oraux, il a posé un bras sur le pupitre où je me
trouvais. Il avait des difficultés d'apprentissage et était
en classe d'intégration. Il était aussi maladivement
timide. Lorsqu'il faisait un oral, il agonisait pendant
chaque minute.

Rick ne regardait pas les élèves qui faisaient leurs
présentations; il fixait la feuille sur laquelle je notais les
évaluations. J'étais légèrement irritée par sa curiosité,
mais je ne disais rien. Si cette attention signifiait qu'il
sortait de sa coquille, je ne voulais pas le décourager.

À un moment donné, un mouvement sur mon
pupitre a attiré mon regard. La main de Rick était très
rigide, seul un doigt bougeait convulsivement. Je me

suis soudain souvenue que le nom de Rick figurait sur ma liste d'élèves atteints d'un problème de santé: l'épilepsie. La peur a traversé mon corps durant une fraction de seconde. La tête de Rick est tombée vers l'arrière, ses jambes avaient des secousses. Ce n'était pas le temps de paniquer.

Je me suis levée. « Rick fait une crise. Aidez-moi à l'étendre sur le plancher. Éloignez les pupitres de lui. »

Trevor et Mark ont étendu Rick sur le plancher. Les élèves ont éloigné les pupitres. Trevor a enlevé sa veste flambant neuve dont il était si fier, il l'a mise en boule et l'a placée sous la tête de Rick. J'ai tourné sa tête sur le côté. Mon regard cherchait Amanda, mon élève hyper performante et hyper responsable. « Va chercher Mme Léonard, *tout de suite*! » Elle s'est précipitée à la porte sans jeter un regard derrière.

Rick était en pleine crise de grand mal. Tout son corps était rigide et pris de secousses, de la salive mousseuse sortait de sa bouche. Je me suis agenouillée à côté de lui et j'ai regardé les visages effrayés des élèves. « Merci à vous tous de m'avoir aidée. Maintenant, allez attendre calmement dans le corridor. » La classe s'est vidée.

Dolly Leonard, l'enseignante responsable des classes spéciales, est arrivée et s'est approchée de Rick et moi. Elle m'a regardée: « Vous avez fait les bonnes choses. » Elle a sorti son téléphone cellulaire et a appelé la secrétaire: « Demandez une ambulance. Nous avons un élève qui fait une crise d'épilepsie dans le local 212. »

Dolly est demeurée avec Rick tandis que j'ai rejoint mes élèves. Ils étaient calmes et avaient l'air préoccupé. « Une ambulance s'en vient. Rick va s'en sortir. Allez vous asseoir à la bibliothèque pour le reste de la période. »

Refusant d'aller à la bibliothèque, Trevor est resté avec moi. Nous sommes retournés dans la classe et avons attendu. L'ambulance est arrivée et les ambulanciers ont attaché Rick à une civière et l'ont emmené. Dolly est partie appeler la mère de Rick.

Trevor a repris sa veste souillée de salive et l'a mise dans un sac.

« Désolée pour ta veste », ai-je dit.

« C'est pour ça que les machines à laver existent », a-t-il répondu. Il a regardé le sol où avait été Rick. « Je vais aller aux toilettes. » Il est revenu avec une bonne quantité de papier pour essuyer la salive sur le plancher. Nous avons replacé les pupitres. La cloche a sonné.

« Merci, Trevor. »

Il a hoché la tête et est allé à sa deuxième période.

Rick a été absent le lendemain, mardi. J'ai fait le premier exposé oral de la journée en félicitant mes élèves d'être demeurés calmes et en les remerciant d'avoir aidé. Sachant que le fait de vivre ensemble un incident bouleversant crée des liens, j'ai dit aux élèves: « Cette expérience va sûrement vous apprendre quelque chose sur vous-mêmes et sur les autres. »

Lorsqu'il est revenu en classe le mercredi, Rick a demandé s'il pouvait changer le sujet de son oral. Mon cerveau a rapidement fait le tour de toutes les raisons de professeurs qui me permettaient de refuser sa demande. Mes cordes vocales n'ont pas obéi: « Si tu es certain de pouvoir le préparer en deux jours, bien sûr. »

Rick a présenté le tout dernier oral de la semaine ce vendredi-là: un exposé informatif sur l'épilepsie. Une fois son exposé terminé, il a placé ses fiches de carton sur le lutrin et a regardé ses camarades de classe. Il a parlé du jour où il avait reçu le diagnostic, des différents médicaments qu'il avait essayés, de celui qui fonctionnait bien, de son déplaisir à le prendre. « Pour dire vrai, j'avais cessé de le prendre. C'est pourquoi j'ai fait une crise. Je pense que je devrai le prendre pour le reste de ma vie. » Il a promené son regard. « Je tenais à vous expliquer tout ça parce que vous étiez présents quand ça m'est arrivé. Je veux vous remercier de m'avoir aidé. » Il a baissé les yeux quelques secondes. « Avez-vous des questions à me poser? » a-t-il demandé. Quelques questions timides ont surgi, puis plusieurs autres ont déferlé.

Assise dans la rangée du centre, au dernier pupitre, j'ai observé Rick qui parlait avec assurance et aplomb. Ce garçon maladivement timide avait disparu.

Melinda Stiles

Laissez un miracle
se produire

Quand l'élève est prêt, l'enseignant paraît.

Proverbe chinois

« Il y a une nouvelle élève qui attend dans votre classe », a annoncé la directrice de l'école en me dépassant dans les escaliers. « Son nom est Mary. J'ai besoin de vous parler à son sujet. Venez me voir plus tard dans mon bureau. »

J'ai hoché la tête et vérifié du regard les boîtes de papier rose, rouge et blanc, les pots de colle et les boîtes de ciseaux que je tenais dans mes bras. « D'accord, ai-je répondu, j'arrive tout juste du local de fournitures. Nous fabriquons des enveloppes pour la Saint-Valentin, ce matin. Cette activité sera une bonne façon pour elle de faire connaissance. »

J'enseignais en quatrième année depuis seulement trois ans, mais je savais à quel point les enfants adoraient la Saint-Valentin (qui était dans une semaine seulement). Confectionner ces jolies enveloppes à valentins qu'ils fixaient sur le devant de leur pupitre était une de leurs activités préférées. Mary serait sûrement gagnée par toute l'excitation et elle bavarderait joyeusement avec ses nouveaux amis avant la fin de l'activité. J'ai continué à fredonner en montant l'escalier.

Je ne l'ai pas aperçue tout de suite. Elle était assise à l'arrière de la classe, les mains croisées sur ses genoux. Sa tête était baissée; ses longs cheveux châtains, tombant vers l'avant, caressaient ses joues.

« Bienvenue, Mary, lui ai-je dit, je suis très contente que tu sois dans notre classe. Ce matin, tu pourras confectionner une enveloppe pour déposer tes valentins pour notre fête de la Saint-Valentin. »

Pas de réaction. M'avait-elle entendue?

« Mary? » lui ai-je dit encore, lentement et distinctement.

Elle a levé la tête et m'a regardée dans les yeux. Mon sourire s'est figé. Un frisson m'a traversée et je suis restée sans bouger. Les yeux de cette jolie fillette étaient étrangement vides — comme si le propriétaire d'une maison avait tiré les stores et quitté les lieux. J'avais vu ce genre de regard une seule fois dans ma vie, chez une pauvre femme détenue dans un établissement psychiatrique que j'avais visité en tant qu'étudiante à l'université. « Elle trouvait la vie insupportable », m'avait expliqué le psychiatre au sujet de cette femme, « alors elle s'est retirée du monde ». Le psychiatre a ajouté qu'elle avait tué son mari dans une crise de jalousie démentielle.

Mais, cette petite Mary… Elle était si jeune, elle aurait pu être ma propre nièce adorable… Avec ce regard vide, complètement désert. *Mon Dieu*, ai-je songé, *quelle horreur est entrée dans la vie de cette innocente victime?*

J'avais envie de la prendre dans mes bras et de faire disparaître sa souffrance. Au lieu de cela, j'ai pris quelques livres sur la tablette derrière elle et je les ai placés sur ses genoux. « Voici les manuels que tu vas utiliser,

Mary. Aimerais-tu les regarder ? » Machinalement, elle a ouvert chaque livre, l'a refermé et a repris sa position.

La cloche a sonné à ce moment, et les enfants sont entrés en traînant derrière eux un courant d'air froid et enneigé. Lorsqu'ils ont vu sur mon bureau le matériel de bricolage de la Saint-Valentin, ils jubilaient.

Au cours de la première heure, j'ai eu peu de temps pour me préoccuper de Mary. J'ai accueilli les élèves, aidé Mary à s'installer à sa place, et je l'ai présentée au groupe. Les enfants ont semblé circonspects et confus lorsque Mary n'a pas répondu aux présentations, ou même levé la tête.

Rapidement, pour les distraire de la situation, j'ai distribué le matériel pour fabriquer les enveloppes à valentins et j'ai suggéré différentes façons de les fabriquer et de les décorer. J'ai déposé le même matériel sur le pupitre de Mary et j'ai demandé à Kristie, sa voisine, de lui offrir de l'aide.

Une fois les enfants joyeusement occupés, j'ai fait un saut au bureau de la directrice. « Assoyez-vous, m'a-t-elle dit, je vais vous expliquer. » Cette enfant, m'a-t-elle alors raconté, était très proche de sa mère, ayant vécu seule avec elle dans une banlieue de Détroit. Un soir, il y avait quelques semaines de cela, quelqu'un est entré par effraction dans leur maison et a tué par balle la mère de Mary sous ses yeux. Mary s'est échappée chez un voisin en hurlant. Ensuite, l'enfant est tombée en état de choc. Elle n'a pas pleuré ni mentionné sa mère depuis le meurtre.

La directrice a soupiré et continué. « Les autorités l'ont envoyée vivre avec sa seule parenté — une tante, la sœur mariée de sa mère. Cette tante a inscrit Mary ce matin. J'ai bien peur que nous n'obtenions pas beaucoup d'aide de sa part. Elle est divorcée et a trois jeunes enfants à élever. Mary ne représente pour elle qu'une responsabilité de plus.

« Mais que puis-je faire? ai-je demandé. Je n'ai jamais eu d'élève comme ça. » Je ne me sentais pas à la hauteur.

« Donnez-lui de l'amour, a suggéré la directrice, beaucoup, beaucoup d'amour. C'est une si grande perte pour elle. Il y a la prière, aussi, et la foi, la foi qui la fera redevenir une petite fille normale si vous ne perdez pas espoir. »

Je suis retournée dans la classe et me suis aussitôt aperçue que les élèves évitaient déjà cette enfant « différente ». Apparemment, Mary ne s'en rendait pas compte. Même la gentille petite Kristie se sentait impuissante. « Elle ne veut même pas essayer », m'a-t-elle dit.

J'ai envoyé une note à la directrice pour retirer Mary de la classe pendant une brève période. J'avais besoin de m'assurer l'aide des enfants avant la récréation, avant qu'ils ne commencent à se moquer d'elle comme étant « différente ».

« Mary a vécu une très grosse peine », ai-je expliqué doucement. « Elle reste sans rien faire et sans rien dire parce qu'elle a peur qu'on lui fasse encore du mal. Voyez-vous, sa mère vient de mourir, et elle n'a plus personne pour l'aimer. Vous devrez être très patients et très compréhensifs avec elle. Il faudra peut-être beaucoup de temps avant qu'elle soit capable de rire et de participer à vos jeux, mais vous pouvez faire beaucoup pour l'aider. »

Bénis soient les enfants. Ils peuvent être si aimants quand ils comprennent. Le jour de la Saint-Valentin, l'enveloppe de Mary débordait. Elle a regardé une à une toutes les cartes, sans faire de commentaires, puis elle les a remises dans l'enveloppe. Elle ne les a pas emportées à la maison, mais elle les a au moins regardées.

Un matin, elle est arrivée à l'école insuffisamment vêtue pour le froid mordant qu'il faisait dehors. Ses mains — sans gants ni mitaines — étaient rougies et gercées au sang. Elle semblait ne pas sentir le froid ni ses mains crevassées, mais j'ai quand même cousu des boutons sur son manteau trop mince, tandis que les élèves lui ont apporté bonnets, foulards, chandails et mitaines. Kristie, comme une petite mère, a aidé Mary à s'emmitoufler avant de sortir dehors, et elle a insisté pour marcher avec elle sur le chemin de l'école.

Le glacial mois de mars était à nos portes, et nous n'avions toujours pas réussi à apprivoiser Mary, malgré nos efforts continus. Même ma foi s'étiolait. J'avais le cœur brisé de la voir; je voulais qu'elle retrouve le goût de vivre, qu'elle ressente à nouveau la joie, l'émerveillement, le plaisir et, oui, même la douleur de vivre.

Mon Dieu, ai-je prié, *laissez un petit miracle se produire. Elle en a besoin désespérément.*

Un jour de la fin mars, un des garçons de la classe nous a annoncé, tout excité, avoir aperçu un merle dans la cour d'école. Nous sommes tous accourus à la fenêtre pour voir l'oiseau. « Le printemps est arrivé! » ont crié les enfants. « On devrait fabriquer une bordure de fleurs pour la classe! »

Pourquoi pas? me suis-je dit. *Faisons tout ce qui peut aider à nous garder optimistes.* Nous avons donc choisi du beau papier aux coloris pastels pour faire des fleurs, et des bandelettes de papier brun pour confectionner des paniers. J'ai montré aux enfants comment tresser des paniers et comment fabriquer toutes ces fleurs qui accueillent chaque année le printemps. Me rappelant l'incident de la Saint-Valentin, je ne m'attendais pas à ce que Mary participe, mais j'ai tout de même placé sur son pupitre des feuilles de papier multicolores pour l'encourager à essayer. Puis, j'ai profité de la demi-heure suivante pour trier des retailles de papier au fond de la classe pendant que les enfants y allaient de leurs créations.

Soudain, Kristie s'est élancée vers moi, le visage rayonnant: « Venez voir le panier de Mary, madame. Il est tellement beau! Vous n'en reviendrez pas! »

J'ai retenu mon souffle en apercevant le magnifique panier de Mary. Des pétales de jacinthes délicatement courbées, des jonquilles aux calices finement cannelés, des crocus et des violettes superbement découpées, bref c'était un bricolage digne d'un enfant beaucoup plus âgé.

« Mary, ai-je dit, c'est tout simplement magnifique. Comment as-tu fait? »

Elle m'a regardée avec les yeux brillants de toute petite fille normale. « Ma mère adorait les fleurs », a-t-elle simplement répondu. « Elle faisait pousser toutes ces fleurs-là dans notre jardin. »

Merci mon Dieu, ai-je dit silencieusement. *Vous nous avez donné ce miracle.* Je me suis accroupie pour prendre Mary dans mes bras. Les larmes ont jailli, tout doucement au début, puis elle a sangloté de tout son corps contre mon épaule. Les autres enfants avaient les larmes aux yeux, eux aussi, mais les leurs — tout comme les miennes — étaient des larmes de joie.

Nous avons collé le panier de Mary en plein centre de la bordure à l'avant de la classe. Il y est resté jusqu'à la fin des classes en juin. Le dernier jour d'école, Mary le tenait délicatement dans ses mains pour le rapporter à la maison. Au moment de sortir de la classe, elle est revenue en courant, a cueilli un crocus dans son panier et me l'a tendu. « C'est pour vous », a-t-elle dit. Elle m'a serrée dans ses bras et m'a donné un baiser.

Mary est déménagée cet été-là. J'ai perdu sa trace, mais je ne l'oublierai jamais. Et je sais que Dieu l'a prise sous son aile.

Son crocus est toujours resté sur mon bureau; il me rappelle Mary et le pouvoir miraculeux de l'amour et de la foi.

Aletha Jane Lindstrom

Besoins spéciaux

*Tous les élèves sont capables d'apprendre;
c'est juste qu'ils ne le font pas le même jour, ou
de la même façon.*

George Evans

L'école était commencée depuis deux semaines
environ quand le directeur est venu me dire que j'aurais
une nouvelle élève. En raison d'une récente politique
d'intégration, Kim, une élève avec des besoins spéciaux, serait intégrée dans une classe régulière pour la
toute première fois.

Son dossier contenait quelques informations
importantes. Peu après sa naissance, Kim avait été
abandonnée par sa mère toxicomane et alcoolique. Elle
avait ensuite été trimbalée d'institutions en familles
d'accueil pendant plusieurs années avant d'être adoptée
par un parent éloigné. Kim avait fréquenté une école
spécialisée pour les enfants déficients intellectuels, où
on l'avait souvent immobilisée pour l'empêcher de
s'enfuir ou d'agresser d'autres enfants. Son quotient
intellectuel avait été estimé à quarante.

« On ne peut exiger beaucoup de Kim. Faites de
votre mieux dans les circonstances. L'éducatrice spécialisée vous aidera autant qu'elle le pourra », m'a dit le
directeur.

Le lendemain, j'ai parlé à mes élèves de l'arrivée de
leur nouvelle camarade. Je leur ai expliqué que Kim
avait des besoins spéciaux et que tout notre soutien était

nécessaire pour qu'elle s'adapte à sa nouvelle école. J'ai aussi demandé l'aide de deux fillettes adorables, Deirdre et Rene. Elles se sont offertes pour s'asseoir à côté de Kim et l'aider de toutes sortes de façons. Elles seraient les marraines de Kim.

Le lendemain, lorsque Kim a été conduite dans ma classe de 5e année, une grande tristesse m'a envahie. Sa démarche traînante et courbée ressemblait à celle d'un homme préhistorique. Ses cheveux blonds clairsemés étaient remontés en une queue de cheval digne d'un personnage des Pierre à feu. De la bave coulait de sa bouche. Ses yeux d'un bleu remarquable semblaient sans vie. Elle serrait bien fort une vieille poupée sale.

Mais que vais-je bien pouvoir faire avec cette enfant dans ma classe? ai-je songé. Je me suis toutefois ressaisie rapidement, je lui ai souhaité la bienvenue et j'ai demandé à Deirdre et Rene de venir près de nous. J'ai présenté Kim à ses deux marraines, qui l'ont conduite à son pupitre.

Les enfants ne cesseront jamais de m'épater. Mes élèves ont agi comme si la présence de Kim dans notre classe était tout à fait naturelle. Je ne me rappelle pas une seule fois où ils ont été déplaisants, cruels ou l'ont tourmentée d'une quelconque façon. Au contraire, ils ont accepté Kim comme une des leurs et lui ont manifesté de l'affection. Nous avons continué la classe chaque jour comme avant, en faisant de notre mieux pour faire face à ses crises occasionnelles.

Avec le temps, nous avons remarqué des changements positifs chez Kim. Elle marchait plus droit. Elle ne bavait plus que rarement. Elle commençait à expérimenter avec des crayons, et à montrer de l'intérêt pour les magazines et les livres. Au dîner, Kim ne mangeait plus avec ses doigts; elle utilisait une fourchette ou une cuillère. Elle se mettait encore de la nourriture partout sur son visage en mangeant, certes, mais Rene et Deirdre lui avaient montré comment essuyer sa bouche avec une serviette de papier. Son regard autrefois absent s'allumait de plus en plus. Kim souriait et riait même, de temps à autre. Elle apprenait à tracer sur des lettres pour écrire son nom. Elle disait quelques phrases courtes au lieu de pointer du doigt en disant un seul mot. Bref, chaque jour apportait une nouvelle amélioration.

Le changement ne survenait pas seulement chez Kim, mais chez tous les élèves de la classe. Les enfants étaient plus enclins à s'entraider, plus aimables et plus indulgents les uns envers les autres. Nous devenions davantage une famille qu'une classe.

Un jour, alors que j'étais assise sur mon tabouret devant la classe pour dire les mots de dictée de la semaine, Kim s'est levée et est venue vers moi.

« Oui, Kim, qu'y a-t-il? »

« Kim dit mots », a-t-elle répondu.

« Certainement, Kim. Tu peux m'aider. Viens t'asseoir sur mon tabouret. »

J'ai prononcé le mot de dictée suivant, et Kim le répétait à sa façon bien à elle. Les élèves ont souri et continué la dictée. Le visage de Kim rayonnait! Par la suite, chaque vendredi, Kim m'a secondée pour dire les mots de dictée.

Kim a quitté notre école à la fin de cette année-là pour le premier cycle du secondaire. Je ne l'ai jamais revue, mais je pense à elle souvent. Dans mon porte-monnaie, je garde sa photo qui me rappelle le grand bonheur qu'elle nous a donné à tous. Grâce à elle, nous avons pris conscience que chaque être humain a des « besoins spéciaux », quels que soient sa race, sa religion, sa situation socioéconomique ou son quotient intellectuel, et que le plus important de ces « besoins spéciaux », c'est l'amour.

Frankie Germany

« Vous vous rappelez de moi, Mme Willis ?
Je m'appelle Matt. J'étais dans votre classe
l'année dernière. Depuis cet été, j'ai grandi. »

Reproduit avec l'autorisation de Stephanie Piro.

Un moment
sous les projecteurs

Billie Jo Johnson était une fille à l'apparence plutôt quelconque, au physique assez ingrat, qui suivait mon cours de théâtre la seule année où je l'ai enseigné à son école secondaire. Alors que plusieurs de ses compagnes de classe avaient déjà participé à des concours d'art oratoire, des ateliers d'improvisation et faisaient preuve de talent, Billie Joe n'avait participé à rien. En fait, je me demandais pourquoi elle suivait mon cours de théâtre.

Cette année-là, j'ai décidé que pour le concours de théâtre annuel qui avait lieu dans notre municipalité, et pour lequel nous devions préparer une seule scène, nous jouerions Medea, la tragédie grecque dans laquelle Medea poignarde à mort ses deux garçonnets pour se venger de Jason, son époux, qui l'a abandonnée mais qui aime beaucoup ses enfants.

Il s'agissait d'un projet très ambitieux même pour une troupe plus entraînée, mais j'estimais que nous pourrions nous en tirer correctement si une de mes élèves talentueuses comme Virginia, ou Carol, ou Sharon, jouait le personnage de Medea.

Un lundi, j'ai distribué aux élèves les textes et je leur ai dit que les auditions se tiendraient le vendredi suivant. Le vendredi, comme prévu, les auditions ont eu lieu. Parmi les premières élèves à dire leur texte figuraient les « habituées » comme Virginia. En les voyant, je me suis sentie soulagée, convaincue que

nous pourrions au moins gagner une mention honorable au concours local.

Puis est arrivé le tour de Billie Jo. Elle avait mémo-
risé la partie du texte qu'elle voulait utiliser pour l'audi-
tion. Elle s'est placée devant la classe, a attendu qu'on
fasse silence et a commencé.

Elle s'est transformée totalement. Elle n'était plus
Billie Jo, qui avait 15 ans; elle était Medea, une femme
vengeresse d'âge mur, le regard démoniaque, prête à
tout pour se venger de son mari qui l'avait abandonnée,
même jusqu'à tuer ses enfants. Lorsqu'elle a mimé
l'assassinat au couteau, les élèves et moi avons crié.
Nous étions abasourdis. Devenue Medea, Billie Jo
nous a alors regardés avec un sourire machiavélique et
nous a tenus subjugués pendant une bonne demi-
minute. Elle nous a ensuite relâchés. Wow!

Tout le monde a voté pour Billie Jo, même les filles
qui voulaient le rôle. Les répétitions ont commencé.

Nous avons trouvé des élèves pour le personnage
de Jason ainsi que pour les deux infirmières. Nous
avons aussi trouvé deux garçons de six ans qui joue-
raient les fils de Medea. C'étaient les enfants de Kenny
Frair, le rédacteur en chef du journal local.

Les enfants étant des acteurs naturels, les deux
petits garçons étaient un charme à diriger. Même s'ils
n'avaient pas un rôle parlant, ils mouraient de façon
convaincante aux mains de Medea.

Nous avons remporté facilement la première place
au concours local de Lockwood, puis nous avons gagné
aussi le concours régional de Springfield. Nous étions

maintenant invités à participer au concours national qui se tenait à l'université du Missouri, à Columbia.

C'était tout un exploit pour une petite école secondaire comme la nôtre. Au concours national, nos concurrents seraient des écoles « plus importantes » appartenant à des villes comme St. Louis, Kansas City, St. Joseph et Springfield.

Le concours a eu lieu à guichets fermés à l'auditorium Jesse Hall de l'université. Toutes les pièces présentées, la plupart intellectuelles, ont été excellentes. Juste avant nous, Springfield a reçu une tonne d'applaudissements. C'était maintenant à notre tour, le tour de la petite école Miller.

Le rideau s'est levé et Billie Jo a commencé. En une minute à peine, le petit auditorium est devenu Carnegie Hall, le Théâtre de Paris, le Royal Opera House. Quand Billie Joe, comme enflammée par l'aura diabolique de Medea, a poignardé les enfants, les gens dans la salle se sont levés debout, horrifiés. Lorsque le rideau a tombé, un silence de mort est tombé aussi. Puis, une fois le maléfice rompu, une ovation à tout rompre a explosé.

Les juges nous ont donné le premier prix. Lorsqu'ils m'ont tendu le trophée, une des juges m'a demandé s'il était difficile de diriger les deux petits garçons.

J'ai demandé: « Quels petits garçons? Le temps était tellement mauvais que leurs parents ne leur ont pas permis de venir. »

« Mais j'ai vu deux petits garçons », a dit la juge.

« Non, pas du tout. Billie Jo vous a tellement sub-juguée que vous avez cru voir les deux garçonnets. Elle a mimé cette scène comme elle l'a fait durant les auditions. »

Quelques semaines plus tard, Billie Joe a reçu une offre de bourse pour quatre années d'études univer-sitaires au département de théâtre de l'université du Missouri. Ses parents n'ont toutefois rien voulu enten-dre. Ils ont dit que Billie Jo devait demeurer à la ferme familiale comme toute bonne fille devait le faire. Elle épouserait un jeune homme du coin et hériterait de la ferme un jour. Ses parents voulaient son bien.

Je ne sais pas ce qui est arrivé à Billie Joe. Si elle vit toujours, elle a presque soixante ans maintenant. Elle est probablement sur sa ferme à cuisiner un bon repas pour ceux qui font les foins, car nous sommes en automne au moment où j'écris ces lignes.

Au moins, elle aura eu son moment de gloire sous les projecteurs.

Joe Edwards

« *Plus personne ne sèche ses cours
depuis que nous avons mis cet écriteau
au-dessus de la porte.* »

*Reproduit avec l'autorisation de Earl W. Engleman. Première
diffusion dans* Woman's World *magazine.*

La surprise
d'une remplaçante

Nous demandons la force, et le Grand Esprit nous envoie des difficultés qui nous rendent forts.

Prière amérindienne

La sonnerie du téléphone a rompu le silence de l'aube. J'ai levé la tête de mon oreiller pour voir l'heure. Les chiffres lumineux orangés montraient qu'il était six heures.

Ça doit être une école. Pourtant, je n'ai offert mes services qu'hier seulement.

« Dis-leur non », a marmonné mon mari. Il a roulé sur le côté et tiré la couverture sur ses oreilles.

« Je ne peux pas. C'est mon premier travail. » J'ai pris le combiné d'une main et un stylo de l'autre. Agrippant aussi un bout de papier qui traînait sur la table de chevet, j'ai essayé d'avoir une voix réveillée.

« Allô? »

« Bonjour, ici la secrétaire de l'école secondaire de premier cycle Braden », a dit une voix charmante. « Nous avons besoin d'une remplaçante pour un cours d'éducation à la santé de deuxième secondaire. Êtes-vous disponible aujourd'hui? »

Ce n'était pas mon niveau ni ma matière préférés, mais dans une nouvelle ville et une nouvelle commission scolaire… « Bien sûr », ai-je répondu.

« Je sais que nous sommes à la dernière minute, mais pourriez-vous être là vers 7h30? »

Une heure et demie pour me doucher, m'habiller, conduire la demi-heure de route pour me rendre, trouver l'école, examiner le plan de cours… Ma tête faisait non, mais ma voix a dit oui.

Lorsque je suis entrée dans les bureaux de l'administration juste avant 7h30, la secrétaire m'a tendu un papier portant un numéro de téléphone: « L'enseignant voudrait que vous l'appeliez immédiatement. » Elle m'a accompagnée jusqu'à un téléphone et m'a laissée seule.

J'ai posé par terre mon énorme sac de remplaçante et j'ai composé le numéro. « Bonjour, ici votre remplaçante pour la journée; la secrétaire m'a dit que vous vouliez me parler. »

Une voix d'homme enrouée a alors demandé: « Avez-vous de l'expérience avec des élèves de deuxième secondaire? »

Des images me sont parvenues à l'esprit: j'avais déjà donné le cours d'éducation physique de deuxième secondaire de mon fils et arbitré son match de base-ball, puis j'avais joué au basket avec une classe de filles de deuxième secondaire. « Suffisamment », ai-je répondu.

« Eh bien… Eh bien… », a-t-il continué.

J'attendais. *C'est quoi le problème? Que veut-il me dire?*

Il a finalement parlé: « Aujourd'hui, c'est le cours sur le développement du corps humain. »

Je me suis laissée tomber sur la chaise la plus proche. « Vous voulez dire que c'est leur cours d'éducation sexuelle ? »

« Oui. » Il m'a rapidement donné ses directives. « Divisez la classe en groupes et demandez-leur de discuter des questions que vous trouverez sur mon bureau. Au revoir. » Puis il a ajouté avec sympathie : « Bonne journée ! »

Je me suis précipitée dans le local indiqué, un laboratoire de chimie. Un enseignant s'est alors pointé à la porte qui séparait nos deux locaux. « J'enseigne les maths à côté. Criez si vous avez besoin de quoi que ce soit. »

J'ai acquiescé d'un signe de tête, regardé ma montre et gribouillé mon nom au tableau, puis j'ai cherché les fameuses questions. Sur un bout de papier, j'ai trouvé la première question, de toute évidence écrite par un élève : « Vous êtes la fille et vous êtes enceinte. Vous êtes le garçon et vous êtes le responsable. Que faites-vous ? »

Oh, mon Dieu ! Que faites-vous ? Qu'est-ce que je fais ?

La première cloche a sonné.

J'ai rassemblé les questions, la liste des élèves et le plan de leurs places dans la classe, et je les ai déposés sur une table de laboratoire. Juste au moment où je redressais les épaules et m'étirais du haut de mon mètre soixante-dix, les premiers élèves sont arrivés. La seconde cloche a sonné.

Mon estomac se nouait à chaque nom que j'appelais pour prendre les présences.

Dissimulés derrière la table, mes genoux tremblaient tandis que je regardais trente paires d'yeux au-dessus de sourires qui semblaient dire: « Wow! On a une remplaçante. »

J'ai essayé de me rappeler les discussions que j'avais eues avec mes propres fils sur la sexualité. Aucune ne me revenait. J'avais ce cours à donner à au moins quatre autres classes après celle-ci.

J'ai pris une profonde inspiration, j'ai divisé la classe en groupes et j'ai donné les consignes. Dans la discussion qui a suivi, les élèves ont ri, gloussé, chuchoté et raconté des histoires d'un goût douteux. Je n'avais aucun contrôle sur la classe — une situation très nouvelle pour moi.

Lorsque la cloche a sonné et que les élèves se sont précipités pour sortir, j'ai poussé un bref soupir de soulagement. Je disposais de cinq minutes seulement pour réviser la matière à donner avant la prochaine période. J'ai vérifié l'horaire des cours pour en être certaine.

« Une période de planification! Merci, mon Dieu! » ai-je crié dans la salle de classe vide. J'ai donc élaboré un autre plan de cours et, au bout de ces cinquante minutes, je me sentais relativement prête.

La cloche a sonné. Un autre groupe d'élèves est entré. Je suis restée derrière la table, mes genoux claquant encore.

Après la seconde cloche, je me suis présentée et j'ai pris les présences sans sourire. « Aujourd'hui, nous allons avoir une conversation adulte. Je n'accepterai aucun mauvais langage, seulement la terminologie appropriée. » La force et le calme des mots qui sortaient de ma bouche m'étonnaient moi-même.

Des chuchotements me parvenaient d'un peu partout dans la classe: « sexe… sexe… sexe… ». Mon cœur battait fort. *Au moins, j'ai capté leur attention. Maintenant, je vais les choquer.*

« Pourquoi avoir des rapports sexuels? » ai-je demandé.

Silence total. Les bouches se sont ouvertes, les yeux regardaient le plancher ou le plafond, et les sourires sont devenus affectés.

« Que voulez-dire? » a demandé timidement un charmant garçon blond.

« Seulement ce que j'ai dit. » J'ai répété lentement: « Pourquoi avoir des rapports sexuels? »

Il a souri: « Pour le plaisir! »

« C'est une des raisons », ai-je dit en montrant mon pouce en l'air comme pour compter. « Y a-t-il d'autres raisons? » ai-je continué.

Les sourires se sont éteints, plus personne ne riait. Je pouvais presque voir les idées tournoyer dans leurs têtes. Mes épaules se sont détendues, un peu. Je me sentais en contrôle.

Une jeune fille a avancé une réponse à voix basse: « Pour se reproduire? »

« Bonne réponse! » ai-je dit. « Y en a-t-il ici qui ont déjà vu des sculptures africaines? » Quelques élèves ont fait signe que oui, mais la plupart m'ont rendu un regard interrogateur. Je suis certaine qu'ils se demandaient quel rapport il y avait entre les sculptures africaines et le sexe. J'ai continué. « Qu'y a-t-il de particulier dans ces sculptures ? »

Encore le silence total. Au bout de quelques secondes, quelqu'un a répondu : « Elles exagèrent certaines parties du corps. »

« Quelles parties sont exagérées ? » ai-je demandé en promenant mon regard sur les élèves.

Une fille a lentement levé la main. « La tête est disproportionnée. »

« Les cultures africaines grossissent les parties du corps qui sont importantes. Pourquoi la tête est-elle importante ? »

« Parce qu'elle contient notre cerveau ? » a suggéré un garçon.

J'ai acquiescé de la tête. « Le cerveau est le siège de la connaissance. Qu'est-ce que ces sculptures grossissent encore ? »

Une autre voix s'est essayé : « Les seins ».

« Oui, parce que les seins produisent la nourriture pour les bébés. » Sortant de derrière la table, j'ai continué. « Si j'avais vécu en Afrique il y a une centaine d'années, ou même encore aujourd'hui dans certains endroits, mes trois fils seraient morts. Mon corps ne produisait pas assez de lait pour nourrir mes enfants. »

Deux filles se sont alors lancé un regard furtif, puis elles m'ont regardée d'un air incrédule, mais sans dire un seul mot.

« La reproduction est très importante dans les cultures africaines ainsi que dans la nôtre », ai-je expliqué. « Si mes fils ne se marient pas et n'ont pas de fils à leur tour, le nom de mon mari s'éteindra. » Derrière mon dos, j'avais les doigts croisés — *ce n'était pas tout à fait la vérité…*

« Voulez-vous que votre nom disparaisse, ou voulez-vous qu'il se perpétue après votre mort? »

En parlant ouvertement de mes propres expériences, un lien de camaraderie s'est noué entre les élèves et moi. Le malaise et l'embarras des élèves semblaient s'atténuer.

Au bout d'un moment, j'ai divisé le groupe en équipes. Dans chacune d'elles, j'ai nommé un animateur et un porte-parole. J'ai remis aux équipes une seule question à la fois. Les élèves ont ensuite échangé leurs idées et leurs sentiments avec maturité et ouverture, puis ils ont proposé des solutions aux problèmes proposés.

Pour les autres cours, je suis restée devant la table au lieu de me cacher derrière.

À la fin de la journée, j'ai laissé un petit mot à l'enseignant que je remplaçais, puis. j'ai verrouillé la porte du local. Une voix familière m'a alors saluée: « Bye Mme O. Bonne fin de journée! » C'était le charmant blond qui m'envoyait la main avec un beau sourire, sans aucune moquerie dans les yeux.

Quelques matins plus tard, le téléphone m'a réveillée de nouveau. Les chiffres du réveille-matin indiquaient 5h30.

Mon mari a roulé sur le côté en tirant toutes les couvertures avec lui. « Dis-leur non. »

J'ai répondu au téléphone en cherchant un stylo et un bout de papier.

« Mme Osmundson, ici la secrétaire de l'école Braden où vous êtes venue remplacer lundi dernier. Vous n'enseigneriez pas les maths de deuxième secondaire, par hasard? L'enseignant régulier a spécifié que ce soit vous. »

Après un cours d'éducation sexuelle, je peux enseigner n'importe quoi!

« Le temps de prendre ma calculatrice et je suis là vers sept heures! »

Linda L. Osmundson

Ce que nous faisons aux enfants,
ils le feront en retour à la société.

Karl Menninger

Miracle au gymnase

N'est-ce pas un peu cruel d'envoyer un enfant en fauteuil roulant à une classe d'éducation physique? C'est du moins ce que je croyais jusqu'au jour où je me suis surprise à espionner un cours de Steve Schulten. Steve enseignait l'éducation physique depuis plusieurs années à notre école située à Portsmouth, au New Hampshire. Populaire autant auprès des enfants que des parents, Steve était reconnu pour son dynamisme, son humanisme et sa passion de l'enseignement. Dès son entrée à la maternelle, Jonathan, mon benjamin, attendait avec impatience le « cours d'éduc ». Ensemble, nous marquions un à un sur son calendrier les jours qui le séparaient de ce moment. Ma fille Élizabeth fréquentait la même école. Elle aussi aimait beaucoup Steve et son cours d'éducation physique. Un jour, en route vers la maison après l'école, elle m'avait raconté quelque chose qui m'avait étonnée.

« Aujourd'hui, à mon cours d'éduc, c'était à mon tour de pousser le fauteuil roulant de Tyler », a-t-elle dit sur un ton nonchalant.

« Tyler va au cours d'éduc? » ai-je demandé, n'en croyant pas mes oreilles. Ce garçon était lourdement handicapé. Incapable même de parler, quels bienfaits pouvait-il tirer d'un cours d'éducation physique? J'étais persuadée qu'on dépassait les limites dans son cas, mais comme je faisais confiance à Steve et au directeur de l'école, je me suis bien gardée d'ouvrir la bouche.

Quelques jours plus tard, je suis arrivée avant la fin des classes pour aller chercher mes enfants. En flânant dans le hall d'entrée, j'ai réalisé que le groupe de ma fille était au gymnase. Oui, c'était le « jour du cours d'éduc » et l'occasion était idéale pour jeter un coup d'œil et voir ce qu'il s'y passait.

J'ai été témoin d'un miracle. Les élèves participaient à une course de relais et j'ai alors vu ma fille qui s'approchait du fauteuil roulant de Tyler. Lorsque son tour est arrivé, elle l'a poussé de toutes ses forces vers l'autre extrémité du gymnase. Même si Tyler semblait ne se rendre compte de rien, quelque chose de plus extraordinaire encore était en train de se produire. Une fois rendus à l'autre bout du gymnase, ma fille et quelques-uns de ses amis se sont précipités autour du fauteuil roulant de Tyler.

« Lâche pas, Tyler! » se sont-ils exclamé.

« Tu as aimé ça? » a demandé l'un d'entre eux.

Ils lui ont donné une accolade et des tapes sur l'épaule pour le féliciter. J'ignorais si Tyler avait conscience de ce qui se passait. J'ignorais s'il sentait le vent sur son visage lorsqu'on poussait son fauteuil rapidement dans le gymnase. J'ignorais même si du plaisir ou des rires se cachaient derrière ce visage impassible.

Je savais toutefois une chose : les enfants présents dans ce gymnase étaient des faiseurs de miracle. Ils étaient des exemples de tolérance absolue dans un monde de discrimination. Ils traitaient ce garçon handicapé physiquement et intellectuellement comme eux-mêmes auraient voulu être traités. En retour, ils apprenaient le sens du mot *compassion*. Ils apprenaient aussi une forme de communication si innocente et si naturelle lorsqu'elle vient des jeunes enfants :

communiquer avec leur amour. Même si Tyler était incapable de s'exprimer avec des mots, quelque chose en lui faisait comprendre aux enfants qu'il connaissait l'amour et pouvait en comprendre le langage.

De son côté, Steve animait le cours comme si de rien n'était. Je suis restée tapie derrière la porte pour que personne ne voie cette mère aux yeux embués de larmes espionner le cours d'éducation physique de sa fille.

Je ne sais pas si Steve était conscient des leçons qu'il enseignait à ces enfants. Chose certaine, en plus de leur apprendre différents sports et leurs règles, et de les sensibiliser à l'importance d'une bonne santé, de l'exercice et de l'esprit sportif, il permettait que soit créée une atmosphère de joie dans ce gymnase. Il permettait à des enfants capables de voir et d'entendre d'être en contact avec un enfant qui ne pouvait faire ni l'un ni l'autre. Et il encourageait leur esprit de compassion.

Lorsque cet homme prendra une retraite bien méritée, j'espère qu'un ancien élève ou qu'un ancien parent louangera avec enthousiasme ses accomplissements. Pendant toutes les années qu'il aura consacrées à l'enseignement de l'éducation physique, il aura renforcé beaucoup plus que des muscles et développé leur souplesse. Il aura incité des jeunes à garder un cœur en santé, tant physiquement qu'émotionnellement. Un gymnase n'est pas l'endroit qui vient immédiatement à l'esprit comme lieu propice à l'enseignement de la compassion. Mais à notre école, cet enseignant et ses élèves ont prouvé le contraire.

Kimberly Ripley

La vertu de l'excellence

Chaque personne possède un don.
Il suffit de le découvrir.

Evelyn Blose Holman

L'année était déjà bien entamée lorsque Maggie a hérité d'une classe d'élèves défavorisés. En guise d'explication, le directeur de l'école s'était borné à lui dire que l'enseignante titulaire était partie soudainement et qu'il s'agissait d'une classe d'élèves « spéciaux ».

À son arrivée dans cette classe, il régnait un vacarme assourdissant. Des boulettes de papier volaient dans tous les sens et plusieurs élèves avaient posé les pieds sur leur pupitre. Maggie s'est immédiatement dirigée vers son bureau et a ouvert le livre des présences. À côté de chaque nom listé était inscrit un nombre entre 140 et 160. *Intéressant*, s'est-elle dit. *Pas étonnant qu'ils soient si débordants d'énergie. Ces élèves ont des quotients exceptionnels!* Elle a souri, puis les a ramenés à l'ordre.

Au début, la plupart des élèves ne faisaient pas leurs devoirs. Les rares parmi eux qui travaillaient remettaient des travaux bâclés. Maggie leur a parlé de leur don inné, de leur talent. Elle leur a répété qu'elle attendait de chacun d'entre eux rien de moins que le meilleur travail. Elle leur rappelait constamment leur responsabilité d'utiliser toute l'intelligence que Dieu leur avait donnée.

Les choses ont commencé à changer. Les élèves ont pris l'habitude de s'asseoir droit sur leur chaise et de travailler avec assiduité. Leurs travaux étaient imaginatifs, précis et originaux. Un jour, le directeur passait près de la classe et s'est arrêté pour observer ce qui s'y vivait. Il a vu des enfants au visage attentif qui rédigeaient une composition.

Un peu plus tard dans la journée, il a fait venir Maggie à son bureau. « Qu'avez-vous fait à ces enfants? » lui a-t-il demandé. « Leur travail surpasse celui de toutes les classes régulières. »

« Eh bien, cela vous étonne? Ce sont des élèves surdoués, non? »

« Surdoués? Ce sont des enfants en classe spéciale. Des enfants qui ont des troubles de comportement et un retard d'apprentissage. »

« Les quotients intellectuels inscrits sur la feuille de présence sont pourtant très élevés. »

« Ce ne sont pas leurs quotients intellectuels. Ce sont leurs numéros de casier! »

« Peu importe », a rétorqué Maggie.

Linda Kavelin-Popov
Proposée par Susanne M. Alexander

8

DANS LES COULISSES DE L'ENSEIGNEMENT

Je ne suis pas ton enseignant,
seulement un compagnon de route
à qui tu as demandé ton chemin.
Droit devant, ai-je pointé,
devant moi, de même que devant toi.

George Bernard Shaw

Marié à la pré-maternelle

Lorsqu'une personne découvre la joie d'apprendre, cela devient un processus de toute une vie qui n'a jamais de fin et qui forme un individu capable de penser. Là résident la joie et le défi d'enseigner.

Marva Collins

Ma bien-aimée et moi roulions à vive allure, environ 20 km/h au-dessus de la limite permise, à 320 kilomètres au nord de San Francisco. Sur la banquette arrière se trouvait Andrew, notre fils, étudiant de deuxième année à l'université. Devant nous se trouvaient 960 kilomètres de la route la plus ennuyante à l'ouest du Kansas et, après cette route, la maison.

Il était presque neuf heures du matin et mes yeux-en-manque-de-caféine luttaient contre la torpeur du touriste soumis depuis quatre jours à un régime de cris enthousiastes d'Andrew du genre « Wow, regardez là-bas! Avez-vous déjà vu quelque chose de pareil? » En effet, notre grand garçon de plus de vingt ans nous guidait fièrement à travers la splendeur verdoyante des forêts de séquoias du nord de la Californie.

À ma droite se trouvait ma femme, Jan, qui profitait d'un « Tu conduis en premier, je fais une petite sieste et je te remplace quand tu seras fatigué. » Soudainement, j'ai entendu une voix impérative ponctuée par un coup de coude pointu dans les côtes. « Oh! Regarde. Arrête! » En une fraction de seconde, trois pensées ont traversé mon esprit pendant que j'écrasais la pédale de frein et rangeais la voiture sur l'accotement. « Qu'est-ce que j'ai frappé? » « Est-ce que ça va? » « A-t-on oublié quelque chose? » Aucune de ces réponses. Jan a plutôt pointé en direction d'une scierie de l'autre côté de la route et d'un tas de sciure de séquoias, sciure qui conviendrait parfaitement à la table de poterie de la deuxième demeure de ma femme, c'est-à-dire le local numéro 2 de l'école pré-maternelle Growing Place.

En cinq minutes, nous avons fait un virage en U illégal à travers les mauvaises herbes du terre-plein central; acheté de la sciure à un type qui se demandait bien ce que nous allions en faire; enlevé les taies des deux oreillers qui se trouvaient dans la voiture; et malgré la pluie qui recommençait à tomber, rempli tant bien que mal de sciure trempée des taies-d'oreiller-qui-ne-serviraient-jamais-plus.

Ma femme, qui souriait béatement, a laissé tomber un « Les enfants vont adorer ». Cette seule pensée justifiait amplement le nettoyage fastidieux de ses semelles encrassées de sciure boueuse. De mon côté, son seul sourire justifiait amplement mes efforts. Vous devez être prêt à accepter l'inexplicable lorsque vous êtes marié à une éducatrice de pré-maternelle.

En effet, ce n'est pas le genre de choses auxquelles on s'attend lorsqu'on épouse une femme splendide qui termine des études en danse et qui se destine à joindre les rangs de la troupe du Radio City Music Hall. Tout a commencé quand notre fils Andrew a eu trois ans et qu'il est entré à l'école pré-maternelle Growing Place. Jan a alors proposé ses services comme aide-éducatrice. Andrew adorait la pré-maternelle et ma femme venait de trouver une nouvelle carrière.

Les dés ont été jetés le jour où elle est entrée dans la maison en disant: « Je pense que je vais continuer à enseigner à la pré-maternelle même si Andrew n'y va plus. Ça me gardera jeune. » C'était il y a dix-neuf ans. Elle aime toujours ce travail qui, sans l'ombre d'un doute, l'a gardée jeune!

En tant qu'auteur, j'ai écrit et produit plus de cent disques pour enfants ainsi que plusieurs émissions de télévision. J'ai la réputation de bien connaître les jeunes enfants, ce qui est le cas. Cependant, si j'en sais tant sur les tout-petits, c'est parce que je partage ma vie avec une éducatrice qui se soucie des bambins de son groupe de pré-maternelle comme s'ils étaient les siens. Elle se préoccupe autant de leur bien-être en classe qu'à l'extérieur de la classe. Pour une foule de raisons logiques (et parfois illogiques), ses petits diablotins de trois et quatre ans deviennent des membres de notre famille élargie.

Pendant que notre fils grandissait et poursuivait sa vie et ses études, les groupes de Jan nous ont donné d'autres enfants à s'occuper et à chérir. Cette pré-maternelle n'est pas une garderie, mais une école où le personnel adhère à son programme et se consacre entièrement aux enfants, collectivement et individuellement. C'est d'ailleurs une exigence d'embauche.

Je le sais mieux que quiconque, car depuis dix-neuf ans, c'est comme si j'y travaillais moi-même. Je sais ce que Sarah a dit, ce que Peter a fait, ce que Jennifer a peint, et ce que Jason A. et Jason W. ont accompli. J'ai entendu parler des progrès de Mélinda et des manigances de Jake dans la cour de récréation. J'ai été témoin des interminables conversations téléphoniques entre Jan et les autres éducatrices pour essayer de résoudre les problèmes de tel ou tel enfant à l'aide de solutions inédites.

Cela dure depuis dix-neuf ans et, pour une raison que je ne saurais expliquer, j'adore cela. Je sais que je fais partie d'un club sélect d'hommes qui n'entrent jamais dans un magasin sans jeter un coup d'œil sur les trucs susceptibles d'être utiles à leur épouse éducatrice de pré-maternelle.

« Super! Des éponges en forme de dinosaures... J'en prends six paquets. » « Des marqueurs parfumés à trois dollars le paquet? J'en achète trois ou quatre paquets? » Chaque fois que je mets les pieds dans un quelconque commerce, je sais que je peux tomber sur un truc nouveau que les enfants vont adorer. Les hommes dont l'épouse n'enseigne pas à la pré-maternelle ne connaîtront jamais la délicieuse sensation de tenir un paquet d'épingles à linge multicolores et de déclarer avec enthousiasme: « Qu'en penses-tu? Seulement 1,50$ pour un paquet de 28. » Ils n'auront pas non plus le bonheur d'entendre la réponse magique: « Formidable. Je les adore. Peux-tu m'en prendre six de plus? »

Un homme qui n'est pas marié à une éducatrice de pré-maternelle ne peut comprendre la fascination de voir sa femme jongler avec les utilisations possibles de la dernière trouvaille de son conjoint: « Je me demande ce que nous pourrions faire avec ces épingles? Peut-être les utiliser avec de la pâte à modeler? Ou les coller ensemble? » Un mari innovateur y trouve un tout nouveau champ d'exploration. En prime, il garde son esprit jeune et alerte.

La pré-maternelle de Jan accepte des enfants aux besoins particuliers, par exemple des enfants autistes. Et le trouble du déficit de l'attention? Lorsque j'étais à l'école, on n'en entendait jamais parler, ou peut-être que ça portait un nom différent. Jan rapporte à la maison les problèmes de ces enfants spéciaux, leurs espoirs et leurs réalisations, et nous partageons toutes ces choses ensemble. Nos conversations à table tournent souvent autour du dernier article sur l'autisme ou sur le trouble du déficit de l'attention publié dans le journal de fin de semaine.

Les préoccupations de Jan à propos de ses élèves font partie de notre quotidien. Et notre vie ensemble n'en est que plus riche et plus remplie. La carrière d'éducatrice de pré-maternelle de Jan nous a permis de partager joies, accomplissements et souvenirs. Même si Jan et moi avançons en âge, chaque début de septembre apporte son lot de nouveaux noms, de nouveaux visages et de nouvelles personnalités à connaître, à aimer et qui nous feront rire. C'est le nouveau groupe de Jan, notre nouvelle famille élargie.

Je n'aurais jamais connu cette joie si ma bien-aimée n'avait pas troqué ses souliers à claquettes pour du matériel de bricolage. C'est un travail qui ne paie pas beaucoup, mais c'est une vie dont les richesses sont incomparables.

Roy Freeman

Les poèmes

J'avais des papillons dans l'estomac en voyant s'approcher de mon pupitre mon enseignante de sixième année, Mme Cloe. Elle nous remettait nos poèmes corrigés, et j'avais hâte de voir ma note. J'aimais écrire et j'avais travaillé très fort sur mon recueil de poèmes. Tous les soirs pendant un mois, j'avais fignolé chaque strophe avec soin, couché sur mon lit. Je voulais que chaque poème chante, danse et coule comme l'eau d'une source.

Mme Cloe était une enseignante intelligente et dynamique qui parlait tout en marchant; moi, j'avais l'impression qu'elle flottait dans la classe. J'étais secrètement amoureux d'elle. Je voulais qu'elle me remarque et, comme j'étais terriblement timide et que je levais très rarement la main, j'espérais attirer son attention avec ma poésie.

Arrivée près de moi, Mme Cloe a déposé mes poèmes sur mon pupitre. J'avais utilisé deux feuilles de carton recouvertes d'un doux tissu bleu pour relier mes poèmes à la manière d'un livre. Je me rappelle avoir entendu les chuchotements et les ricanements de mes camarades alors qu'ils comparaient leurs notes. Leurs poèmes étaient écrits sur de vulgaires feuilles de papier attachées avec des agrafes ou des trombones, et non reliées comme je l'avais fait. J'étais persuadé d'avoir un A, et peut-être même un A+. Mme Cloe aimait écrire des commentaires à côté des notes; j'avais hâte de lire ce qu'elle pensait de mes poèmes et de moi.

Mon cœur battait à tout rompre lorsque j'ai tourné la page couverture pour voir ma note inscrite au haut de la page: F. Aucun mot, aucune explication, seulement la lettre F en rouge. Une vague de chaleur a traversé mon corps. J'avais peine à respirer. Après la classe, j'ai rassemblé tout mon courage pour aller voir Mme Cloe à son bureau. « Ce n'est pas toi qui as écrit ces poèmes », a-t-elle dit sur un ton sévère. « Ils sont trop bons. Tu dois les avoir copiés. » J'étais en état de choc. Je ne trouvais rien à dire. Je crois que j'ai bredouillé: « Non, je n'ai pas copié », puis je suis sorti de la classe en courant et me suis hâté vers la maison.

J'ai rapporté les paroles de Mme Cloe à mes parents. Très vexée, ma mère a dit qu'elle allait lui parler. « Non, ne fais pas ça, lui ai-je dit. Ne dis rien. Ça ne va qu'empirer les choses. Ne m'embarrasse pas. » Ma mère a finalement accepté de rester à l'écart, mais ce soir-là, elle a tout raconté à ses amies au téléphone. Je me rappelle l'avoir entendue répéter la même phrase encore et encore. « Comment Mme Cloe peut-elle prouver une telle chose? Je veux dire, comment Mme Cloe peut-elle prouver une telle chose? »

Le lendemain après la classe, je suis allé voir de nouveau Mme Cloe avec mes poèmes et je lui ai dit: « Ma mère veut savoir comment vous pouvez prouver une telle chose. » Elle a répondu: « Prouve-moi que tu ne les as pas copiés. » Je réfléchissais aux paroles de Mme Cloe. Je sentais son regard furieux sur moi, mais j'étais trop nerveux pour la regarder dans les yeux. Je fixais un bouton bleu sur son chemisier, sans trop savoir quoi lui répondre. Mme Cloe a rompu le silence. « D'accord. Voilà ce que nous allons faire, a-t-elle annoncé. Je vais hausser ta note à C, mais je ne veux plus en entendre parler. »

Je suis revenu à la maison plus dépité encore que la veille. Je me sentais trahi. J'avais même laissé les poèmes sur le bureau de Mme Cloe. Je n'en voulais plus. Le C était pour *cancre*. Ou *Cloe*. Je détestais Mme Cloe. C'est alors qu'une idée a commencé à se frayer un chemin dans mon esprit. C'est cette même idée qui a fait de moi un écrivain professionnel. *Si Mme Cloe pense que j'ai copié mes poèmes, c'est que mes poèmes doivent être très bons. Je dois être un très bon écrivain. Je dois être un excellent écrivain !* Soudainement, j'ai ressenti ce sentiment puissant d'avoir du talent — comme s'il n'y avait aucune limite à ce que je pouvais faire. Mes parents avaient toujours cru en moi et me répétaient que je pouvais devenir qui je voulais. Je pense que, d'une certaine façon, cela m'a aidé à croire en moi; mais avec Mme Cloe, c'était différent à mes yeux. Pour la première fois, une personne qui n'était pas membre de ma famille me disait que j'avais du talent. Évidemment, Mme Cloe ne l'avait pas dit exactement de cette façon, mais c'est ainsi que je l'avais compris. Et à partir de ce moment, ce C a signifié pour moi « confiance ».

Les années ont passé et je suis devenu auteur de livres pour enfants. Je n'ai pas oublié Mme Cloe. Je lui ai pardonné depuis longtemps et, en rétrospective, cet incident a été une bénédiction. En fait, Mme Cloe a été ma source secrète d'inspiration, même si c'était involontaire de sa part. Comme j'ai écrit beaucoup de livres destinés aux élèves de l'élémentaire, j'ai souvent espéré qu'elle soit encore enseignante, qu'elle voie mon nom sur une couverture de livre et qu'elle se remémore l'incident.

Il y a quelques années, Mme Cloe est décédée. Un ami qui habite toujours ma ville natale dans le nord de la Californie m'a fait parvenir l'avis de décès et j'ai décidé d'assister à ses funérailles. Ma femme m'a accompagné. Pendant le voyage, elle m'a demandé si j'avais l'intention de dire quelques mots à l'assistance en tant qu'ancien élève. Ma femme était au courant de l'incident avec Mme Cloe et de son profond impact sur ma vie. « Non, je ne dirai pas un mot », ai-je répondu. « Je vais me contenter de lui rendre un dernier hommage et de revoir quelques amis d'enfance. »

Pendant les funérailles, plusieurs personnes ont livré un témoignage sur Mme Cloe, dont des anciens élèves. Mis à part l'incident des poèmes, Mme Cloe avait été une enseignante merveilleuse. Vers la fin du service funèbre, un homme s'est approché du lutrin. C'était M. Cloe. Après avoir remercié toutes les personnes présentes, il a mis ses lunettes de lecture, a ouvert un mince livre à couverture bleue et a commencé à lire :

Tenir bon — il faut tenir bon.
Pas seulement du bout des doigts,
Mais s'agripper.
La vie est sacrée.
Il faut la goûter. Et tenir bon.
Profiter de toutes ses beautés.
Et tenir bon,
Avant de partir,
Pour ne plus jamais revenir.

J'étais en état de choc. C'était mon poème. Je me rappelais chaque mot. Malgré tant d'années, j'en étais certain. Maintenant je reconnaissais le livre que tenait M. Cloe. C'était ce doux tissu bleu que j'avais utilisé pour la page couverture. J'avais peine à le croire.

Après le service funèbre, j'ai demandé à M. Cloe si je pouvais voir le livre. J'ai aperçu une lueur dans ses yeux lorsqu'il me l'a tendu. Comme d'autres personnes attendaient pour lui serrer la main, je me suis éloigné pour feuilleter le livre avec ma femme. Il contenait environ une douzaine de poèmes et je m'en rappelais quelques-uns. J'ai même vu un F rouge à moitié effacé. En remettant le livre à M. Cloe, j'ai dit en souriant que c'étaient de jolis poèmes, sans toutefois préciser que j'en étais l'auteur. « Oui, a répondu M. Cloe, c'étaient les poèmes préférés de Judy. Elle les gardait dans le tiroir de sa table de chevet et les sortait de temps à autre pour les lire. »

Jeff Savage

Renforcement positif

Agissez comme si votre geste pouvait tout changer, car c'est le cas.

Source inconnue

Il y a plusieurs années, j'occupais le poste de directeur adjoint d'une grosse école secondaire publique de 1 400 élèves. J'aimais ce travail qui comportait plusieurs aspects gratifiants; toutefois, la surveillance des trois périodes de repas représentait une véritable corvée. S'assurer que les élèves ne se bousculent pas dans la file d'attente, ne se lancent pas de purée de pommes de terre à la figure ou n'utilisent pas les petits pois comme projectiles, étaient loin d'être mes tâches préférées sur le plan professionnel.

La période précédant les grandes vacances était la pire à la cafétéria. Un jour, j'ai remarqué un élève qui venait de renverser son verre de lait. Une pagaille totale! Il y avait du lait sur ses vêtements, sur la table, sur le banc, sur le plancher. Tout en continuant à surveiller la cafétéria, j'observais cet élève du coin de l'œil grâce à ma vision périphérique supérieure. J'étais persuadé qu'il profiterait de la première occasion pour prendre la poudre d'escampette et laisser quelqu'un d'autre (moi par exemple) nettoyer à sa place. Je connaissais toutefois le visage de cet élève et je me disais qu'à la minute où il poserait le pied à l'extérieur de la cafétéria, il connaîtrait le mien. Je le forcerais même à nettoyer le gâchis de quelqu'un d'autre afin qu'il comprenne à quel point c'est « amusant ».

J'ai vu le jeune homme se lever, prêt à prendre la fuite. À ma grande surprise, il s'est plutôt approché du comptoir sur lequel j'étais appuyé pour prendre plusieurs serviettes de table et retourner sur la scène du crime. Après avoir essuyé la table et le banc, il s'est mis à quatre pattes pour essuyer le plancher. Se frayant un chemin jusqu'à la sortie, il a jeté les serviettes trempées de lait dans une poubelle et a quitté la cafétéria.

Revenu de ma surprise, je lui ai emboîté le pas pour le rejoindre dans le corridor. Je lui ai demandé son nom et l'ai félicité pour son geste et son savoir-vivre. Il a répondu « Pas de problème » et a poursuivi son chemin. J'ai alors eu l'idée d'appeler chez lui dans la journée.

Un peu après 17 heures, lorsque je suis monté à bord de ma voiture pour rentrer à la maison, je me suis souvenu que j'avais oublié de contacter les parents du jeune homme. J'ai d'abord pensé attendre au lendemain, mais je me suis dit qu'il valait mieux le faire immédiatement. Je suis donc retourné à mon bureau; j'ai retrouvé sa fiche d'inscription et téléphoné à son domicile. Après quelques sonneries, une dame a répondu.

« Bonsoir. Mon nom est Rich Kornoelje et je suis directeur adjoint à l'école de votre fils. »

J'ai entendu un long soupir à l'autre bout du fil. Du coup, j'ai réalisé que les seules fois où j'appelle les parents, c'est pour parler d'un problème ou annoncer une mauvaise nouvelle. J'ai rapidement ajouté : « Votre fils m'a vraiment démontré aujourd'hui qu'il avait reçu une bonne éducation… » Puis j'ai raconté toute l'histoire.

Au début, il y a eu un silence. Puis j'ai entendu quelques reniflements, suivis de sanglots. Après avoir retrouvé son calme, la mère m'a dit: « Vous ne saurez jamais à quel point votre coup de fil est important pour moi. Mon mari m'a quittée il y a plusieurs années et j'ai dû élever seule ce garçon. Ce n'est pas facile. Je sais comment il se comporte à la maison en ma présence, mais je me demande toujours comment il se comporte ailleurs. Votre appel est une vraie bénédiction pour moi. »

Cet appel a également transformé ma vie. Depuis ce coup de fil, j'ai pris la résolution de contacter des parents au moins une fois par semaine pour leur annoncer une bonne nouvelle et j'ai même encouragé — sans les y obliger — mes collègues professeurs à faire de même. Et je m'efforce tout particulièrement de contacter les parents d'un élève qui est rarement louangé pour ses efforts. Les parents sont heureux, l'enfant reçoit un renforcement positif, l'enseignant a la satisfaction du devoir accompli et tout le monde y gagne.

Rich Kornoelje

Ce que l'élève veut apprendre
est aussi important que
ce que le professeur veut enseigner.

Lois E. LeBar

Si peu et pourtant beaucoup

Pour éviter la ruée vers l'aéroport, j'avais prévu quitter le congrès avant la conférence de clôture qui serait donnée par Sandra McBrayer, l'enseignante de l'année 1994. Je ne me rappelle plus pourquoi je suis restée assise lorsque Mme McBrayer est montée sur l'estrade, mais je n'oublierai jamais l'histoire qu'elle a racontée.

Sandra a mis de côté le discours qu'elle avait préparé et a parlé avec son cœur. Elle nous a raconté l'histoire d'un de ses anciens élèves au secondaire, un jeune homme brillant et dynamique qui avait vécu dans une peur constante en raison de son homosexualité. Après s'être fait agresser gravement à plusieurs reprises par d'autres élèves, cet adolescent avait fini par confier un jour à son père les tourments qu'il vivait à l'école. Le père, mort de honte en apprenant l'homosexualité de son fils, avait réagi en lui infligeant une correction encore plus brutale que celles qu'il avait reçues à l'école, et pire que toutes celles que son père lui avait données auparavant. Le jeune homme en était alors venu à la conclusion que seule la rue pourrait être un refuge sécuritaire pour lui. Encore une fois, la vie allait lui imposer une autre épreuve dans la violence en le forçant à se prostituer pour survivre.

Un soir, après une rencontre particulièrement pénible avec un client, ce jeune homme s'était senti au bout du rouleau. Il s'était alors souvenu d'une personne qui lui avait manifesté de la gentillesse: son ancienne enseignante, Sandra McBrayer. Il l'avait appelée. Elle

lui avait demandé de l'attendre près de la cabine téléphonique où elle irait le rejoindre le plus rapidement
possible. Vingt minutes plus tard, elle avait trouvé un
jeune homme au visage décharné et aux yeux bouffis,
tremblant et sur le point de s'effondrer. Toutefois, il
subsistait une lueur de confiance dans le regard et un
soupçon de sourire qu'elle reconnaissait. Elle lui avait
dit de monter à bord de sa voiture sans trop savoir où
elle le déposerait, car il n'avait nul endroit où dormir.
De plus, elle savait qu'aucun refuge ne pourrait lui donner ce dont il avait tant besoin ce soir-là. Faisant fi « des
règlements », elle avait décidé de l'emmener chez elle
pour lui offrir un toit, quelque chose à manger et, surtout, un peu d'espoir.

Sandra avait installé le jeune homme frêle et tremblant dans sa cuisine pour lui servir de la soupe. Après
avoir parlé pendant quelques heures, il avait fini par se
calmer. À un moment donné, il avait lancé un regard
timide à Sandra et avait fait une demande inattendue :
prendre un bain. Sandra avait donc fait couler un bain
en y ajoutant même de la mousse, puis elle était retournée dans la cuisine pour nettoyer en se demandant si
elle n'outrepassait pas son rôle d'enseignante. Elle avait
l'impression que oui, mais elle savait néanmoins qu'elle
referait la même chose, si nécessaire.

Soudain, elle avait entendu des sanglots qui semblaient provenir des tréfonds de l'âme de ce jeune
homme. Lorsqu'il était revenu dans la cuisine peu après
son bain, Sandra lui avait doucement demandé pourquoi il avait pleuré. Le jeune homme l'avait regardée et
avait dit : « Je suis désolé d'avoir pleuré si bruyamment.
C'était plus fort que moi. J'étais si heureux que je ne

pouvais m'arrêter de pleurer. Je réalisais un rêve de petit garçon. Mon tout premier bain. J'ai toujours voulu m'allonger dans un bain plein de bulles. »

Lorsque je me suis mise en route pour l'aéroport, inspirée par ce témoignage, je me suis dit que je ne devais jamais cesser d'encourager mes collègues enseignants. Nous sommes parfois les seules personnes capables d'avoir une influence positive sur la vie d'un enfant.

Beth Teolis

Dans chaque grand enseignant
sommeille un enseignant encore plus grand.

Source inconnue

Une femme ordinaire

La salle de rédaction où je travaille est si petite que même assise à mon bureau, essayant de me concentrer pour terminer mon article avant la date de tombée, je pouvais voir notre stagiaire me faire signe d'approcher à l'autre bout de la pièce. Elle parlait au téléphone. Je me suis approchée et j'ai vu qu'elle prenait des notes pour une notice nécrologique. Comme ce n'était pas la première fois qu'elle répondait à ce type d'appel, je me suis alors demandé pourquoi elle avait besoin de moi. En voyant ce qu'elle écrivait sous la mention « Laisse dans le deuil », j'ai compris pourquoi elle m'avait fait venir. La femme qui venait de décéder avait 57 enfants et 428 petits-enfants !

J'ai appelé la famille et je me suis présentée comme journaliste. La femme à l'autre bout du fil, s'exprimant avec aisance, s'est présentée comme la doyenne d'une université de la région. Elle m'a raconté que sa mère, Mavis Burlington, venait de s'éteindre plus tôt dans la journée à l'âge de 98 ans. Elle souhaitait que la notice nécrologique soit publiée sans tarder afin que le plus de personnes possible parmi les membres de sa famille puissent assister aux funérailles de sa mère.

Une question prévisible me brûlait les lèvres: « Cinquante-sept enfants? Comment cela était-il possible? » Je possède un sixième sens pour flairer les bonnes histoires. Sauf que cette fois, je me trompais. L'histoire de Mavis n'était pas seulement bonne — elle était tout simplement extraordinaire !

La femme m'a raconté que Mavis était la fille d'anciens esclaves et qu'elle avait grandi dans une petite ferme du sud des États-Unis. Sa famille proche était nombreuse et pauvre. Toutefois, Mavis avait un talent précieux : elle savait lire. Qui lui avait appris cela ? Ses parents ? Un bienfaiteur ? Avait-elle une quelconque formation scolaire ? Impossible de le savoir avec certitude. Pourtant, il n'y avait aucun texte que Mavis Burlington ne pût lire. Et Mavis Burlington ne refusait jamais d'aider quelqu'un à apprendre à lire.

Pendant toute sa longue vie, Mavis avait enseigné aux gens — quels qu'ils soient — à lire. Ses élèves étaient jeunes et vieux, autant des amis que des amis de ses amis. Il y avait aussi de parfaits étrangers qui avaient simplement entendu parler de Mavis et qui amenaient leurs enfants pour une leçon de lecture. Bien entendu, de cette façon, ces gens ne restaient pas bien longtemps des étrangers.

Mon interlocutrice m'a ensuite raconté sa propre histoire. Elle avait grandi dans un HLM de Chicago, au beau milieu d'un quartier aux prises avec des problèmes de drogue, de violence et de pauvreté. Sa mère avait entendu parler de Mavis par l'entremise d'une enseignante de l'école catholique primaire du secteur. Celle-ci ignorait si Mavis, alors âgée de 70 ans, donnait encore des cours de lecture. *Mais cela valait le coup d'essayer,* avait ajouté l'enseignante.

« Mavis vivait dans le quartier sud de Chicago », a poursuivi la femme au téléphone. « Ma mère et moi devions prendre trois autobus différents pour nous y rendre. Mais nous y allions trois fois par semaine. Au début, Mavis me donnait des livres à colorier, puis des livres d'images. J'avais sept ans et j'adorais ça. Après quelques semaines, je suis passée progressivement à l'étape des vrais livres de lecture. J'ignore où Mavis trouvait tous ces livres. Elle n'était pas riche. Son logement était très modeste, comme ceux de la plupart des gens que je connaissais. Elle avait seulement un canapé, une table, une lampe, et des centaines de livres partout! »

Dans mon esprit commençait à se former l'image d'une femme attachante et chaleureuse qui transformait la vie de ceux et celles à qui elle enseignait. J'étais convaincue qu'avec un peu de recherche, je trouverais d'autres élèves de Mavis devenus aujourd'hui de brillants médecins, avocats ou enseignants. Je voulais trouver ces gens sortis de leur misère en apprenant à lire grâce à elle. Je voyais une magnifique femme à la peau ridée tenant la main d'un enfant récalcitrant et lui disant pour l'encourager que « l'ignorance est pire que la pauvreté ». Quand j'ai décrit à la femme comment j'imaginais Mavis, il y a eu un long silence.

Puis elle a dit: « Ce n'est pas tout à fait ça... » Après une pause, elle a ajouté: « Je vais vous présenter une autre personne à qui Mavis a enseigné. Ça vous va? »

Cela me convenait parfaitement; nous nous sommes même donné rendez-vous dans l'après-midi.

Les deux personnes qui se sont présentées formaient un drôle de couple. La femme était dans la mi-trentaine et bien habillée. L'adolescent qui l'accompagnait avait environ dix-sept ans et portait l'uniforme d'une chaîne de restauration rapide. Ils ont pris place sur les chaises que j'avais placées près de mon bureau.

« Jason, parle-lui de Mavis », a dit la femme.

« Elle m'a enseigné à lire. Personne auparavant n'avait essayé comme elle l'a fait, a-t-il raconté. Je pensais que j'étais trop stupide pour apprendre. Mavis me donnait l'impression que les autres professeurs n'avaient pas essayé assez fort.

« Cependant, il y a une chose que vous devriez savoir à propos de Mavis, a poursuivi Jason. Elle n'était pas un sauveur. Et elle ne prétendait pas en être un. Elle disait que, peu importe ce qu'on devenait dans la vie, tout partait de quelque chose à l'intérieur de nous. Ce quelque chose n'avait rien à voir avec elle ou une autre personne. Chacun est responsable de son avenir. Mavis avait quelque chose à l'intérieur d'elle: le besoin d'enseigner. Et elle ne croyait pas qu'elle devait être autre chose que ce qu'elle était: une enseignante. »

« Vous trouverez peut-être des médecins, des avocats ou des enseignants parmi les élèves de Mavis », a ajouté la doyenne de l'université. « Mais vous trouverez aussi beaucoup de gens qui font ce qu'ils peuvent. Vous trouverez aussi des personnes qui ont connu une adversité telle que l'apprentissage de la lecture n'a pas suffi à les sortir de la misère.

« Ce qu'il faut retenir de cette histoire, c'est que Mavis nous a fait un cadeau. Il en revient à chacun de nous de le faire fructifier. Elle nous a fait sentir responsables de nous-mêmes: si nous réussissions, nous pouvions être fiers de nos accomplissements. Si nous échouions, eh bien, ce n'était pas sa faute. Elle ne voulait pas que nous nous sentions redevables envers elle. Aucun remerciement, mais aucun blâme. »

Je commençais à comprendre.

Mavis voulait être considérée pour ce qu'elle était exactement : une enseignante, ni plus ni moins. Pour les deux personnes assises en face de moi, cela avait suffi.

Mavis se voyait comme une personne ordinaire, semblable en tous points aux gens à qui elle enseignait. Elle faisait son travail qu'elle jugeait important. Si, en la côtoyant, ses élèves apprenaient d'autres leçons comme la persévérance, la responsabilisation et le respect de soi, c'est que la capacité de voir ces choses se trouvait déjà en *eux*.

Mavis était une femme ordinaire. Toutefois, des centaines et des centaines de personnes, toutes aussi ordinaires, l'aimaient suffisamment pour se considérer comme ses enfants.

J'avais noté la date, l'endroit et l'heure des funérailles, non seulement pour inclure ces renseignements dans la notice nécrologique, mais également parce que j'avais l'intention d'y assister.

Le jour des funérailles, je me suis rendue au plus grand salon funéraire de notre ville. Malheureusement, il m'a été impossible de lui rendre un dernier hommage ; en fait, je n'ai même pas été en mesure de m'approcher de l'endroit. Le stationnement était plein et il n'y avait aucune place pour se garer dans les rues avoisinantes, ce qui a provoqué le plus gros bouchon de circulation que j'avais jamais vu.

J'ai rebroussé chemin. Après tout, rien de plus normal que sa « famille » ait priorité.

Marsha Arons

9

APPRENDRE
EN ENSEIGNANT

J'ai beaucoup appris de mes enseignants
et encore davantage de mes collègues,
mais ce sont mes élèves qui m'ont appris le plus.

Talmud

Le maître à penser

Apprenez à vos élèves à utiliser les talents qu'ils possèdent; la forêt serait bien silencieuse si on entendait seulement les oiseaux qui chantent le mieux.

Anonyme

« Salut, prof! Ça fait longtemps qu'on s'est vus! » Une salutation plutôt banale lancée par un adolescent à un professeur au retour des grandes vacances. Et pourtant, ce « longtemps qu'on s'est vus » était plus qu'une formule de politesse de la part de cet élève pas comme les autres. Complètement aveugle depuis sa naissance en raison d'un excès d'oxygène dans l'incubateur, il avait su tirer son épingle du jeu dans les programmes réguliers, forçant l'admiration des personnes qui le côtoyaient par son remarquable courage et son « autre » façon de voir les choses.

À l'automne 1986, un jeune garçon âgé de quatorze ans est entré timidement dans ma classe d'anglais. Il était suivi de son aide, Mme Parker, qui transportait un gros engin semblable à une machine à écrire. Mon appréhension s'était toutefois rapidement transformée en anxiété lorsque Mme Parker m'avait présenté mon nouvel élève. Heath Thorson était un étudiant aveugle qui commençait le deuxième cycle du secondaire; ses parents avaient insisté pour que leur fils bénéficie des mêmes chances en éducation que les élèves voyants. En d'autres mots, ils voulaient que leur fils suive le programme régulier d'une école publique.

« C'est trop demander à une enseignante de classe régulière », avais-je d'abord pensé. Après tout, c'était un automne plus exigeant que d'habitude pour moi: à quarante ans, j'étais enceinte. Avec l'enseignement à temps plein et une grossesse à mon âge, ma coupe me semblait suffisamment pleine. Maintenant, je devais m'occuper de ce grand adolescent dégingandé aux besoins particuliers. Puisque l'accueil d'élèves en éducation spécialisée était devenue une loi, je ne disposais d'aucun recours. Il ne me restait qu'à souhaiter la bienvenue à Heath et à espérer pour le mieux.

Nos débuts ont été cahin-caha. Les premières semaines, Mme Parker accompagnait Heath en classe. Comme ils devaient quitter avant la fin des classes pour éviter la cohue dans les corridors, les autres élèves interprétaient ce signal comme le moment de fermer leurs livres. De plus, Heath prenait beaucoup de notes, ce qui signifiait qu'il tapait constamment sur son encombrant engin, une machine à écrire en braille. Chaque frappe sur une touche produisait un bruit discordant. La virtuosité avec laquelle Heath maîtrisait son clavier intriguait et dérangeait à la fois. Puis, peu à peu, tout est rentré dans l'ordre. J'ai même fini par apprécier ce son; je savais qu'il y avait au moins un élève bouillonnant d'hormones qui écoutait mon cours.

Peu importe la matière au programme, la routine de Heath était la même. Mme Parker tapait en braille sans relâche, pour lui, les devoirs à faire, puis elle transcrivait ses travaux en mots écrits pour ses professeurs. Par ailleurs, Heath lisait avec beaucoup de plaisir, à voix haute, des scènes de pièces de théâtre jouées en classe à partir de ses copies en braille.

Pour ses camarades, Heath avait été au début un objet de curiosité. Toutefois, son intelligence, sa vivacité d'esprit et son sens de la répartie ont fini par séduire tout le monde. C'était un blagueur impénitent. Son expertise en reconnaissance des voix et son habileté à se déplacer dans le labyrinthe des corridors de l'école fascinaient ses camarades. À la fin de sa première année de deuxième cycle, Heath était plus que toléré ou même accepté — il était populaire.

Les années ont passé et Heath a entrepris sa dernière année d'études secondaires. Refusant de faire confiance au hasard de l'informatique, j'ai conspiré avec le conseiller pédagogique de Heath pour qu'il soit inscrit dans ma classe. Cette fois, plus question de timidité lors de son entrée dans la classe. Le grand adolescent dégingandé s'était métamorphosé en un beau grand jeune homme plein d'assurance avec des yeux qui ne voyaient rien, mais un cœur qui voyait tout.

Toujours de bonne humeur, Heath adorait exhiber son permis de conduire (avec la mention « valide uniquement à des fins d'identification » imprimée en petits caractères). Il adorait aussi pirater l'interphone pour tester ses nouvelles blagues.

Pour Heath, sa cécité n'était qu'un simple inconvénient; il refusait le mot « handicap ». D'ailleurs, sa cécité avait à peine été un inconvénient lors de la remise des diplômes. Il avait gravi la rampe de l'aréna local, marché vers le directeur de l'école d'un pas assuré, reçu son diplôme et quitté l'estrade sous un tonnerre d'applaudissements; ce que Heath n'avait pas vu, c'était l'ovation debout que lui avaient accordée ses camarades de classe et l'ensemble des spectateurs présents.

Vous devrez choisir vos arguments avec soin pour me convaincre que les élèves avec des besoins particuliers peuvent dévaloriser une classe régulière. Je ne compte plus les leçons de vie que Heath nous a données : des leçons de patience, de détermination, de courage, d'humour, d'amour de la vie et de confiance en ses moyens. Après vingt-cinq années d'enseignement dans les écoles publiques, ma mémoire déborde de souvenirs d'anciens élèves qui ont depuis longtemps quitté ma classe et l'école, mais qui conservent une place spéciale dans mon cœur. Ils ont tous participé à ma formation continue en tant qu'enseignante. Toutefois, en matière de leçon de victoire face aux difficultés, Heath Thorson restera à jamais mon maître à penser.

Marikay Tillett

Coups de pinceau

William aimait tout ce qui entourait la peinture au chevalet. Il adorait les grandes feuilles de papier lisses et froides au toucher. Il aimait le manche en bois des pinceaux qui servait de prolongement à sa main. Même les pinces à linge utilisées pour retenir les feuilles au chevalet, capables de « mordre » ses doigts s'il ne les retirait pas suffisamment vite, le faisaient sourire. Les poils des pinceaux étaient coupés à angle droit pour mieux étendre la peinture. Et toutes ces couleurs! Des jaunes éclatants comme des citrons, des verts et des rouges vibrants d'intensité.

Les camarades de maternelle de William aimaient aussi la peinture, mais cet automne-là, William a peint tous les jours, parfois même à plus d'une reprise. Au début, ses peintures se résumaient à des traits et à des formes simples. Il barbouillait la page d'un côté à l'autre comme s'il expérimentait de quelle largeur il devait peindre ses lignes. Il cherchait à déterminer le nombre de lignes nécessaires pour couvrir une page. Certains jours, il recouvrait plusieurs pages de couleur orange.

« William, c'est une belle couleur vive. À quoi te fait-elle penser? » (J'évitais de lui demander directement ce qu'il peignait.) William souriait.

« Combien de peintures as-tu faites aujourd'hui? » lui demandais-je pour l'encourager.

« Quatre. » Je l'aidais à enrouler ses peintures et mettre un élastique autour pour qu'il puisse les apporter à la maison.

Lorsque William mélangeait les verts et les rouges, les couleurs s'embrouillaient et tournaient au brun, comme les arbres. Cet automne-là, des formes émergeaient parfois, cercles ou rectangles. Je reconnaissais des boîtes, de l'herbe, des fleurs ou des voitures. Il peignait rapidement, comme s'il allait manquer de temps. On aurait dit qu'il voulait obtenir le résultat désiré en recommençant sans cesse ou simplement voir combien de pages il pouvait peindre en un seul après-midi.

Une fois par mois, j'effectuais une visite au domicile d'un de mes élèves. Un jour, ce fut le tour de William. Il vivait avec sa grand-mère, Sally. Comme William avait réalisé beaucoup de peintures, je me disais que Sally les avait probablement toutes exposées sur les murs de leur modeste maison. Ce lieu devait sûrement ressembler à une galerie d'art.

Je me suis garée devant la maison. En me dirigeant vers la porte d'entrée, je me suis demandé quelles peintures de William ornaient les murs. J'ai quitté le froid hivernal pour entrer dans une pièce à peine chaude et j'ai jeté un coup d'œil autour de moi. Aucun dessin sur les murs nus et sales. J'ai alors aperçu la pile de peintures faites par William ce jour-là. Elles étaient enroulées dans le foyer et brûlaient lentement. On n'en distinguait plus que les coins. L'art de William accomplissait quelque chose d'important: fournir l'étincelle nécessaire pour allumer leur feu et réchauffer la pièce.

Malgré ma stupeur, j'ai fait un sourire épanoui à William et à sa grand-mère. Je comprenais. Comment pouvais-je m'attendre à voir des peintures sur les murs lorsque c'était de chaleur dont ces personnes avaient besoin. Pendant le reste de l'année, William a pu faire toutes les peintures qu'il voulait. Chaque jour, il apportait à la maison le fruit de son travail ainsi que des liasses de journaux mis aux rebuts. L'art pouvait encore allumer une flamme.

Gail Davis Hopson

Lettre à mes élèves
de pré-maternelle

Les enfants sont une façon géniale de faire grandir les adultes.

Source inconnue

Un jour, lorsque tu seras aussi grand que moi, tu auras peut-être oublié ton enseignante de pré-maternelle. J'aimerais néanmoins que tu comprennes à quel point tu comptais pour moi.

Tu m'as aidée à retrouver l'enfant qui sommeillait en moi : je connais toutes vos chansons enfantines et j'ai même développé un faible pour ta chanson préférée : « Pas capable de tirer ma vache ». J'ai réappris à chanter et à danser, et je suis devenue experte aux jeux de l'âne et du mouchoir. Je sais combien de blocs peuvent être empilés les uns sur les autres avant qu'ils ne s'effondrent. Je sais aussi que « même si la pâte à modeler sent bon, il ne faut pas la manger » et que « même si tes cheveux sont ébouriffés, les ciseaux servent à découper le papier ». J'ai appris à me faire toute petite dans un coin. Mes meilleurs amis s'appellent maintenant Barney et Cornemuse, et je leur demande parfois de m'aider et de me réconforter. J'ai appris le nom de tous les dinosaures et je sais que les lamantins ont des oreilles, mais qu'elles sont cachées à l'intérieur de leur corps. J'ai appris que la pâte dentifrice à saveur de gomme à mâcher a meilleur goût que celle à saveur de menthe, et que les marqueurs sont supérieurs aux crayons.

J'ai appris à quel point il est agréable de donner un câlin et de se bercer après la sieste. J'ai appris que, sur un bobo, un bisou donne souvent un meilleur résultat qu'un sparadrap. J'ai appris à aimer comme sait le faire un enfant et j'ai découvert que c'était une des meilleures sensations au monde. J'ai appris que l'on grandit et que l'on change très vite, un peu à la manière de la petite chenille que nous avons enfermée dans un bocal et qui s'est transformée rapidement en chrysalide puis, comme par magie, en un magnifique papillon.

Mais plus important encore, j'ai appris à quel point les enfants sont merveilleux et à quel point chacun de vous est spécial pour moi. Et même si tu ne gardes qu'un vague souvenir de moi, sache que jamais je ne t'oublierai.

Jennifer L. DePaull

Rien n'est plus instructif que l'adversité.

Benjamin Disraeli

Au-delà des apparences

Évitez les idées préconçues à propos des enfants et ne pensez jamais à leur place.

George Orwell

C'était le premier jour d'école pour mes nouveaux élèves de pré-maternelle. Six bambins de quatre ans grouillants et babillant paradaient devant moi vêtus de vêtements neufs aux couleurs vives. Chaque chevelure était soigneusement coiffée ou attachée avec un joli ruban. Puis le numéro sept est arrivé un peu en retard, avec son style bien personnel. Son nom était William.

Il portait un t-shirt grisâtre au tissu élimé qui flottait sur sa poitrine. Ce t-shirt semblait avoir été lavé mais jamais blanchi, séché mais jamais plié. Sur le devant, on devinait le logo à moitié effacé d'un parc d'attraction, coincé entre des taches de boisson gazeuse et de moutarde. Pourtant, William portait son t-shirt comme un soldat qui exhibe fièrement ses galons. Ses jeans usés et décolorés aux genoux rappelaient à quel point ce petit garçon était de nature besogneuse. Les attaches en velcro de ses chaussures boueuses étaient décorées d'un insigne de Batman.

Pendant que les autres enfants continuaient d'entrer timidement dans mon local, William explorait, l'air insouciant, le coin bricolage. Certains enfants portaient un manteau à capuchon et d'autres une veste neuve. William, lui, n'avait pour se garder au chaud qu'un léger coupe-vent rouge dont la fermeture éclair était ouverte.

Les semaines passaient et, chaque matin, William détonnait parmi les visages soigneusement débarbouillés par les mamans. Il arrivait et repartait escorté par un employé anonyme à bord d'une camionnette aux couleurs d'une garderie.

L'envie me tenaillait de donner un coup de peigne dans sa tignasse blonde, ou de replacer correctement la veste qu'il refusait obstinément d'enlever. Je rêvais du jour où je m'emparerais pendant une heure de son t-shirt grisâtre pour le plonger dans une eau savonneuse avant de le lui remettre encore chaud sur ses épaules, tout frais sorti de la sécheuse. Pire encore, je voyais les parents de William comme des personnes négligentes et indifférentes, ne répondant jamais à ses besoins. Je souhaitais ardemment qu'arrive le jour spécial pour lui où William porterait une nouvelle chemise ayant encore les plis de l'emballage, ou une paire de chaussures neuves qui crisseraient sur le plancher de linoléum. Je me demandais ce que souhaitaient les parents de William pour leur fils.

Puis, un jour, j'ai croisé William, sa mère et son père au supermarché. L'enfant était confortablement assis dans le chariot entre des gaufres surgelées et un sac de lait.

« C'est Mlle Mary! » s'est-il exclamé, émerveillé de rencontrer son enseignante qui faisait ses emplettes dans un supermarché. J'ai serré la main à ses parents et nous avons bavardé un moment. Soudain, j'ai vu beaucoup plus que la garde-robe de William. J'ai vu l'amour dans cette famille.

La mère de William m'a saluée d'une voix douce en ajustant son uniforme pendant que son fils répétait mon nom en écho. Elle a tripoté plusieurs fois ses coupons-rabais, ne sachant trop comment engager la conversation. De temps à autre, elle remettait de l'ordre dans les boucles de cheveux de son fils ou essuyait les miettes de sa collation de l'après-midi.

J'ai appris que le papa de William travaillait comme concierge dans une usine des environs. Ses journées étaient longues et exténuantes, et ses horaires, souvent imprévisibles. Il m'a raconté qu'il n'avait jamais terminé ses études, mais qu'il était « très content » que William ait l'occasion d'apprendre beaucoup de choses. Il voulait d'ailleurs utiliser une de ses trois journées de congé pour venir en classe le vendredi suivant et voir « comment son fils se débrouillait ». Même si son employeur hésitait à lui accorder un congé, il avait fièrement « tenu bon et répété à quel point cela était important, très important ». Il a toutefois ajouté, l'air triste, que sa femme ne pourrait l'accompagner.

« Son patron a refusé. Elle voulait venir, mais il n'y avait personne pour la remplacer. En plus, il y a eu beaucoup de mises à pied à son usine. Nous ne pouvions pas prendre de risque. »

« Ma maman a fini tôt aujourd'hui! » a dit un William comblé. J'ai partagé son bonheur, sentant que c'était un luxe rare pour la femme aux traits tirés qui était en face de moi.

Le vendredi suivant, le père de William est venu comme promis. Assis dans une minuscule chaise, il dominait les enfants de quatre ans qui coloriaient soigneusement avec des marqueurs. Du regard, il a fait le tour de la pièce, un sourire accroché à ses lèvres. Puis son visage est redevenu plus sérieux. Il s'est alors tourné vers moi et m'a demandé : « Mlle Mary, est-ce que William vous écoute ? » Je lui ai assuré que William était attentif.

« Est-il poli ? Dit-il *oui, madame* et *non, madame* ? Vous comprenez, c'est très important pour moi et sa mère. »

Sa main calleuse posée sur l'épaule de son fils, le père de William a continué de parler d'un amour plus fort que le tissage de n'importe quel vêtement.

« Bien sûr, nous voulons qu'il apprenne un tas de choses, mais nous l'avons inscrit dans cette école pour une autre raison plus importante encore. Nous voulons qu'il grandisse et apprenne à poser le bon geste tout simplement parce que c'est le bon geste à poser. Nous voulons qu'il soit juste envers les autres sans regarder ce qu'ils possèdent ou la couleur de leur peau. »

Je ne savais trop quoi répondre, embarrassée par mes propres préjugés. Pendant des mois, j'avais jugé cette famille simplement par l'apparence vestimentaire de leur fils. J'avais devant moi un père qui n'avait pas besoin d'un veston en pure laine avec un logo brodé ou d'un nouveau jean pour montrer qu'il se souciait de son fils. Il avait choisi pour son enfant la bonté, la gentillesse et le respect, des choses qui ne s'achètent pas dans les magasins ou qu'on prend sur une étagère. Il lui avait donné le cadeau de l'amour et aujourd'hui il lui donnait le cadeau du temps.

Quelques jours après sa visite, William est venu me voir dans la cour de récréation. Curieusement, je n'ai pas remarqué son t-shirt ni ses cheveux ébouriffés. Même si l'air était frisquet, il a couru vers moi les bras tendus comme s'il était porté par une douce brise d'été. Un sourire radieux illuminait son visage.

« Vous savez, Mlle Mary, a-t-il dit à bout de souffle, mon papa et ma maman m'aiment beaucoup ! »

« Je sais, William, je sais. Je vois leur amour tous les jours quand je regarde ton beau visage. » Je l'ai serré dans mes bras, puis il est reparti comme une feuille au vent.

Mary Chavoustie

PEANUTS © United Features Syndicate. Reproduit avec permission.

10

LEÇONS
ET DEVOIRS

*On s'inquiète de ce que sera un enfant demain,
en oubliant cependant qu'il est quelqu'un
aujourd'hui.*

Stacia Tausher

Chuck

Chuck était dans le cours de français enrichi que je donnais à l'école secondaire. Il était un écrivain très prometteur. Je n'étais donc nullement étonné lorsqu'il m'a annoncé qu'il avait été accepté en journalisme à l'université du Missouri.

Durant sa première année d'université, Chuck venait me voir de temps à autre pour me tenir au courant de ses progrès. Nous évoquions le travail que nous avions fait ensemble quelques années auparavant. Nous avions rédigé des commerciaux pour la radio communautaire afin d'amasser de l'argent pour vingt-trois bébés cambodgiens malades et abandonnés qui étaient soignés par une de mes amies, infirmière en Thaïlande. C'était un pays éloigné, mais proche de nos cœurs. Chuck avait joué un rôle déterminant en aidant à amasser plusieurs milliers de dollars. Cette activité de levée de fonds avait transformé notre relation maître-élève en relation d'amitié. Chaque fois qu'il venait me rendre visite, j'étais toujours heureux, car la joie de vivre émanait de lui.

Au cours de la deuxième année d'université de Chuck, on lui a découvert un cancer du poumon. Il ne lui restait plus beaucoup de temps à vivre. Il a quitté l'université pour revenir à la maison auprès des siens.

Par un bel après-midi, je suis allé lui rendre visite. Comme le font certaines personnes très malades, et d'une façon mystérieuse d'ailleurs, Chuck a puisé au plus profond de son être si riche d'une telle humanité et nous a fait rire tout l'après-midi. Au moment de lui dire au revoir en le serrant dans mes bras, la confusion et la colère se mélangeaient en moi. Cette tragédie n'avait aucun sens.

Environ six semaines plus tard, Chuck est décédé. Sa mort a été une grande perte pour tout le monde, particulièrement pour sa famille. Benjamin d'une famille de neuf enfants, Chuck était talentueux et plein de promesses. Plus important encore, c'était un jeune homme bon et honnête, un être juste.

Lorsque je me suis rendu à ses funérailles, son père a demandé à me voir. Il m'a pris à part pour me parler. Quelques semaines plus tôt, m'a-t-il expliqué, Chuck lui avait demandé de l'aider à trier ses possessions et ses souvenirs, car il voulait choisir quelques objets à laisser dans son cercueil à son enterrement. Le père de Chuck m'a dit à quel point cette tâche avait été douce-amère, à quel point son cœur de père avait failli exploser d'amour et de tristesse. Au terme de ce tri, Chuck avait choisi six objets, dont une composition qu'il avait écrite dans mon cours quelques années auparavant.

Le père m'a raconté que Chuck avait toujours gardé cette composition parce qu'il aimait le commentaire que j'avais écrit au bas de la dernière page. Dans ce commentaire, je disais qu'il avait le talent d'un écrivain et je l'exhortais à être responsable de ce don qu'il possédait. Je l'incitais à l'exploiter. Ce commentaire positif allait maintenant suivre Chuck dans l'au-delà.

J'ai été très touché par cet extraordinaire cadeau que Chuck m'a fait ce jour-là. Son geste merveilleux a signifié beaucoup pour l'enseignant en moi. En fait, son geste a changé ma vie. Il m'a fait prendre conscience que je pouvais avoir un impact énorme sur mes élèves. Son geste a redonné un sens à mon travail.

Chaque fois que j'oublie ma raison d'être comme enseignant, je pense à Chuck et je me rappelle ceci : les enseignants ont le pouvoir de toucher le cœur et l'esprit pour longtemps. Parfois pour l'éternité.

Gerard T. Brooke, Ed.D.

La plus grande leçon

Mon père se mourait d'un cancer. Ni moi, infirmière diplômée, ni mon mari, chirurgien résident, ni
aucun de nos amis travaillant dans le domaine de la
santé, ni nos collègues et professeurs ne pouvaient le
sauver. La seule chose que notre famille pouvait faire
était de soigner papa à la maison jusqu'à son décès, afin
qu'il puisse être auprès de sa femme, de ses filles, de
son fils et de ses gendres qui l'aimaient si fort.

Pendant le dernier été de la vie de mon père, j'étais
étudiante au doctorat en sciences infirmières à l'université de New York. Je suivais notamment un cours obligatoire sur la recherche qui avait lieu deux fois par
semaine. Ces deux rencontres hebdomadaires étaient
mon seul répit de la souffrance et du chagrin qui
régnaient à la maison. Pourtant, lorsque je quittais la
maison pour me rendre à mon cours, je m'inquiétais
souvent de papa et de la famille.

Une semaine avant la fin du cours, papa est arrivé
au stade terminal de sa maladie. Je devais donc aviser
mon professeur que je serais peut-être absente pour les
dernières rencontres. Ce soir-là, après le cours, j'ai
trouvé mon professeur dans son bureau. Je ne voulais
pas trop lui parler de mes problèmes personnels, car je
le connaissais très peu; j'étais une élève parmi d'autres.
Toutefois, dès mon entrée dans son local, il a refermé la
porte, s'est assis derrière son bureau, m'a regardée gentiment comme s'il avait tout son temps et m'a demandé
ce qu'il pouvait faire pour moi. Mon attitude calme

d'infirmière a soudain disparu, de même que les mots que j'avais prévu lui dire. J'ai simplement mis ma tête entre mes mains et j'ai sangloté. Lorsque j'ai enfin pu m'arrêter de pleurer, je lui ai raconté la vérité au sujet de mon père et lui ai demandé s'il me permettrait de manquer les derniers cours.

Il m'a regardée d'un air songeur, puis il a regardé le registre des notes et m'a dit avec gentillesse : « Le cours se termine aujourd'hui pour toi. Tu as toujours obtenu des A ; une semaine de cours de plus n'y changera rien. Rentre chez toi auprès de ton père et de ta famille. C'est là que tu dois être. »

Quelques jours plus tard, alors que j'étais assise au chevet de mon père, j'ai pris conscience que la sollicitude de mon professeur m'avait soulagée d'un fardeau académique et permis de consacrer toute mon énergie à mon père et à ma famille durant la période la plus difficile de notre vie. En tant que responsable du cours, mon professeur avait le pouvoir de me faciliter les choses ou de me les compliquer. Mon père est décédé le matin où j'aurais eu mon examen final. Encore aujourd'hui, je suis très heureuse d'avoir pu être auprès de lui au moment de sa mort.

Vingt-trois années ont passé depuis ce terrible été, et je suis maintenant professeure agrégée dans une autre université. Maintenant que j'enseigne, moi aussi, j'ai eu plusieurs occasions depuis ce temps de me rappeler le geste exemplaire de ce professeur lorsque mes étudiants vivent des tragédies dans leurs vies. Certes, j'ai beaucoup appris sur les méthodes de recherche dans son cours. Cependant, ce qu'il m'a appris à propos de l'influence que peuvent avoir la compréhension et la compassion d'un professeur demeure la plus grande leçon que j'ai reçue dans tous les cours que j'ai suivis.

Carol Toussie Weingarten, Ph.D., R.N.
Déjà publié dans Nursing Spectrum

Le cadeau d'Annie Lee

Nous étions à quelques jours de Noël. À cette période de l'année, Mme Stone admettait elle-même qu'elle perdait partiellement le contrôle de sa classe. Même après vingt-cinq années de métier, elle était encore étonnée de voir à quel point l'arrivée d'une aussi belle fête pouvait transformer des élèves disciplinés en petits lutins bruyants et survoltés.

« Mme Stone, j'ai renversé de la colle sur mon nouveau pantalon », pleurnicha Chris.

« Mme Stone, ma guirlande de papier n'est pas assez longue pour faire le tour de l'arbre », se plaignit Faye à son tour.

« Danielle met de la peinture partout! » cria d'une voix perçante une fillette près de l'évier.

Où étaient passées ses leçons structurées et sa routine normale? Et où était passée sa tranquillité d'esprit? On aurait dit que c'était la récréation permanente. Et cette récréation durera jusqu'à la mi-janvier, craignait Mme Stone.

« Madame? » La voix d'une élève appelait Mme Stone de la table de bricolage. Marchant sur les retailles de papier éparpillées sur la moquette, Mme Stone s'approcha de l'endroit où quelques enfants finissaient des calendriers à donner en cadeau de Noël à leurs parents.

« Oui, Annie Lee? »

La petite fille envoya ses longs cheveux brillants vers l'arrière et répondit poliment: « Euh, si je finis mon calendrier aujourd'hui, je peux l'apporter chez moi ce soir? Ma mère veut le voir. Elle va peut-être aller... »

« Non, Annie Lee », répondit Mme Stone immédiatement. « Tu pourras l'apporter à la maison seulement vendredi, comme tes camarades. »

Annie Lee tenta de riposter, mais Mme Stone s'éloigna rapidement de la table en balayant de la main les paillettes d'argent restées collées sur sa jupe.

Le pa-ra-pa-pam-pam de l'enfant au tambour résonna soudain dans la pièce. « Lavenia, arrête la musique, s'il te plaît! » Mme Stone annonça aux élèves: « Bon, les enfants, il est temps de nettoyer. » « Ohhhh... » Des grognements de déception fusèrent.

À son bureau, Mme Stone ouvrit le couvercle d'un petit coffre de bois et « Sainte Nuit » se fit entendre. Une ambiance plus calme revint dans la pièce alors que les enfants se mirent à écouter ce chant de Noël qu'ils connaissaient bien.

« Shay, veux-tu commencer notre activité de partage aujourd'hui? » demanda Mme Stone en fermant la boîte à musique.

Le garçon vint à l'avant de la classe et dit avec un léger ton de vantardise: « Je vais avoir une bicyclette rouge pour Noël. »

Mme Stone ferma les yeux. *Bon, on remet ça*, pensa-t-elle. *Je veux ceci et je veux cela.*

Annie Lee était la prochaine. Pendant qu'elle s'avançait, le soleil qui entrait par les fenêtres se réflétait sur ses longs cheveux.

« Ma mère est malade; elle ne pourra pas faire les biscuits pour notre fête de vendredi », dit-elle.

Les sourcils de Mme Stone se froncèrent. *Mme Brown n'est jamais là pour Annie Lee*, pensa-t-elle. *Elle trouve toujours des excuses. Elle ne pouvait pas assister aux ateliers parents-enseignants ni aux conférences parents-enseignants. J'aimerais bien qu'elle prenne plus au sérieux ses responsabilités parentales.*

Annie Lee se pencha sur le bureau de Mme Stone et tendit la main vers la boîte à musique. Ses yeux étincelaient pendant qu'elle traçait avec tendresse du bout de l'index le contour de la madone et l'enfant peints sur le couvercle de la boîte. « Quand ma mère ira mieux, elle va m'acheter une boîte à musique exactement comme la vôtre, Mme Stone. »

L'enseignante sourit et répondit: « C'est bien, Annie Lee, mais elle ne pourra pas être *exactement* comme la mienne. Vois-tu, cette boîte est très ancienne. Elle appartenait à mon arrière-grand-mère. Un jour, je la donnerai à un de mes enfants. »

Le jour suivant, Annie Lee apporta un étroit bout de ruban de velours rouge sur le bureau de Mme Stone.

« Maman est entrée à l'hôpital hier, mais elle m'a donné ce ruban pour emballer le cadeau que j'ai fabriqué pour elle », déclara Annie Lee.

« Ce ruban est très joli », répondit Mme Stone. Puis elle ajouta: « Je suis désolée que ta mère soit à l'hôpital. »

« Papa a dit que je pourrais apporter mon calendrier à l'hôpital si vous… »

Mme Stone l'interrompit. « Je t'ai déjà dit que nous les emballerons seulement demain et que tu pourras l'apporter à la maison vendredi. »

Annie Lee sembla déçue, puis son visage s'illumina. « Maman a fabriqué cela pour vous! » déclarat-elle joyeusement en donnant à Mme Stone un signet de velours rouge. Elle se retourna et s'éloigna en gambadant. Mme Stone remarqua à peine que les cheveux de la petite étaient ternes, emmêlés et non peignés.

Le vendredi arriva. Le sapin de Noël surchargé de décorations trônait au milieu de la classe. Mme Stone était vêtue de la robe rouge vif qu'elle portait chaque Noël et chaque Saint-Valentin. Les enfants entrèrent bruyamment dans la classe. La chaise d'Annie Lee resta vide.

Prise d'un malaise, Mme Stone s'assit. Elle ne voulait pas connaître la raison pour laquelle Annie Lee était absente. Elle se sentait incapable d'ajouter un fardeau de plus à ses vingt-cinq années de frustrations.

Comme en réponse à la question que Mme Stone n'osait pas se poser, une stagiaire entra dans la classe et lui remit une feuille de papier pliée. En tremblant, Mme Stone lut la note que le directeur avait écrite rapidement à la main: « J'ai pensé que vous aimeriez être mise au courant. La mère d'Annie Lee Brown est décédée tôt ce matin. »

Mme Stone réussit, tant bien que mal, à terminer sa journée de travail. Lorsque la fête prit fin et que les enfants furent repartis à la maison pour profiter de leurs vacances de Noël, elle resta seule dans sa classe et pleura. Elle pleura pour Annie Lee, pour la mère d'Annie Lee, pour elle-même, et pour ce calendrier qui devait apporter de la joie mais ne l'a pas fait. Elle pleura aussi ce signet de velours rouge qu'elle ne méritait tellement pas.

Mme Stone quitta l'école très tard ce soir-là. Les étoiles scintillaient dans le ciel, éclairant le chemin pour se rendre chez Annie Lee. Dans ses mains, elle tenait sa boîte à musique aussi précieusement qu'un présent des Rois mages. Elle chercha des yeux l'étoile la plus brillante du firmament et pria que la boîte à musique ramène l'esprit de Noël dans leurs deux cœurs.

Glenda Smithers

« OK, peut-être que je suis un élève sous-performant, mais avez-vous déjà pensé que vous êtes peut-être une prof sur-exigeante ? »

Une classe infernale

*L'enseignement est la plus noble des profes-
sions. Un grand enseignant est un grand
artiste, à la différence que son médium n'est
pas une toile, mais l'âme humaine.*

Anonyme

Il y a plusieurs années, en collaboration avec quelques autres enseignants, j'ai participé à l'élaboration
d'un cours dont l'objectif était d'augmenter les chances
de réussite des étudiants universitaires. En plus d'offrir
les conseils habituels pour mieux étudier, ainsi que des
trucs sur l'orientation, la lecture, la rédaction et les habiletés lors des examens, le cours visait à favoriser la
croissance personnelle à plusieurs égards. Il avait également pour but de bâtir un esprit communautaire au
sein de la classe, puisque nous étions un centre universitaire de premier cycle sans dortoirs, ni fraternité, ni
équipes sportives.

À différents degrés, le cours a atteint ses objectifs.
Les études que nous avons faites ont montré que les
étudiants qui terminaient le cours avaient tendance à
rester plus longtemps à l'école et à obtenir de meilleures
notes. Cela faisait plusieurs semestres que je donnais le
cours, et j'appréciais beaucoup l'expérience. J'ai appris
autant que les étudiants sur la nature humaine et sur la
façon de résoudre des problèmes.

Puis un jour, j'ai eu une classe infernable. Dès le
premier cours, j'ai senti que ça n'irait pas. La plupart des

étudiants ne voulaient pas être là et ne voyaient pas l'utilité du cours. C'était pour eux une perte de temps. Des cliques ont fini par voir le jour au sein du groupe. Ces cliques se disputaient les unes contre les autres et se dénigraient constamment. Dans l'ensemble, les étudiants se montraient peu disposés à travailler en équipes sur la plupart des projets de groupes qui étaient requis dans le programme du cours. Bref, c'était un cauchemar d'enseignant.

Après quatre ou cinq semaines, je n'en pouvais plus. Il me fallait faire quelque chose. En quinze années d'enseignement, je n'avais jamais eu une classe aussi difficile. Je ne savais pas vraiment quoi faire.

Après mûre réflexion, j'ai cru cerner le vrai problème: les étudiants ne se voyaient pas comme des êtres humains égaux. Ils ne pouvaient ou ne voulaient pas créer des liens les uns avec les autres.

Ma solution était simple.

Au début du semestre, j'avais donné aux étudiants des petites fiches de carton vierges pour prendre des notes. Je leur ai demandé d'en prendre une dans leur paquet.

« N'écrivez pas votre nom sur la fiche », leur ai-je expliqué. « Vous avez dix minutes pour faire le travail que je vais vous demander. Sur votre fiche, je veux que chacun de vous me dise ceci: si vous pouviez changer une seule chose dans votre vie, qu'est-ce que ce serait? »

Étonnamment, ils n'ont pas trop riposté pour faire le travail demandé. Après le temps alloué, j'ai ramassé les fiches. Je les ai mélangées et les ai remises aux étudiants, chacun ayant la fiche d'un autre.

Étant donné que je me considère comme un membre du groupe auquel j'enseigne, je participe toujours aux travaux que je donne. Cette fois-là, j'avais donc moi aussi rempli une fiche.

Après la redistribution des fiches, j'ai choisi des étudiants au hasard et leur ai demandé de lire à tour de rôle la fiche qu'ils avaient reçue. Une première étudiante a lu: « J'aimerais que ma fille de quatre ans ne soit pas sourde. » La seule fille sourde de la classe (personne d'autre que moi ne savait qu'elle l'était) s'est retournée afin de pouvoir lire sur les lèvres des autres étudiants. Elle avait un regard compatissant.

Une deuxième étudiante a lu: « J'aimerais que mon mari ait moins mal au dos et qu'il puisse retourner au travail. Nous n'avons pas d'argent et on viendra saisir notre voiture la semaine prochaine. Je ne sais pas comment je ferai pour continuer mes études si c'est le cas. »

« J'aimerais que ma mère n'ait pas le cancer du sein », a lu un autre. Et ainsi de suite. Ainsi de suite.

J'ai cessé après que sept ou huit étudiants ont lu leurs fiches. Des larmes coulaient sur les joues de presque tous. Ils pleuraient à cause de ce que les autres avaient lu. Ils pleuraient à cause de ce qui était écrit sur leur fiche.

Sans que j'aie eu besoin de dire quoi que ce soit, ils avaient pris conscience des points communs qui les unissaient. Chacun avait des problèmes dans sa vie, des petits problèmes, mais aussi des gros. Ils pouvaient partager cela. Ils pouvaient entrer en relation les uns avec les autres.

À partir de ce jour, la classe a changé du tout au tout. Mes étudiants ont commencé à travailler en collaboration. Ils ont formé des groupes pour étudier ensemble dans d'autres cours. Ils se sont liés d'amitié.

La plupart de ces étudiants sont revenus pour le second semestre. Ils avaient une nouvelle raison de venir à l'université à part leurs études: leurs amis s'y trouvaient.

L'histoire ne se termine pas là, cependant. À la fin du cours, j'ai ramassé les fiches et les ai apportées dans mon bureau pour les lire toutes. Une d'elles se démarquait de toutes les autres. Une de celles qui n'avaient pas été lues en classe. Celle qui a mouillé mes yeux de larmes.

Andrew souffrait de dystrophie musculaire. La majorité des gens atteints de cette maladie ne se rendent pas jusqu'à l'adolescence. Andrew avait vingt ans. Il venait en classe tous les jours, sans exception. Il participait à tout. Faire ses travaux était physiquement difficile pour lui, mais il les faisait tous et il les faisait bien. Il était un des rares qui ne se plaignaient jamais et qui se montraient intéressés. Il venait en classe en fauteuil roulant motorisé avec Ren, un golden retriever qui l'aidait.

Vu son état physique, Andrew avait une calligraphie reconnaissable entre toutes. Quand j'ai reconnu et lu sa fiche, l'émotion m'a étreinte. En réponse à la question *Qu'aimeriez-vous changer dans votre vie?* il avait écrit: « Je serais plus compréhensif envers les autres et j'aimerais être une meilleure personne. »

Andrew est décédé quelques années plus tard des complications d'une pneumonie probablement causée par sa dystrophie musculaire.

Je n'oublierai jamais ce qu'il avait choisi de changer dans sa vie. Et c'est maintenant la même chose que je changerais, moi aussi, dans la mienne.

Donald Arney

Expérience est le nom
que chacun donne à ses erreurs.

Oscar Wilde

Permission d'échouer

Chacun de nous échoue de temps à autre. Si nous sommes remplis de sagesse, nous acceptons ces échecs comme étant un élément nécessaire au processus de notre apprentissage. Trop souvent, cependant, en tant que parents ou enseignants, nous refusons ce droit aux enfants. Nous leur disons, en gestes ou en mots, que l'échec est une chose honteuse et que seule la performance maximale recevra notre approbation.

Quand je vois un enfant soumis à ce genre de pression, je pense à Donnie.

Donnie était le plus jeune élève de ma classe de troisième année du primaire. Perfectionniste nerveux et timide, sa peur de l'échec l'empêchait de participer aux jeux auxquels ses camarades s'adonnaient gaiement. Il répondait rarement aux questions que je posais par crainte de ne pas avoir la bonne réponse. Les travaux écrits, surtout en mathématiques, lui causaient une frustration à se ronger les ongles. Il arrivait rarement à terminer ses travaux, car il vérifiait sans cesse avec moi pour s'assurer qu'il n'avait pas fait d'erreur.

J'ai fait tout mon possible pour lui donner confiance en lui-même. Et j'ai demandé à Dieu de me guider. Mais rien n'a changé jusqu'au milieu du semestre, moment où une stagiaire, Mary Anne, a été affectée à notre classe.

Mary Anne était jeune et jolie, et elle aimait les enfants. Mes élèves, y compris Donnie, l'adoraient. Malgré son enthousiasme, Mary Anne était déroutée par ce petit garçon obsédé par la crainte de faire une erreur.

Un matin, les élèves étaient en train de travailler sur des problèmes de maths écrits au tableau. Donnie avait copié les problèmes avec un soin méticuleux et répondu à ceux de la première rangée. Ravie de son progrès, j'ai confié les enfants à Mary Anne pour aller chercher du matériel pour les arts plastiques. Lorsque je suis revenue dans la classe, Donnie était en larmes. Il avait raté le troisième problème.

La stagiaire m'a lancé un regard découragé, puis son visage s'est soudain illuminé. Sur le bureau que nous partagions, elle a saisi le porte-crayon.

« Regarde, Donnie », a-t-elle dit en s'accroupissant auprès de lui et en lui soulevant doucement le menton. « J'ai quelque chose à te montrer. » Elle a sorti les crayons un à la fois et les a déposés sur son pupitre.

« Tu vois ces crayons, Donnie? lui a-t-elle demandé. Ils sont à Mme Lindstrom et à moi. Tu vois comme les gommes à effacer au bout de ces crayons sont usées? C'est parce que nous faisons des erreurs, nous aussi. Beaucoup d'erreurs. Mais nous les effaçons et nous recommençons. C'est ce que tu dois essayer d'apprendre à faire, toi aussi. »

Elle l'a embrassé et s'est relevée. « Tiens, a-t-elle ajouté, je vais laisser un de ces crayons sur ton pupitre pour que tu te rappelles que tout le monde fait des erreurs, même les professeurs. » Donnie l'a regardée avec affection et a esquissé un sourire à peine perceptible — le premier que je voyais sur son visage cette année-là.

Ce crayon, devenu un objet très précieux pour Donnie, de même que les encouragements fréquents de Mary Anne pour le moindre de ses petits succès, l'ont peu à peu persuadé qu'il avait le droit de faire des erreurs à condition de les effacer et d'essayer de nouveau.

Aletha Jane Lindstrom

Est-ce que je peux emprunter un de vos crayons?
Le mien a toutes les mauvaises réponses
dedans. »

Reproduit avec l'autorisation de Hank Fowler. Originalement publié dans le magazine Woman's World.

Un professeur inoubliable

Apprendre à compter aux enfants, c'est bien, mais leur apprendre ce qui compte, c'est mieux.

Bob Talbert

Il s'appelait Ray Rinehart, mais nous, ses élèves de 5e année, l'appelions tous « Monsieur Rinehart ». J'étais une fille timide de dix ans, c'était la toute première journée d'école et la grenouille taureau de M. Rinehart me faisait trembler de peur. Avoir un homme comme enseignant, c'était nouveau pour moi, et je n'aimais pas cela du tout.

Un matin, il a dit: « Choisissez votre meilleur ami dans cette classe et placez votre pupitre à côté du sien. »

Hein? Les élèves se sont tous regardés avec étonnement.

Une fille a levé la main. « Vous voulez qu'on place notre pupitre à côté du pupitre de notre meilleur ami? »

« Parfaitement. De cette façon, vous pourrez vous entraider. »

Un vacarme s'en est suivi. Les autres enseignants avaient plutôt l'habitude de séparer les amis. De toute évidence, ce gars ne savait pas ce qu'il faisait.

Lorsque je me plaignais à ma mère de mon nouvel enseignant et de ses idées bizarres, elle me rassurait: « Terry, il n'est qu'un homme. Juste une personne, comme tout le monde. »

En fin de compte, elle avait tort. Cet homme est devenu une personne unique dans ma vie.

Le lendemain de la rentrée, alors que je m'impatientais devant ma feuille de problèmes de mathématiques, M. Rinehart s'est arrêté à côté de mon pupitre. « Des ennuis? »

J'ai hoché la tête sans dire un mot.

« As-tu demandé à ta copine de t'aider? » Avant même que je fasse non de la tête, il a ajouté doucement: « Pourquoi ne lui demandes-tu pas? »

Ma copine a jeté un coup d'œil sur ma feuille et a dit: « Comment peux-tu travailler ou réfléchir avec une feuille aussi malpropre? » Elle a pris sa gomme à effacer, puis elle a fait disparaître mes gribouillis et mes calculs à demi effacés. « Bon! a-t-elle dit, commence par une feuille propre. Ça fera une grande différence! » Et c'était vrai. Je ne m'en serais jamais rendu compte si elle ne me l'avait pas dit. *Euh... ai-je pensé. Il y a tellement de choses que je ne sais pas.*

Lorsque c'était son tour de surveillance dans la cour d'école, M. Rinehart était différent de tous les autres enseignants. Il ne traçait pas de ligne invisible autour de lui pour marquer la frontière entre l'adulte et les enfants. Nous pouvions lui parler comme s'il avait notre âge. Aucun barrage. Aucune frontière. Il parlait avec nous comme si nous étions des adultes, écoutait nos opinions avec intérêt et nous donnait la sienne sans condition.

C'était l'année où j'étais terrifiée par l'idée d'une guerre nucléaire. Pendant les fréquents exercices d'évacuation d'urgence que nous faisions à l'école, nous devions nous cacher sous nos pupitres. Des amis de ma famille avaient construit un abri nucléaire. Chez moi, nous avions une grosse boîte de carton remplie de provisions, cachée dans le placard d'entrée juste « au cas où ». Mes amis et moi passions pas mal de temps à discuter du risque qu'il tombe une bombe. Où serions-nous ? Que ferions-nous ?

Un jour que M. Rinehart se promenait sur le terrain de jeux, je lui ai demandé ce qu'il en pensait.

N'hésitant jamais à partager des pensées profondes, il a dit : « Puisque la vie est incertaine, nous devrions célébrer chacun de ses moments. » Il a regardé la cour d'école en bitume où les enfants jouaient à la marelle, à la corde à danser, au ballon, et il a ajouté tout bas, comme pour lui seul : « Assure-toi surtout de faire ce que tu aimes le plus. » De toute évidence, il avait lui-même suivi ce conseil.

À cette époque, j'avais en horreur les cours d'éducation physique. Je n'arrivais pas à faire coopérer mes trop longues jambes pour courir, et j'étais incapable d'attraper, de frapper ou de lancer une balle correctement. Bref, si j'allais à mon cours d'éducation physique, c'est bien parce que j'y étais obligée.

À mon école, le sous-sol d'un gris sombre abritait une cafétéria et une grande salle pour la gymnastique lors des jours de pluie. C'était dans cette pièce que M. Rinehart donnait ses cours d'éducation physique, lesquels étaient en fait des leçons de danse. *Ça reste quand même de l'éducation physique*, me disais-je, les paumes humides à la pensée de nouvelles formes de torture. « Courage », m'a chuchoté M. Rinehart au début du premier cours.

Nous avons valsé et appris la polka, mais nous avons surtout pratiqué la danse carrée. Notre enseignant réussissait à faire tout en même temps : il dirigeait les danseurs, s'occupait de la musique, dansait et enseignait les pas. J'étais émerveillée de voir que tous mes camarades, même les plus doués en éducation physique, faisaient des faux pas autant que moi et même plus. Étonnamment, la danse me venait assez facilement. C'était l'hiver et nous dansions sur « Jingle Bell Rock ». Je me souviens de la musique, du glissement des espadrilles sur le sol, de l'odeur de la sauce à spaghetti de la cafétéria. Un véritable antidote au vent froid qui soufflait sur les demi-fenêtres du sous-sol.

Quand j'avais M. Rinehart comme partenaire de danse, il comptait doucement à mon oreille. À la fin de la danse, il murmurait : « Tu es une bonne danseuse. Ne l'oublie pas. » J'avais tellement de plaisir que j'oubliais que c'était le cours d'éducation physique.

Un jour, M. Rinehart nous a donné un travail de sciences humaines. Nous devions nous mettre en équipes de deux et présenter un compte rendu devant nos camarades de classe. « Soyez créatifs, avait demandé M. Rinehart. Que ce soit amusant. »

Ma copine et moi, deux filles timides, introverties et studieuses, avons choisi la ville de San Francisco comme sujet. Nous avons chanté et dansé sur l'air de *Flower Drum Song*. Cette chanson commençait ainsi : « Grant Avenue, San Francisco, California, USA ! » Pendant plusieurs semaines, nous avons pratiqué à chaque récréation, à chaque midi et après l'école, jusqu'à ce que notre numéro soit une seconde nature pour nous. Toutefois, même si je connaissais par cœur notre numéro, le trac a noué mon estomac le matin de la représentation. J'ai regardé fixement M. Rinehart au fond de la salle, et il m'a souri en hochant la tête. Il ne semblait pas remarquer ma voix qui chantait et hurlait de peur en même temps.

« Bravo! » a-t-il crié en applaudissant très fort à la fin de notre numéro. Je sais que ses applaudissements célébraient notre victoire sur la timidité beaucoup plus que notre talent, mais aucune star de Broadway comblée de roses n'a ressenti autant de fierté que moi en cet instant.

« Avez-vous été surpris? » avons-nous demandé à M. Rinehart après la classe ce jour-là.

« Pas le moins du monde », a-t-il répondu en faisant non de la tête. « Vous avez été courageuses, comme je m'attendais de vous. »

« Je n'ai pas été courageuse, lui ai-je rétorqué. J'avais le goût de pleurer, de vomir, de m'enfuir. »

« Oui, mais tu ne l'as pas fait; c'est cela, le courage. Ce n'est pas ce qu'on ressent qui compte, mais comment on agit. »

Wow. Ses mots m'ont transpercée comme autant de flèches. Je suis restée bouche bée. Ce fut un des moments d'illumination les plus significatifs de ma vie.

Le soir venu, quand ma mère m'a demandé: « Qu'as-tu appris à l'école aujourd'hui? » je lui ai dit: « La vraie nature du courage. »

Chose certaine, cette année-là, j'ai quitté la classe de M. Rinehart avec des connaissances qu'aucun test ne peut vérifier : de grandes vérités sur la coopération et la joie, sur le respect et la bravoure. Des vérités sur ma propre unicité qui ne m'ont jamais quittée au cours de ma vie.

Terry Miller Shannon

Je touche l'avenir

Quand j'étais à l'école secondaire, il y a presque quarante ans de cela maintenant, je n'étais pas très tolérante envers les enseignantes vieillissantes, au ventre protubérant, le buste affaissé et les cheveux grisonnants, qui portaient des chaussures démodées et des lunettes à double foyer. Je me demandais pourquoi elles ne prenaient pas leur retraite, pourquoi elles ne cédaient pas leur place à des enseignantes plus jeunes avec qui j'aurais pu communiquer et apprendre en m'amusant.

Aujourd'hui, plus de trois décennies et demie plus tard, moi-même enseignante à l'aube de la retraite, je suis ce genre de prof que j'avais l'habitude de critiquer et dont je me moquais. Chaque jour, au travail, je porte des chaussures à coussinets orthopédiques. Non seulement ma poitrine, mon ventre et mon derrière sont protubérants, mais ils sont tombants. Chaque mois, je teins en brun mes cheveux gris. Et je porte des lunettes à double foyer.

Ce qui m'a forcée à faire face à ma propre mortalité professionnelle, ce sont les petits nouveaux qui se sont joints à notre équipe d'enseignants cette année. Je me rends compte à quel point je suis devenue dépassée. Encore aujourd'hui, je préfère les cours magistraux au travail en équipes. Les modèles d'écriture que j'utilise en classe sont des classiques de la littérature et non des paroles de chansons rap. Je corrige encore les compositions au stylo rouge. Je garde mon sérieux et me concentre sur le contenu plutôt que sur le « plaisir ».

Toutefois, j'aime à penser que je suis un bon mentor, que je corrige équitablement, et que la plupart des élèves apprécient mes manières sévères et s'aperçoivent que c'est ma façon à moi de leur montrer qu'ils doivent prendre l'école au sérieux. Et même si j'ai l'air fatiguée et vieille à leurs yeux, je crois que je peux encore apporter ma contribution à une salle de classe et à la vie des élèves. J'adore initier des adolescents à la bonne littérature et observer la maturation de leur écriture au cours de l'année. J'adore voir le poème d'un de mes élèves dans une publication de l'école ou dans le journal local. J'adore voir une classe émerveillée et bouche bée devant la vidéo d'un de leurs camarades. J'adore lire la composition d'un élève plein de confiance qui admet s'être senti abandonné et le cœur brisé le jour où personne n'a voulu s'asseoir avec lui au dîner.

J'admire vraiment ceux et celles qui sont au tout début de leur carrière en enseignement. Les enseignants font face à des incidents de plus en plus violents, et à beaucoup de critiques concernant le haut taux de décrochage et d'échec de nos jeunes ainsi que leurs faibles notes. Pourtant, ces mêmes enseignants doivent s'exposer à un nombre de plus en plus grand d'élèves avec des besoins spéciaux, à des jeunes qui ont été ignorés, abandonnés et maltraités, puis à d'autres encore qui ne parlent pas ou très peu notre langue. Ces enseignants doivent parfois payer de leur poche le matériel pédagogique. Ils doivent également intégrer des expériences de bénévolat dans leurs programmes, organiser des horaires compliqués, planifier leurs cours de quatre-vingt-dix minutes, faire les examens nationaux, et prendre position sur les débats concernant l'école, et ce, tout en corrigeant les travaux à la maison les soirs de semaine et les fins de semaine. Pour décrire la condition des enseignants d'aujourd'hui, voici l'écriteau qui a été affiché dans la salle du personnel enseignant de l'école où je travaille:

> *Un médecin, un avocat ou un dentiste reçoit vingt-cinq personnes dans son bureau en même temps. Les vingt-cinq personnes ont des besoins différents. Certaines de ces personnes sont dérangeantes parce qu'elles ne veulent pas être là. Le médecin, l'avocat ou le dentiste doit, sans aide, traiter toutes ces personnes avec professionnalisme pendant dix mois. Voilà à quoi peut ressembler le travail d'un enseignant en classe.*

J'ai vécu les horaires d'école, les conférences avec les parents, les débuts d'années scolaires en septembre, et les fins de celles-ci en juin depuis tellement longtemps que je ne connais pas d'autre vie. J'ai toujours su que le jour où je quitterais l'enseignement, je quitterais la vitalité de la jeunesse et n'assisterais plus quotidiennement à la joie de la découverte dans les yeux de ces ados qui s'initient à tant de choses: apprendre à conduire, tomber en amour, choisir sa bague de finissant, recevoir une distinction scolaire, marquer le touché gagnant au football, aller au bal de fin d'année, signer les albums de finissants des amis, monter fièrement sur la scène pour recevoir son diplôme et saluer de la main une dernière fois. Je revis peut-être un peu de ma jeunesse chaque année à travers ces jeunes, et c'est ce qui m'empêche de renoncer à ce qui est au cœur de ma vie : l'enseignement.

J'ai lu dans le journal que, de toutes les professions, l'enseignement est considéré comme le plus moral, le plus droit, le plus honnête. J'ai lu aussi que, selon un sondage, 57% des Américains estiment que les enseignants sont ceux qui contribuent le plus à la société, comparativement à 25% qui disent que c'est la profession médicale et 1% que ce sont les avocats. Chaque jour, je suis témoin de la compétence de mes collègues qui se dévouent et qui sont d'excellents modèles par leur professionnalisme. Ils sont comme ces bougies qui en allument d'autres pendant qu'elles se consument elles-mêmes. Mes collègues ont le feu sacré. La curiosité des enfants les stimule, ils aiment leur matière et les jeunes, et ils savent qu'ils peuvent contribuer positivement à la vie de leurs élèves. L'enseignement est leur mission, leur vocation et, comme Christa McAuliffe, ils peuvent déclarer : « Je touche l'avenir. J'enseigne. »

Alors que je médite sur les leçons que j'ai apprises au cours des années et que je songe à ma propre retraite, j'éprouve à la fois de l'amusement et un sentiment d'humilité pendant que je lis le commentaire d'un de mes élèves pour son évaluation de fin d'année scolaire avec moi : « Vous seriez une enseignante super si seulement vous rajeunissiez votre garde-robe. »

Kathy A. Megyeri

11

MILLE MERCIS

*Si vous pouvez lire ceci,
remerciez un enseignant.*

Autocollant de pare-chocs

Josiah

J'aime écouter. Cela m'a permis d'apprendre énormément de choses. La plupart des gens n'écoutent jamais.

Ernest Hemingway

C'était le dernier semestre de mes stages en enseignement. Je me destinais à l'enseignement au primaire en éducation spécialisée. Comme la fin des cours approchait, le stress et la pression allaient en augmentant. En plus d'avoir rompu avec mon petit ami, de m'être disputée avec ma colocataire, de tenter de concilier travail et études, je devais terminer un stage de trente heures dans les écoles publiques de ma région. J'en étais presque rendue à me demander si j'avais vraiment fait le bon choix de carrière. Puis, j'ai rencontré Josiah.

Ce matin-là, je m'étais levée du pied gauche; la veille, j'avais travaillé jusqu'aux petites heures pour terminer des plans de cours et d'autres travaux à remettre dont la date limite approchait. Même si j'étais parvenue à m'extirper du lit, j'anticipais déjà le moment où je pourrais rentrer à la maison pour m'enfouir de nouveau sous les couvertures. J'ai pris une douche et je me suis préparée, redoutant le moment où j'entrerais dans la classe d'une autre enseignante pour emmener des élèves travailler avec moi, alors qu'ils détestaient généralement sortir de leur classe et manquer ce que leurs amis faisaient cette journée-là. J'ai couru vers ma voiture sous la pluie et j'ai échappé mes papiers par terre en essayant de déverrouiller ma portière. Ma coupe était pleine!

Dès mon arrivée à l'école, je me suis présentée à la réception pour savoir quelle classe m'était assignée, puis j'ai arpenté les corridors pour la trouver. Au cours des deux semaines suivantes, j'allais travailler avec des élèves aux prises avec des difficultés d'apprentissage, des troubles de comportement et des problèmes émotionnels. Une collègue m'attendait dans le corridor et m'a expliqué que nous allions travailler avec des élèves de la même classe. Nous sommes donc entrées ensemble. L'enseignante titulaire, qui lisait un magazine, a levé les yeux et a dit: « Alors, c'est vous les chanceuses aujourd'hui. Faites-vous une faveur et changez de profession tout de suite. Vous vous en féliciterez plus tard. »

J'ai simplement répondu en souriant: « J'adore travailler avec ces élèves. »

L'enseignante s'est mise à rire: « Vous verrez à quel point vous aimez ce travail après avoir rencontré ma classe. »

Quelques minutes plus tard, les élèves sont entrés en se traînant les pieds. Tous des garçons. L'enseignante a assigné une place à chacun. Un des élèves avec qui ma collègue et moi allions travailler était assis devant un ordinateur avec un camarade. L'enseignante a dit: « Une d'entre vous peut partir avec lui. Josiah n'est pas encore arrivé, en retard comme d'habitude. Il doit être encore dans le pétrin. » Ma collègue a décidé de prendre l'élève à l'ordinateur pendant que j'attendrais Josiah. Peu de temps après, la porte s'est ouverte toute grande et un garçon en fureur a fait irruption dans la classe. Grand pour son âge, il portait de vieilles chaussures et des vêtements du même acabit. Le visage rouge de colère, il jurait en sourdine. Il s'est dirigé immédiatement vers son pupitre et a projeté sa chaise vers l'arrière. J'ai regardé l'enseignante qui m'a dit: « Je vous présente Josiah. C'est son humeur habituelle. Je fais semblant de l'ignorer et, habituellement, tout rentre dans l'ordre. »

Pour ma part, il était hors de question d'ignorer un tel comportement. De toute évidence, cet élève avait besoin d'aide. J'ai approché une chaise de son pupitre. Je lui ai expliqué que j'étudiais à l'université, que j'allais faire des mathématiques avec lui pendant environ une heure, à raison d'un jour sur deux pendant les deux prochaines semaines. Encore tremblant, Josiah gardait la tête basse et ne semblait pas avoir entendu un mot de ce que je lui disais. J'ai ajouté que je comprenais qu'il ait encore besoin d'un peu de temps pour se calmer, alors j'allais rester près de lui jusqu'à ce qu'il soit prêt à me parler, et que j'étais ouverte à l'écouter sur quoi que ce soit dont il voulait me dire. Il est resté silencieux. J'ai pensé: *Formidable! En plein ce dont j'avais besoin aujourd'hui!* Ne sachant pas quoi faire d'autre, j'ai continué à lui parler: « Josiah, je sais qu'il y a quelque chose qui te dérange en ce moment. Je suis venue ici pour t'aider en mathématiques, mais si tu as besoin de parler de ce qui te préoccupe, je serai heureuse de t'écouter. »

Il a levé la tête et a dit: « Vous êtes jolie et vous sentez bon. » Je ne savais pas comment réagir à ce compliment, mais c'était un début. Pendant que je cherchais les mots justes, il m'a regardée de nouveau et a dit en bégayant légèrement: « Je suis prêt à faire des mathématiques maintenant. »

J'ai souri, puis je lui ai tendu une feuille de problèmes, question d'évaluer où il en était et où il avait le plus besoin d'aide. Il a sorti son crayon et a commencé à travailler en silence. Comme le téléviseur et l'ordinateur faisaient énormément de bruit, il avait de la difficulté à se concentrer. Après avoir fait quelques problèmes, il a dit: « Je m'excuse de ne pas avoir parlé tout à l'heure. C'est juste que personne ne m'écoute. Tout le monde crie après moi d'habitude. »

Je l'ai observé pendant qu'il terminait sa feuille de problèmes. L'importance qu'il accordait à l'attention pourtant minime que je lui avais portée m'étonnait. Comment avait-il pu se rendre jusqu'en première secondaire si personne ne s'était donné la peine de l'écouter? Comme l'heure tirait à sa fin, je lui ai dit de terminer le problème qu'il venait de commencer et que ce serait tout pour le moment. Pendant que je remballais mon matériel, il m'a regardée droit dans les yeux et a dit: « Allez-vous revenir? »

Je lui ai dit que j'allais revenir dans deux jours. Il a dit: « Super! J'ai hâte de vous revoir! » Cette remarque a été ma récompense de la journée.

Le lendemain, la journée a filé comme l'éclair et j'anticipais le moment où je travaillerais de nouveau avec Josiah. J'ai même demandé à son enseignante si je pouvais le sortir de la classe parce qu'il y avait trop de distractions.

Le jour suivant, Josiah semblait content en entrant dans le local, mais son humeur a changé lorsqu'il est arrivé à son pupitre. Son enseignante avait nettoyé son pupitre et jeté quelques papiers apparemment importants pour lui. Il s'est mis en colère et a commencé à crier. « Vous n'avez pas le droit de faire ça. Je déteste l'école et je déteste vivre. J'aimerais mieux être mort! »

Je suis restée une minute sans dire un mot, puis je lui ai demandé de m'accompagner. Il a crié: « Je ne veux rien savoir de vos stupides maths! Tout le monde se fiche de moi. Tout le monde se fiche que j'apprenne! »

« Je ne m'en fiche pas, Josiah. Mais tu dois m'aider si tu veux que je t'aide. Tu dois te calmer. » Il s'est levé et m'a suivie à l'extérieur de la classe. Nous nous sommes assis et je lui ai dit: « Josiah, je veux que tu me regardes pendant une minute. Je veux que tu me regardes et que tu écoutes vraiment ce que j'ai à dire. »

Il a levé les yeux. « Josiah, tu *es* important et tu *es* spécial. Tu ne le sais pas encore, mais tu possèdes des dons spéciaux à offrir à ce monde. Je me fiche de ce que les autres disent; je sais que tu peux faire ou être tout ce que tu veux si tu le désires vraiment. Ne laisse jamais personne dire que tu es différent des autres. »

Il est resté assis silencieux, le regard fixe. Ses yeux étaient rougis et embués de larmes. Pendant que je préparais mon matériel, il a dit: « Je m'excuse d'avoir passé ma colère sur vous. Vous êtes la seule personne gentille avec moi et je voulais pas vous faire de la peine. Je suis content de travailler avec vous. »

Nous avons fait des maths et tout s'est bien déroulé. Il a eu de la difficulté à résoudre les premiers problèmes, mais après lui avoir donné quelques explications, il a vite compris. Il était si fier de trouver les solutions qu'il me redemandait sans cesse de nouveaux problèmes. Plus je lui en donnais et plus il en voulait. « Je ne savais pas que j'étais aussi bon! »

Josiah a continué de travailler fort sur ses mathématiques et il s'améliorait quotidiennement. Il montrait une telle fierté d'apprendre à résoudre les mêmes problèmes que les autres élèves de son niveau, il en redemandait avec enthousiasme chaque cours. Finalement, notre dernier jour de travail ensemble est arrivé. Il voulait savoir pourquoi je ne pouvais plus revenir, et j'ai tenté de le lui expliquer de la meilleure façon possible.

En rangeant mon matériel d'enseignement, il a dit: « Mlle Adams? »

« Quoi? » ai-je répondu sans le regarder.

« Mlle Adams, je veux que vous me regardiez et que vous écoutiez vraiment ce que j'ai à dire. »

Je l'ai regardé et ses yeux se sont remplis de larmes alors qu'il me prenait la main et me disait en bégayant: « Merci beaucoup. »

« Oh, tout le plaisir a été pour moi. Je me suis beaucoup amusée. »

« Non, je suis vraiment sérieux. Merci. Vous avez été très spéciale pour moi et vous m'avez beaucoup aidé. » Sur ce, il m'a fait un large sourire et est sorti de la bibliothèque.

Je suis restée assise là, en larmes. J'avais travaillé quatre années dans différentes écoles avec des élèves de tous âges, mais Josiah était le premier à me dire « merci ». Il m'a donné l'inspiration et le courage dont j'avais besoin pour amorcer avec conviction ma carrière dans l'enseignement. Aujourd'hui, dans ma propre classe pour les enfants ayant des besoins particuliers, je cite encore Josiah : « Je veux que vous me regardiez et que vous écoutiez vraiment ce que j'ai à dire. »

Denaé Adams Bowen

« *Le titre de ma composition est* Un meilleur salaire pour les professeurs. »

Un cadeau d'amour
pour la Saint-Valentin

Nous gagnons notre vie avec ce que nous recevons, mais nous lui donnons un sens avec ce que nous donnons.

Winston Churchill

Comme tant d'autres enseignants, j'essaie de faire sentir à mes élèves que chacun d'entre eux est unique. Je ne suis pas mère, alors mes élèves sont en quelque sorte mes enfants. Pendant une trop brève année, j'ai la chance d'entrer dans leur vie. Je peux assister à un match de basket-ball, à un récital de danse ou à une vente de cartes de joueurs de baseball. Je veux inculquer à chaque enfant qu'il est spécial parce qu'il est unique. C'est au cours d'une année où j'enseignais à une classe de cinquième année que j'ai compris à quel point mon travail était important.

Vers la fin janvier, j'avais remarqué un échange de petits mots entre les élèves. C'était plutôt inhabituel, puisqu'ils avaient souvent l'occasion de parler entre eux pendant les activités en classe; de plus, ceux qui s'échangeaient des notes n'étaient pas des amis. Ces messages ne provenaient pas d'une seule et même source, et les destinataires étaient multiples. En fait, il y avait un échange constant de notes dans toute la classe.

Ce petit manège durait déjà depuis quelques jours lorsque j'ai demandé à plusieurs élèves pris en flagrant délit de me donner des explications. J'ai ensuite sermonné toute la classe sur le fait qu'échanger des petits mots pendant que j'essayais d'enseigner était un manque de respect à mon égard. Et j'ai mis à la poubelle les notes que j'avais ramassées, sans même les avoir lues.

Au bout d'une semaine ou deux, je croyais avoir mis un terme à l'échange de notes, car l'activité semblait s'être résorbée. Février est arrivé et les pensées se sont naturellement tournées vers la Saint-Valentin; curieusement, les élèves ne semblaient pas en discuter beaucoup entre eux comme à l'habitude. Le professeur d'arts plastiques leur avait montré comment fabriquer une grosse enveloppe qu'ils pourraient fixer à leur pupitre pour recevoir des cartes de Saint-Valentin. J'ai distribué une liste contenant les noms de tous les étudiants afin qu'ils puissent adresser leurs cartes. La veille de la Saint-Valentin, les élèves m'ont finalement demandé s'il y aurait une fête en classe. Je leur ai proposé de réserver la dernière heure de classe du lendemain pour souligner la Saint-Valentin et ils ont accepté. Par la suite, ils m'ont demandé si j'accepterais de rallonger la fête d'une demi-heure, et je leur ai donné la réponse habituelle: « Si tout se passe bien pendant la journée, on verra. »

Le matin de la Saint-Valentin, nous avons vu la matière au programme sans problème. Les élèves étaient étonnamment calmes compte tenu de l'effet que produit habituellement cette fête chez des enfants de dix ans. Avant qu'ils partent pour la pause du dîner, je leur ai annoncé que la fête commencerait dès leur retour en classe. Ils ont enfin manifesté un peu d'enthousiasme.

Lorsque je suis allée chercher mes élèves à la cafétéria après le dîner, ils n'étaient pas là. J'étais interloquée, mais la directrice adjointe m'a expliqué qu'ils étaient déjà partis avec le professeur de musique. Je me suis rendue au local de musique. Personne. Je suis revenue à la cafétéria, et le professeur de musique m'attendait à la porte pour m'accueillir. La pièce avait été vidée, à l'exception d'une chaise placée au centre. Le professeur m'a accompagnée jusqu'à la chaise et c'est alors que j'ai aperçu mes élèves, debout sur la scène devant moi.

Candi, ma petite timide, s'est approchée du micro. « Nous voulions faire quelque chose de vraiment spécial pour vous parce que vous faites beaucoup de choses spéciales pour nous. Nous avons eu beaucoup d'idées, mais nous avons décidé que ce que vous aimeriez le plus, c'est un spectacle en cadeau. Nous espérons que vous allez l'aimer. »

Chaque élève m'a présenté son numéro. Il y a eu du chant, de la danse, un numéro de patins à roues alignées sur de la musique, un récital de piano, une lecture de poème. Chaque enfant a fait quelque chose. J'ai regardé le tout, incrédule. Mes élèves avaient monté un spectacle complet de variétés avec maître de cérémonie, décors et accessoires. Tous les petits mots échangés au cours des semaines précédentes étaient des convocations à des réunions après la classe pour préparer et organiser le spectacle. Ils avaient demandé l'aide du professeur de musique pour obtenir la permission d'utiliser la scène et le système de son.

Après une heure de spectacle devant un auditoire composé d'une enseignante au visage rayonnant et à l'œil humide, les élèves se sont alignés pour faire un dernier salut. Ensemble, ils ont dit: « Nous savions que le plus beau cadeau que nous pouvions vous donner serait une petite partie de nous-mêmes. Bonne Saint-Valentin. »

Jamais je n'avais ressenti autant d'amour à l'occasion de la Saint-Valentin — à la fois pour des élèves et pour mon métier.

Jodi O'Meara

Un mot dans ma case

Le petit mot que j'avais trouvé dans ma case à l'école disait: « Rappelez Margaret au 555-6167. » Ni le nom ni le numéro de téléphone ne me disaient quelque chose, mais en tant que professeur de mécanique automobile, je recevais constamment des appels de gens à la recherche d'un mécanicien pour réparer leur automobile. Pendant la pause du dîner, j'ai donc composé le numéro.

« Je voudrais parler à Margaret », ai-je dit.

« Oui, c'est elle-même », a répondu la voix à l'autre bout du fil.

« Je m'appelle Ron Wenn. J'ai ici un message qui me demande de vous téléphoner », ai-je ajouté tout en me demandant quel problème de voiture avait cette femme.

« Je suis contente que vous appeliez. Si vous acceptez de m'accorder quelques minutes de votre temps, j'ai quelque chose à vous dire qui serait susceptible de vous intéresser. »

« D'accord », ai-je répondu en jetant un coup d'œil à l'horloge. Je disposais de quelques minutes seulement avant de retourner en classe.

« Je suis infirmière, et hier, en route vers la maison après le travail, ma voiture a commencé à faire des siennes. »

« Oui? » ai-je dit en regardant de nouveau l'horloge.

« Il était tard le soir et j'étais seule. J'étais très effrayée de devoir me ranger sur le côté, mais finalement le moteur a rendu l'âme et j'ai été forcée de m'arrêter. Je suis restée sans bouger pendant quelques minutes, me demandant quoi faire. »

Je ne voulais pas me montrer impatient, mais je devais absolument retourner en classe. « Aimeriez-vous que je jette un coup d'œil à votre voiture, m'dam? » ai-je demandé.

« Laissez-moi seulement finir », a répondu Margaret.

Tout en tapotant mon stylo sur la pile de feuilles qui se trouvait devant moi, j'ai écouté la suite de son histoire. « Tout à coup, une voiture s'est garée derrière la mienne et deux jeunes hommes d'une vingtaine d'années en sont sortis. Je ne savais pas quelles étaient leurs intentions. J'avais très peur.

« Ils m'ont demandé ce qui était arrivé, puis ils ont écouté le son de mon moteur et ont dit qu'ils croyaient être capables de le redémarrer. J'ai arrêté le moteur et ouvert le capot.

« Je suis restée dans la voiture en priant pour que ces garçons n'aient pas de mauvaises intentions. Après quelques minutes, ils m'ont demandé de démarrer la voiture. Je n'arrivais pas à le croire. Le moteur a démarré d'un seul coup. Les jeunes hommes ont refermé le capot, puis ils m'ont dit que je pouvais repartir, en me suggérant d'aller dans un garage pour une inspection. »

« Et vous voudriez que je jette un coup d'œil pour vérifier si tout est correct? » ai-je demandé.

« Non, vous n'y êtes pas du tout, a poursuivi mon interlocutrice. J'étais si reconnaissante. Je les ai remerciés encore et encore et je leur ai offert de l'argent, mais ils ont refusé. C'est alors qu'ils m'ont dit qu'ils étaient vos anciens élèves. »

« Quoi? ai-je demandé, interloqué. D'anciens élèves? Quels sont leurs noms? »

« Ils ont refusé de me le dire. Ils m'ont seulement donné votre nom et le numéro de téléphone de l'école, puis ils m'ont fait promettre de vous appeler pour vous remercier. »

Je n'en croyais pas mes oreilles. Je ne savais trop quoi dire. Il est vrai qu'en plus de leur enseigner à réparer des voitures, j'essayais de leur inculquer quelques leçons de vie, comme se surpasser, être honnête et utiliser ses talents pour aider les autres. J'ignorais cependant si mes élèves retenaient quelque chose de tout ça.

« M. Wenn, vous êtes encore là? » a demandé Margaret.

« Je suis là », ai-je répondu.

« J'espère que vous savez à quel point je vous suis reconnaissante », a dit Margaret.

« J'espère que vous savez à quel point je vous suis reconnaissant, moi aussi, Margaret. Merci d'avoir téléphoné », ai-je dit en raccrochant.

Je suis retourné en classe, stimulé par la pensée que mes enseignements avaient poussé d'anciens élèves à aider quelqu'un. Je venais de recevoir la plus belle récompense qui soit pour un enseignant.

Ron Wenn et Nancy J. Cavanaugh

Un humble cadeau

C'est le dernier jour des classes et mes mains n'ont aucun présent à vous offrir.

J'ai pourtant essayé de trouver un cadeau pour vous. Pendant des mois, j'ai feuilleté les catalogues, fouillé les boutiques spécialisées et les magasins à rayons, et même cherché sur Internet avant de me rendre compte qu'aucune babiole ni aucune carte ne pourraient exprimer ce que ressent un cœur de mère reconnaissant envers une enseignante dévouée.

Comme j'aimerais qu'un bouquet de fleurs sauvages multicolores puisse refléter la beauté de votre approche envers les enfants: la patience sans faille, l'attention constante, les encouragements affectueux. Comme j'aimerais qu'un panier rempli de savons doux et d'huiles parfumées pour le bain puisse refléter les multiples façons dont vous avez influencé la vie de vos élèves. Mais ce cadeau serait trop ordinaire.

Un bijou aurait pu convenir, mais avais-je les moyens de vous offrir un joyau qui ne ternirait pas ou ne se démoderait pas rapidement? Vous méritez une couronne royale pour votre persévérance et votre créativité, votre dévouement et votre talent.

Au cours de l'année qui vient de passer, je vous ai offert plusieurs cadeaux, la plupart intangibles.

Mon premier cadeau est arrivé au moment où la cloche de l'école s'est fait entendre pour la toute première fois en août dernier. J'ai alors placé en vous ma confiance, sachant que vous enseigneriez à mon enfant et me respecteriez en tant que parent. À cela se sont ajoutées mes prières ferventes afin que vous fassiez preuve d'objectivité et d'honnêteté, et que vous soyez capable d'établir des limites tout en donnant à mon enfant la chance d'apprendre à se contrôler et de s'épanouir à la fois. J'ai sincèrement souhaité que votre classe devienne un refuge pour mon enfant, un lieu de croissance et d'apprentissage, un lieu où se mélangent follement et parfaitement autodiscipline et apprentissage contrôlé. J'ai prié pour votre santé et votre bonheur. J'ai prié pour que vous continuiez d'acquérir les outils nécessaires à l'accomplissement de vos tâches d'enseignante, d'éducatrice et de mentor. Je vous ai offert mon temps le plus souvent possible et j'ai appuyé vos projets. À l'occasion, je vous ai mise au défi alors que je vous livrais le fond de ma pensée; parfois, mes positions étaient fermes; parfois, je renouvelais ma confiance en vous et vous laissais la chance d'aller au bout de vos idées.

Du plus profond de mon âme, j'ai souhaité vous offrir « quelque chose de spécial », emballé avec du papier aux couleurs vives et un délicat ruban, qui exprimerait ma gratitude et mon affection. Mais rien ne pourrait surpasser le cadeau le plus précieux que j'ai jamais possédé, celui-là même que je vous ai offert au début de l'année scolaire et que vous avez si gracieusement accepté — un cadeau qui a été cher à votre cœur, avec qui vous avez ri et probablement pleuré aussi, que vous avez applaudi et parfois grondé, que vous avez inspiré et encouragé, que vous avez modelé et façonné — mon enfant.

Aujourd'hui, alors que mon enfant revient à mes côtés pour l'été, le cadeau que je vous offre humblement se trouve au fond de mon cœur…

Je vous offre ma reconnaissance.

Amanda Krug

Le temple de la renommée

« Du temple de la honte au temple de la renommée » disait la manchette soulignant mon intronisation avec quatre autres enseignants au Temple de la renommée de l'enseignement. En effet, qui aurait pu imaginer qu'une décrocheuse obèse et rebelle du secondaire à la fin des années 1960 deviendrait un jour enseignante de l'année? Ni mes parents, ni mes enseignants, ni même moi n'aurions cru une telle chose possible.

Comme beaucoup d'adolescentes aujourd'hui, j'étais une jeune fille de 16 ans peu sûre d'elle, pleine de confusion et de colère. Je souffrais d'un très important surplus de poids et, confrontée à la dégringolade de mes résultats scolaires, j'avais dû renoncer à rivaliser avec ma sœur aînée, Donna. En plus d'être une première de classe et la vedette de la troupe de meneuses de claque, Donna avait été élue reine du bal des finissants, et major de sa promotion. J'aurais voulu être comme elle, mais j'en étais incapable. Il m'était beaucoup plus facile d'attirer l'attention en faisant le clown; d'ailleurs, le seul honneur que j'ai jamais reçu à l'école secondaire a été mon élection à titre « d'élève la plus drôle de l'année ». Malheureusement, lorsque j'ai commencé à boire, à avoir de mauvaises fréquentations et à fuguer, je suis devenue plus pathétique que drôle.

Ma mère et mon père étaient des parents de la classe moyenne qui trimaient dur pour subvenir aux besoins de leur famille. Ils ont multiplié les rencontres avec mes enseignants, m'ont fait consulter plusieurs médecins et psychologues, et m'ont toujours sortie du pétrin ou de prison chaque fois qu'ils le pouvaient. Lors de ma dernière fugue, mes parents ont été sans nouvelles de moi pendant des semaines, car je ne couchais jamais deux fois au même endroit. Cependant, j'ai rapidement compris que cette liberté à laquelle j'aspirais tant n'était faite que de promesses sans lendemain, d'itinérance, de pauvreté et, surtout, de danger. Encore une fois, j'ai joué à l'enfant prodigue en revenant à la maison. Ma famille m'a accueillie à bras ouverts sauf que, cette fois, leur amour inconditionnel s'est accompagné de limites plus que nécessaires et j'ai dû me plier à leurs règles, alors je suis retournée à contrecœur aux études.

Le premier jour a été aussi affreux que je le craignais. J'ai entendu tous les quolibets que me lançaient les autres élèves, du genre « Hé, la grosse! » ou « La récidiviste est revenue! » J'aurais probablement fait une nouvelle fugue n'eut été d'une voix familière venue de l'autre bout du corridor. Mme Alma Sitton, qui se laissait affectueusement appeler « Miss Alma », était la seule enseignante qui m'avait toujours traitée avec respect et dignité. Toutefois, elle était exigeante envers tous ses élèves et nous plongeait dans la littérature, la grammaire et les travaux d'expression orale. Nous savions tous que si nous ne rations qu'un seul de ses cours, Miss Alma conservait une bonne pile de travaux de rattrapage prêts à être distribués. Comme j'avais été absente pendant plusieurs semaines, rattraper le temps perdu me semblait une mission impossible.

Ignorant les railleries de mes camarades de classe, j'ai obéi à l'appel de Miss Alma et je me suis dirigée vers elle d'un pas traînant. Comme je m'y attendais, elle m'a fait entrer dans sa classe chaleureuse qui m'était si familière et m'a m'indiqué la table où se trouvaient tous les travaux non complétés. Je suis restée silencieuse, roulant des yeux et me mordant la langue, en attendant le sermon qui accompagnerait la pile de devoirs non faits. La suite m'a prise complètement par surprise. Miss Alma s'est tournée vers moi et a fait le geste le plus paradoxal, le plus incroyable qu'une enseignante a jamais fait pour moi. Elle a doucement refermé la porte, a posé ses mains striées de veines violacées sur mes épaules, m'a regardée droit dans les yeux jusqu'au plus profond de mon âme et m'a prise dans ses bras. Elle a alors chuchoté doucement à mon oreille. « Debbie! Dieu a de grands projets pour toi en autant que tu lui permettes d'entrer dans ta vie. Tu peux aussi compter sur moi. » Je ne me rappelle que vaguement tous les travaux qu'elle a commencé à m'expliquer, mais je n'oublierai jamais son sourire affectueux qui a suscité le mien. Ce cadeau de dix secondes d'espoir et d'encouragement a duré trente années. La pile de travaux de rattrapage n'avait plus d'importance; Miss Alma était devenue mon héroïne.

Personne dans ma ville natale n'aurait pu prédire que, parmi tous les élèves de ma promotion, je serais celle qui deviendrait une enseignante d'anglais, d'expression orale et d'art dramatique au secondaire, comme Miss Alma l'avait été. Moi, cela ne m'a pas surprise. Miss Alma non plus. Vingt ans plus tard, après avoir perdu quarante-cinq kilos, m'être mariée et avoir décroché un emploi d'enseignante à Saint-Louis, j'ai été choisie enseignante de l'année. J'ai alors senti qu'il était de mon devoir de retourner dans ma ville natale pour remercier celle qui m'avait tant inspirée. Miss Alma, maintenant à la retraite, faisait du bénévolat pour sa paroisse. Ce jour-là, elle servait un repas constitué de pain et de poisson. Comme c'était à-propos! En m'approchant d'elle, je suis redevenue cette adolescente manquant d'assurance, anxieuse et incapable de s'exprimer. Encore une fois, j'ai été enveloppée par cette étreinte chaleureuse et confortable. « Debbie! Comme tu as changé! Tu as perdu tant de poids! J'ai entendu dire que tu étais devenue enseignante! Je suis si fière de toi! » Je voulais lui dire à quel point elle avait été ma source d'inspiration, la remercier non seulement pour avoir sauvé ma vie, mais pour m'avoir servi de modèle. Cependant, j'avais la gorge si serrée que je ne pouvais prononcer un seul mot.

Lors des conférences que je prononce à titre de membre du Temple de la renommée de l'enseignement dans des écoles, des entreprises et des églises partout aux États-Unis, j'inclus chaque fois l'histoire inspirante de Miss Alma. La semaine prochaine sera le point culminant de ma carrière de conférencière: on m'a invitée à parler aux membres de la communauté de Miss Alma. Je sais que ma voix sera étouffée par des sanglots lorsque je raconterai l'histoire de Miss Alma et que j'aurai finalement la chance de la remercier publiquement d'avoir été un tel modèle, un tel soutien, et la raison même pour laquelle je suis devenue une enseignante. Avec les années, j'ai appris que les enfants se fichent de vos connaissances jusqu'à ce qu'ils sachent à quel point vous vous souciez réellement d'eux. Par-dessus tout, j'ai hâte de sentir de nouveau ses bras autour de moi, et de lui dire que cette étreinte et cet encouragement, je les ai transmis à des milliers d'autres « Debbie » qui avaient besoin de croire que « Dieu a de grands projets pour eux ». Je suis fière de constater que beaucoup de mes anciens élèves sont devenus enseignants. Le plus beau compliment qui m'a été fait est le suivant : « Mme Peppers, vous êtes ma Miss Alma. » Et ainsi son héritage se perpétue.

Debra Peppers, Ph.D.

Une journée typique

*C'est le rôle essentiel du professeur que
d'éveiller la joie de connaître et d'apprendre.*

Albert Einstein

En tant qu'enseignant au secondaire, non seulement l'avenir de ma profession me préoccupe, ce qui est tout à fait compréhensible, mais également la perception qu'en a le public. Pour cette raison, j'ai décidé récemment de profiter du soi-disant « temps libre » dont je dispose pendant ma journée de travail pour me promener dans l'école et constater par moi-même ce qui se passe à l'extérieur de ma salle de classe.

La première porte que j'ai franchie était celle d'une enseignante de mathématiques en train d'aider un élève qui, de toute évidence, éprouvait certaines difficultés. En effet, le visage de cet élève exprimait tour à tour la frustration, la confusion et le désespoir muet. De son côté, l'enseignante offrait sur un ton optimiste soutien et encouragement.

« Essayons encore, mais cette fois, nous utiliserons un point de départ légèrement différent », disait-elle en effaçant le tableau à la recherche d'une meilleure solution.

Plus loin dans le corridor, j'ai jeté un coup d'œil dans la classe d'un de nos enseignants d'histoire. Placés en demi-cercle, des élèves participaient à un débat animé sur des événements d'actualité au Canada. L'enseignant restait volontairement à l'écart, intervenant à l'occasion pour poser une question ou réorienter gentiment la discussion lorsque les propos s'éloignaient trop du sujet à l'ordre du jour. Puis les élèves ont formé de plus petits groupes pour représenter les points de vue des différentes provinces. Les discussions ont monté d'un ton et sont devenues plus intenses. L'enseignant, le sourire aux lèvres, s'est avancé pour jouer à l'arbitre.

Une fois rendu au balcon du gymnase, j'ai regardé le professeur d'éducation physique diriger un entraînement en basket-ball avec un groupe de garçons.

« Fais une passe et coupe au centre ! criait-il. Faites le mur ! Couvrez le joueur à découvert ! »

Soudainement, il a arrêté l'action.

« Attendez, les gars, a-t-il dit. Comprenez-vous vraiment ce que nous essayons de faire ? »

En guise de réponse, il a reçu des regards déconcertés et des haussements d'épaules. Le professeur a alors pris une profonde inspiration et a expliqué non seulement le but visé par l'exercice, mais comment il s'insérait dans un plan d'attaque et de jeu d'équipe. Les élèves ont hoché la tête pour montrer qu'ils avaient compris, puis le groupe s'est remis à la tâche avec une énergie renouvelée.

La prochaine étape de mon périple a été un arrêt devant la porte ouverte du laboratoire de physique qui bourdonnait, lui aussi, d'activités. J'ai observé attentivement un groupe de quatre élèves qui faisaient une démonstration de leur invention. Pendant qu'ils régalaient à tour de rôle leur auditoire modeste mais attentif des détails uniques de leur projet, l'enseignante restait à proximité et filmait sur bande vidéo la totalité de leur présentation.

Au moment de partir, je l'ai entendue dire: « Maintenant, approchons le téléviseur et évaluons ce que vous venez de faire. »

Finalement, en route vers ma classe, je n'ai pu m'empêcher de me diriger vers le bruit sourd qui provenait du fond du corridor, un mélange de musique tonitruante, de martèlement de pieds, et d'instructions qui essayaient de dominer le vacarme. Des danseurs de formes et de tailles diverses virevoltaient dans tous les sens; ils semblaient obéir à une chorégraphie savamment orchestrée. Un spectacle agréable à regarder: beaucoup d'ardeur au travail, de la sueur, une intense concentration. Et puis, une erreur. Un des danseurs a proposé une explication, ce qui a provoqué une discussion entre plusieurs élèves. La professeure de danse est intervenue et a suggéré un compromis. La timide demande d'une courte pause faite par un des élèves n'a pas été entendue.

« Nous ferons une pause lorsque nous exécuterons cette partie de la chorégraphie correctement », a décrété l'enseignante. Puis elle a brièvement encouragé les élèves à faire un petit effort supplémentaire, ce qui a semblé suffire à insuffler une nouvelle énergie à la troupe. Le tourbillon a recommencé. « Et maintenant, du début... »

Mon expédition terminée, je suis retourné dans ma classe pour réfléchir à ce que je venais d'observer. Rien ne m'avait réellement surpris. C'était essentiellement ce à quoi je m'attendais à trouver: des objectifs à atteindre, des problèmes à résoudre, du travail d'équipe, une analyse critique, des débats, des discussions. Bref, un processus d'apprentissage.

La seule chose qui pourrait vous étonner, mais qui ne me surprend pas, c'est qu'au moment d'effectuer ma petite tournée, la journée d'école était déjà terminée depuis une heure.

Brian Totzke

Démarrez les moteurs

Une enseignante essayait d'expliquer l'impor-
tance d'une bonne calligraphie à ses élèves de
première année. « N'oubliez pas, disait-elle, si
vous n'apprenez pas à signer votre nom, vous
devrez tout payer comptant quand vous serez
grands. »

Bits & Pieces

« Ces connaissances en comptabilité vous seront utiles un jour », disait Larry Lease à ses élèves du Shasta College. « Si vous devenez riches, vous pourrez me témoigner votre reconnaissance en m'offrant une Porsche. »

Heureusement pour Lease, un de ses élèves l'a pris au mot. Un jour, Robert Sullivan, 36 ans, un concepteur de logiciels informatiques, multimillionnaire, est retourné à son ancienne école pour remercier un enseignant qui, disait-il simplement, avait cru en lui. Prétextant avoir oublié quelque chose dans sa voiture, Sullivan a attiré Lease dans le stationnement du campus. En approchant d'une rutilante Porsche décapotable d'une valeur d'environ soixante-dix mille dollars, Sullivan lui a lancé les clés. « Elle est à vous », a-t-il dit.

« Tu me fais marcher! » Lease, âgé de cinquante-cinq ans, se rappelle s'être éloigné de la voiture sport de 217 chevaux, en état de choc. « J'avais les larmes aux yeux, a-t-il ajouté. Puis, j'ai souri et ce sourire ne m'a plus quitté depuis. »

Ce geste a eu sur Lease un impact beaucoup plus profond que Sullivan ne l'avait imaginé au départ. Quelques années auparavant, Lease et sa femme, Betty, une journaliste âgée de 50 ans, avaient perdu leur fils de 17 ans, Adam, dans un accident de voiture. Le cœur brisé, Lease, autrefois plein de vie, s'était mis à passer moins de temps à l'école pour rester à la ferme familiale et s'occuper davantage de sa fille, Amanda, âgée de 11 ans. « Les dernières années ont été très difficiles, a expliqué Betty. Lorsqu'un malheur aussi horrible vous tombe dessus sans crier gare, une surprise si agréable vous rend deux fois plus heureux, surtout si elle vous tombe du ciel. »

De son côté, Sullivan aussi avait dû patienter avant de voir la chance tourner en sa faveur. Fils de Bert Sullivan, un marine de carrière à la retraite, et de Danny Tweedy, une aide-éducatrice dans une pré-maternelle, ce décrocheur avait quitté l'armée avant d'avoir obtenu un diplôme. Il avait passé la majeure partie des années 1980 à travailler pour des chaînes de restauration rapide. Le cours de comptabilité de Lease qu'il avait suivi en 1986 était le seul souvenir heureux de ses études. Sullivan y avait excellé, devenant même un tuteur pour d'autres élèves.

« Cela a cliqué immédiatement entre Larry et moi », raconte-t-il. Malheureusement pour Sullivan, ce lien d'amitié avec un professeur stimulant n'avait pas suffi à le retenir à l'école. Presque toute l'année suivante, il avait vécu dans sa vieille bagnole. « Je me nourrissais de boîtes de thon, de craquelins et de tout ce qui me tombait sous la main », se rappelle-t-il.

En 1992, Sullivan s'est installé dans la région de San Francisco. Informaticien autodidacte dans les applications de logiciels, il est devenu un des premiers employés de ce qui allait devenir Commerce One. Lorsque la cyberentreprise a fait son entrée en Bourse, il a pu empocher la coquette somme de près de quarante millions de dollars. Sullivan pouvait prendre sa retraite, ce qu'il a d'ailleurs fait. Avant d'emménager avec sa femme, Karen, une ancienne infirmière, dans une résidence de style Tudor de six chambres à coucher construite sur un domaine de douze acres au Kentucky, il lui restait une dernière tâche à accomplir: livrer une Porsche rouge. « Ce serait un cadeau formidable que Larry pourrait montrer à ses amis et avec lequel il pourrait s'amuser », a expliqué Sullivan. « Cette idée me plaisait beaucoup. »

Et Larry conduit sa Porsche avec fierté. Toujours aussi généreux, l'enseignant, qui utilisait une mini-fourgonnette usagée pour ses déplacements quotidiens, fait essayer sa Porsche à presque tous ceux qui le lui demandent. « C'est une voiture un peu stressante », a confessé Betty. « Elle est petite, puissante, très coûteuse… mais amusante. »

Lease, qui gagne un salaire de 56 000 $ par année dans l'enseignement, aurait pu avoir une carrière beaucoup plus flamboyante. Fils du propriétaire d'une entreprise de distribution de produits pétroliers de Long Beach en Californie, il détient une maîtrise en comptabilité. Toutefois, cet ancien instructeur en éducation physique et en dactylographie a compris un jour que sa véritable passion était l'enseignement. Lorsqu'un poste d'enseignant s'est ouvert à Shasta, il a sauté sur l'occasion. Larry est un enseignant que les élèves respectent. « L'an dernier, un type m'a offert une bière en me disant que j'avais été le meilleur enseignant qu'il avait jamais eu », se rappelle-t-il.

Ces marques de reconnaissance signifient beaucoup pour lui. « Il n'est pas nécessaire de m'offrir une Porsche. Il n'est même pas nécessaire de dire que je suis le meilleur. L'important, c'est que vous retiriez quelque chose de bon de mon cours. »

Christina Cheakalos et Kenneth Baker
Magazine People

Une livraison très spéciale

Pendant que les élèves de la sixième période se précipitent vers leur case, je jette un coup d'œil dans la classe 815. Je me rappelle avec satisfaction une scène survenue plus tôt dans la journée: vingt-sept élèves de sixième année qui écrivent et analysent consciencieusement de la poésie. J'admire leur maturité grandissante et le sérieux de leurs commentaires. Puis mes pensées reviennent au moment présent et je me réjouis en silence en pensant à un de mes élèves de la cinquième période. L'honnêteté dont il a fait preuve pour éviter les ennuis et persévérer dans ses études m'a impressionnée. J'en suis heureuse pour lui.

J'étais en train de classer machinalement mes dossiers en prévision des rencontres de l'après-midi lorsque je remarque un jeune homme debout dans l'embrasure de la porte. « Êtes-vous Mme Moller? » demande-t-il. Je réponds oui, m'attendant à recevoir le message d'un collègue. « Voici », dit-il en me tendant une enveloppe, puis il part. Agrafée sur le devant de l'enveloppe se trouve une étiquette écrite à l'ordinateur: « Livraison spéciale pour Mme Moller ». Intriguée, j'ouvre l'enveloppe. À l'intérieur se trouve une feuille vert forêt de papier construction dont les deux côtés sont pliés vers le centre avec un gros cœur rouge dessiné. Le mot *Merci* est écrit en lettres moulées sur chaque coin. En bas à gauche, on lit les mots *De la part d'Andrew*. J'essuie une larme en ouvrant la carte pour lire le message.

Chère Mme Moller,

Merci de m'avoir aidé lorsque j'en avais besoin. Merci d'être restée après l'école pour m'aider dans mes devoirs et mes travaux. Grâce à vous, je vais commencer le 2ᵉ cycle du secondaire. Merci pour tout ce que vous avez fait pour moi. Merci de m'avoir aidé à compléter le 1ᵉʳ cycle. Encore une chose : vous êtes la meilleure enseignante !

Sincèrement,

Andrew

Bouleversée, je m'assieds un moment en repensant à Andrew. *Oui, tu vas continuer ton cours secondaire,* me dis-je. *Et pour cela, je t'en suis reconnaissante.*

J'enseignais en première année lorsque j'ai fait la connaissance d'Andrew. En toute honnêteté, j'ai eu peu de contacts avec lui au début. Je ressentais une certaine frustration chaque fois qu'il ne rapportait pas un devoir ou arrivait mal préparé en classe. Même s'il commençait en classe la plupart des travaux que je lui assignais, il les terminait ou les remettait rarement. Je lui faisais souvent remarquer le désordre qui régnait dans son cartable. Je le sermonnais sur l'importance de faire ses devoirs et d'aller au bout de son potentiel. Parfois, je variais les activités dans l'espoir de lui donner de nouvelles façons de mieux réussir, mais Andrew participait à contrecœur et faisait peu de progrès.

Un après-midi de novembre, Andrew s'est approché derrière moi, silencieux. D'un ton calme et grave, il a dit: « J'ai besoin d'aide en lecture. Je ne comprends rien. » Mon cœur s'est serré dans ma poitrine et, à cet instant précis, j'ai ressenti un sentiment d'échec. *Pourquoi je ne m'en suis pas aperçue avant?*

J'ai suggéré à Andrew de faire de la récupération avec moi pendant la pause du dîner. Même s'il aurait préféré jouer avec ses amis, il a accepté. Presque chaque midi, Andrew revenait dans la classe, balançant un plateau-repas sur son cartable en désordre. Ensemble, nous avons établi un horaire pour mieux structurer son emploi du temps. Nous avons organisé son cartable, fait des lectures et des travaux ensemble, et appris à mieux nous connaître. Sa détermination et son énergie m'impressionnaient. Chaque progrès, aussi minime soit-il, l'enchantait. Officiellement, j'étais le mentor d'Andrew. En réalité, il était le mien.

Andrew m'a appris à enseigner. Il m'a montré à être patiente, à faire preuve de constance et de bienveillance. Il m'a révélé que l'intelligence se manifestait de multiples façons. Andrew est la raison qui me pousse à enseigner.

En ce jour où je reçois ma livraison spéciale, je réfléchis sur le chemin que nous avons parcouru. Après sa sixième année, Andrew et moi avons continué à nous rencontrer, autant sur le plan académique que sur le plan personnel. Grâce à la crème glacée, au travail et au jeu, nous avons continué de progresser. Aujourd'hui, Andrew est prêt à aller plus loin. Il va bientôt fréquenter une école beaucoup plus grande avec encore plus d'élèves. Cette pensée m'effraie quelque peu, mais je sais que le temps est venu.

Cher Andrew,

Merci de tout ce que tu m'as donné. Tu as accepté que je te vienne en aide. Merci de m'avoir appris à être une meilleure enseignante. Si je suis « la meilleure des enseignantes », c'est uniquement parce que tu étais mon élève. Je serai pour toujours fière de ce que tu as accompli.

Affectueusement,

Mme Moller

Pauline Moller

Ce que j'ai appris malgré moi

Avoir un père dans l'armée de l'air est un excellent moyen d'apprendre à s'adapter à de nouvelles situations, mais une bien mauvaise façon d'apprendre à connaître des enseignants. En fait, je n'ai jamais fait d'efforts à l'école, car je savais que nous allions déménager encore, alors pourquoi me donner la peine de plaire à un professeur?

Un jour, ma famille a déménagé, mais cette fois définitivement, à Cannon Falls au Minnesota, et c'est là que j'ai pu terminer mes études secondaires. C'est là aussi que j'ai rencontré M. Fogarty.

J'étais le clown de la classe, mais M. Fogarty a passé outre mes pitreries pour voir l'élève qui se cachait derrière. Il attendait de moi que j'apprenne. Que j'aie de bonnes notes. Bref, que j'excelle.

Naturellement, je me suis rebiffée. Depuis des années, je me laissais porter par le courant et c'était très bien ainsi. Je savais que je n'aurais aucun problème à décrocher mon diplôme, alors pourquoi me soucier de ma moyenne puisque je n'avais pas l'intention de poursuivre plus loin mes études?

Lorsque j'ai présenté ma vision des choses à M. Fogarty lors de notre rencontre élève/professeur, j'étais persuadée en quittant sa classe qu'il comprendrait ce que j'attendais de lui: qu'il me laisse tranquille pour que je déconne jusqu'à la remise des diplômes.

Le lendemain, j'ai appris qu'il m'avait inscrite dans un programme d'études personnelles.

Ce programme était destiné aux élèves très intelligents. J'ignore quelles *ficelles* M. Fogarty a dû tirer pour me faire entrer dans ce programme malgré mes notes médiocres et mon attitude crâneuse. Je n'en croyais pas mes oreilles lorsqu'il m'a expliqué que la salle d'étude — cette précieuse salle qui me servait de dortoir pour la sieste! — allait devenir le quartier général de ce programme d'études.

« *Quel* programme d'études personnelles? » ai-je hurlé.

M. Fogarty est resté imperturbable, même si je criais si près de lui que mon souffle faisait frémir son toupet. « Celui que tu préféreras. Choisis deux sujets que tu aimerais explorer. »

J'étais furieuse qu'il s'ingère ainsi dans ma vie. Et un peu flattée aussi. M. Fogarty jugeait que j'étais suffisamment intelligente pour faire partie du même groupe que Marnie Ammentorp, Kirsten Hammer et Jessica Growette, de vrais petits génies. La dernière fois qu'un enseignant s'était ainsi intéressé à ma cervelle, c'était pour me demander si j'avais déjà été victime, enfant, d'un traumatisme crânien, pour sommeiller autant pendant les heures de classe.

En apparence, j'étais encore furieuse. *Je n'ai pas encore dit mon dernier mot*, pensais-je. *Deux sujets? Pas de problème, mon vieux. C'est toi qui l'auras voulu.*

M. Fogarty était un homme pieux et un père dévoué, facile à mettre dans l'embarras. Malicieusement, j'ai décidé que nous allions étudier ensemble l'anatomie. Ce sujet serait une torture pour lui et le forcerait à renoncer à son stupide programme d'études personnelles. Je pourrais ainsi retourner à ma lecture de bandes dessinées.

Mon plan a échoué. M. Fogarty m'a prêté un livre sur l'anatomie et nous avons commencé par apprendre les noms des 206 os. Tous, sans exception. Il aurait préféré être ailleurs. *J'*aurais préféré être ailleurs. Mais il a persisté et *m'*a obligée à persévérer. C'est pendant que nous étudiions les métacarpes et les métatarses qu'il m'a parlé de l'équipe d'art oratoire.

Comme si ce n'était pas suffisamment merdique de mémoriser le fémur et le coccyx, voilà qu'il essayait de m'enrôler dans les activités parascolaires. Cet homme avait perdu la raison !

Il avait besoin de quelqu'un qui représenterait l'école dans la catégorie « narration ». J'ai résisté. Il a insisté. Je lui ai dit que je serais incapable de mémoriser une centaine d'histoires à temps pour le concours prévu pour le week-end suivant.

Il m'a rétorqué que je pouvais mémoriser cent mille histoires si je le voulais. « Ne joue pas au plus malin avec moi, a-t-il ajouté. Je sais qu'il y a un cerveau là-dessous. Samedi, 8 heures. Sois à l'heure. »

J'étais à l'heure. Étonnée d'être là, oui, mais à l'heure. Terrifiée. J'étais convaincue de ne pas être à la hauteur, mais M. Fogarty pensait le contraire. Et pour la première fois, je ne voulais pas décevoir mon professeur.

Ma tâche consistait à lire un gros livre rempli de contes de fées (cette année-là, le livre contenait 216 histoires). Chaque participant au concours tire l'histoire qu'il va conter. C'est pourquoi il est si important de lire toutes les histoires du livre; si on tire une histoire qu'on n'a pas lue, on est cuit. On se retrouve debout devant un juge et un auditoire, et on n'a rien à dire.

Je n'avais pas à m'inquiéter à ce sujet; à ma grande surprise, je n'avais eu aucune peine à lire toutes les histoires à temps. C'étaient les concurrentes qui me préoccupaient. Les autres conteuses étaient toutes semblables: toutes petites, des rubans dans les cheveux, de grands yeux, et elles portaient des robes à crinolines. Moi, j'étais plus grande que les autres filles, presque autant que M. Fogarty. J'étais gauche, toujours en train de trébucher ou d'échapper quelque chose. Je n'attachais pas mes cheveux avec un ruban; ils étaient habituellement noués en queue de cheval. Les autres filles ressemblaient à Boucle d'Or; moi, j'avais plutôt l'air de Papa Ours.

« Je ne serai pas capable », ai-je chuchoté.

Je perdais mon temps: M. Fogarty n'était pas intéressé à entendre mes jérémiades. « Tu vas bien t'en tirer. »

« Non, je ne vais *pas* bien m'en tirer. »

« Mais oui! » a-t-il répondu sur un ton enjoué en me poussant vers la scène. « Tu vas y arriver. »

Pour être un bon conteur, la clé est de vraiment se projeter soi-même dans l'histoire. J'ai donc oublié les spectateurs pour devenir Simon le simplet et j'ai gaffé sur scène comme Simon gaffait dans sa vie. J'avais peine à croire les rires que je provoquais.

Encore une fois, M. Fogarty avait eu raison; je me suis classée deuxième sur cinquante conteurs. L'équipe des Boucle d'or n'a jamais vu venir l'ouragan. Par la suite, je me suis classée première, deuxième ou troisième dans tous les concours auxquels j'ai participé. J'étais maintenant devenue l'amie des premiers de classe; ils ont décidé que j'étais même devenue l'une d'entre eux.

Entre-temps, M. Fogarty et moi avons continué de bûcher résolument l'anatomie. Maintenant, j'en savais plus sur les os, le cartilage et le système nerveux que jamais je n'aurais osé espérer. M. Fogarty m'a alors rappelé que je devais choisir mon second programme d'études personnelles.

J'ai maugréé; quand donc allait prendre fin cette démence? J'avais eu un A en biologie par accident grâce à ce stupide programme d'études personnelles, ce qui avait causé un tort considérable à ma réputation de fainéante. Et là, je devais choisir un autre sujet?

J'ai rouspété, mais nous savions tous les deux qui allait sortir gagnant; c'était toujours le même qui gagnait. J'ai donc opté pour l'écriture, espérant secrètement qu'il m'en découragerait.

Il m'a demandé de rédiger des rédactions. Il m'a demandé de rédiger des nouvelles. Il m'a fait lire du O'Henry, du Jackson, du Bradbury, du Chaucer. Après m'avoir saturée de mots, il m'a demandé d'écrire. Ma première nouvelle parlait d'un petit garçon qui tuait sa mère. J'étais particulièrement fière de cette histoire horrible et même si elle a probablement dégoûté M. Fogarty, il m'a encouragée à tenter de la faire publier. Confiante, je l'ai postée à *The New Yorker*.

Naturellement, on m'a envoyé une lettre de refus. En fait, j'étais surprise qu'on n'ait pas mis le feu à mon histoire pour me retourner les cendres. Pourtant, M. Fogarty était aussi heureux que si la direction de la revue avait accepté de la publier. « Une lettre de refus de *The New Yorker* », disait-il sur un ton admiratif, tenant la lettre comme si elle était en or. « C'est vraiment incroyable. La plupart des gens ne verront jamais quelque chose de semblable. » Il a épinglé ma lettre de refus sur le babillard afin que tous puissent voir que je collaborais (en quelque sorte) à *The New Yorker*. Puis il m'a dit d'écrire une autre histoire.

M. Fogarty a été mon professeur de diction et mon enseignant titulaire pendant toutes mes études secondaires. Il m'a fait rire; il m'a rendue furieuse; il m'a poussée à donner le meilleur de moi-même. Aujourd'hui, j'ai publié six livres et quatre autres sont en préparation pour les deux prochaines années. Un de mes livres a été réimprimé et un autre a reçu un prix national d'écriture, mais comme il s'agissait d'un roman érotique avec quelques passages, disons, explicites, je n'ai pas osé en envoyer un exemplaire à M. Fogarty (déjà qu'il avait dû se taper l'étude de l'anatomie!). Il aurait toutefois mérité une caisse de livres. Il en aurait mérité un million de caisses. Je lui dois plus que ma carrière d'auteure; il m'a appris à croire en moi, à ne pas avoir peur d'oser même lorsque tout le monde dit que c'est impossible. Il ne s'attendait pas seulement à ce que j'essaie; il s'attendait à ce que je réussisse. Une fois l'habitude prise, j'y ai pris goût. Tout cela grâce à un enseignant qui a refusé de baisser les bras face à la petite nouvelle qui se croyait plus futée que les autres.

En plus de m'avoir aidée à réaliser mon rêve de publier un livre, M. Fogarty a eu un immense impact sur ma vie de bien des façons. Je suis mariée à un diplômé de Harvard, un homme qui vient d'une famille aisée qui mangeait du risotto pendant que j'engouffrais des nouilles, le genre d'homme que je croyais hors de ma portée. Quant aux premières de classe de l'équipe d'art oratoire, elles sont devenues des femmes géniales et mes amies les plus chères; nos enfants jouent ensemble.

Le plus incroyable, c'est qu'on m'a demandé de donner un séminaire d'écriture l'été prochain. Je suis nerveuse, car je n'ai jamais enseigné auparavant. Cependant, j'ai accepté de le faire, d'abord parce que M. Fogarty aurait été déçu de savoir que j'avais refusé par peur d'échouer, mais aussi parce que j'aurai la chance de toucher la vie d'un aspirant auteur, de nourrir son rêve, de l'encourager à réaliser son potentiel, de changer sa vie à jamais.

J'aurai la chance d'être une enseignante.

MaryJanice Davidson

Ce sont vos mains...

Ce sont vos mains qui écartaient mes cheveux de mon visage à la maternelle. Vous me réconfortiez, me rassuriez, me montriez que je pouvais me passer de ma mère pendant quelques heures.

Ce sont vos mains qui claquaient pour attirer mon attention en première année. Vous me rappeliez qu'il y avait un temps pour travailler et un temps pour jouer au cours de toute une journée d'école. Vous m'appreniez la discipline, l'intégrité et la patience, tout en me permettant d'être créative et inventive.

Ce sont vos mains qui m'ont montré comment faire des paniers de fleurs pour célébrer le printemps en deuxième année et comment fabriquer un œillet de corsage en papier de soie qui a fait pleurer ma mère de joie. Elle a toujours conservé cette fleur délicate.

Ce sont vos mains qui m'ont initiée à la géographie en troisième année et qui gesticulaient pour agrémenter les souvenirs de voyage que vous racontiez. Vous avez éveillé en moi le désir de découvrir les autres pays et leurs peuples. Vous avez élargi mes horizons.

Ce sont vos mains qui ont donné vie aux chiffres en quatrième année. Vous avez partagé avec nous votre passion des mathématiques et m'avez fait réaliser qu'elles sont utiles de bien des façons dans la vie de tous les jours. Vous n'avez pas hésité à me soumettre des problèmes difficiles pour m'habituer à bien réfléchir.

Ce sont vos mains qui m'ont montré que la technologie était un train rapide dans lequel je devais monter en cinquième année. Vous m'avez montré que l'ordinateur était convivial et vous m'avez initiée à la nouvelle ère des technologies. Vous m'avez appris qu'elles feraient partie de mon avenir.

Oui, durant toutes mes études, ce sont vos mains qui tenaient et tapotaient affectueusement les miennes dans les moments difficiles; qui essuyaient mes larmes quand je pensais que le monde s'acharnait contre moi; qui applaudissaient aussi fort que celles de mes parents quand je remportais un prix; qui secouaient l'index en signe de réprimande lorsque je ne me comportais pas bien sur le terrain de jeux; qui claquaient des doigts pour me diriger dans les spectacles de musique de l'école; qui mettaient des pansements sur mes genoux écorchés; qui m'offraient un petit présent le jour de mon anniversaire; et dont un doigt se portait à vos lèvres pour me rappeler discrètement de garder le silence à la bibliothèque.

Ce sont vos mains qui maintenant serrent les miennes pour me souhaiter bonne chance et pour m'indiquer la prochaine étape de mes études. Merci. Merci de m'avoir aidée à préparer mon avenir. Merci de vous être souciées ainsi de moi pendant toutes ces années. Vos mains ont laissé une empreinte indélébile sur ma vie.

Julie Sykes

À propos des auteurs

Jack Canfield

Jack Canfield est l'un des plus grands spécialistes américains du développement du potentiel humain et de l'efficacité personnelle. Jack possède une vaste expérience dans le domaine de l'éducation. Il a enseigné l'histoire dans une école secondaire de Chicago, dirigé un centre de formation pour les enseignants en Iowa, ainsi qu'un programme de maîtrise à Amherst, au Massachusetts, et travaillé comme consultant pour plus de cinq cents organisations scolaires, collèges et universités au Canada et aux États-Unis.

Jack a écrit des livres destinés aux enseignants, notamment *100 Ways to Enhance Self-Concept in the Classroom* (avec Harold Wells), *101 Ways to Develop Student Self-Esteem and Responsability in the Classroom* (avec Frank Siccone) et *Self-Esteem in the Classroom: A Curriculum Guide*. Il est également coauteur avec Mark Victor Hansen de *Osez gagner*, *Le pouvoir d'Aladin*, *La force du focus* et de la série à succès *Bouillon de poulet pour l'âme*.

Il est l'auteur et le narrateur de nombreuses audiocassettes et vidéocassettes à grand succès, dont *Self-Esteem and Peak Performance*, *How to Build High Self-Esteem*, *Self-Esteem in the Classroom* et *Chicken Soup for the Soul — Live.* On le voit régulièrement à la télévision dans les émissions *Good Morning America*, *20/20* et *NBC Nightly News*. Il apparaît également dans son émission spéciale *Making Your Dreams Come*

True! diffusée sur le réseau PBS. La série télévisée *Chicken Soup for the Soul* est diffusée hebdomadairement sur le réseau ABC.

Jack prononce des conférences devant des associations éducatives de trente-huit États américains, vingt départements d'état à l'éducation, et les facultés des sciences de l'éducation de plus de trente universités. De plus, il organise annuellement un séminaire de formation de huit jours durant l'été destiné aux enseignants, aux conseillers en orientation et aux formateurs qui veulent apprendre comment développer une bonne estime de soi chez leurs élèves et accélérer la réalisation de leur plein potentiel.

Mark Victor Hansen

Mark Victor Hansen est un conférencier professionnel qui, depuis les vingt dernières années, a donné plus de 4 000 conférences à plus de deux millions de personnes dans trente-deux pays. Dans ses exposés, il parle de stratégies de vente et d'excellence; de croissance personnelle et de prise en main; d'augmenter à la fois ses revenus du triple tout en doublant son temps de loisir.

Toute sa vie, Mark s'est donné pour mission de changer profondément et positivement la vie des gens. Pendant toute sa carrière, il a inspiré des milliers de personnes à se bâtir un avenir plus solide et plus significatif, en générant la vente de biens et services pour des milliards de dollars.

Mark est un auteur prolifique. Il a écrit les livres *Future Diary*, *How to Achieve Total Prosperity* et *The Miracle of Tithing*. Il est coauteur de la série *Bouillon de poulet pour l'âme*, *Osez gagner* et *Le pouvoir d'Aladin* (tous avec Jack Canfield), et *Devenir maître motivateur* (avec Joe Batten).

Mark a également produit une bibliothèque complète d'audiocassettes et de vidéocassettes sur l'émancipation personnelle, qui ont permis à ses auditeurs de reconnaître et d'utiliser leurs aptitudes innées dans leur vie professionnelle et personnelle. Son message a fait de lui une personnalité populaire de la télévision et de la radio. Il a participé à des émissions sur ABC, NBC, CBS, HBO, PBS et CNN. Il a aussi paru en page couverture de nombreux magazines, dont *Success*, *Entrepreneur* et *Changes*.

Mark est un grand homme avec un cœur et un esprit à sa mesure. Il est une source d'inspiration pour tous ceux et celles qui cherchent à s'améliorer.

Autorisations

PUBLICATIONS DISPONIBLES DE LA SÉRIE « BOUILLON DE POULET POUR L'ÂME »

1er bol *(aussi en format de poche)*

2e bol

3e bol

4e bol

5e bol

Ados *(aussi en format de poche)*

Ados II *(aussi en format de poche)*

Ados — Journal

Aînés

Amateurs de sport

Amérique

Ami des bêtes *(aussi en format de poche)*

Canadienne

Célibataires

Chrétiens

Concentré *(format de poche seulement)*

Couple *(aussi en format de poche)*

Cuisine (livre de)

Enfant

Femme

Femme II *(aussi en format de poche)*

Future Maman

Golfeur

Golfeur, la 2e ronde

Grands-parents *(aussi en format de poche)*

Infirmières

Mère *(aussi en format de poche)*

Mère II *(aussi en format de poche)*

Mères et filles

Noël

Père *(aussi en format de poche)*

Préados *(aussi en format de poche)*

Professeurs *(aussi en format de poche)*

Romantique

Survivant

Tasse *(format de poche seulement)*

Travail

Autres ouvrages suggérés aux Éditions Sciences et Culture

2-89092-310-X
224 pages

2-89092-315-0
272 pages

2-89092-194-8
240 pages

2-89092-193-X
264 pages

2-89092-278-2
336 pages

2-89092-272-3
288 pages

MEMBRE DU GROUPE SCABRINI

Québec, Canada
2007